文学こそ最高の教養である

駒井稔
＋
「光文社古典新訳文庫」編集部
編著

光文社新書

まえがき

駒井 稔

古典を今、読むということ

この新書を手に取って、このまえがきを読んでいる皆さん。もう身構えていませんか。

なにか難しいことが、書かれているのではないだろうか。「文学」や「教養」について、自分にはとても理解できないような高尚な話題が、延々と続くのではないだろうか。

そんな風に思ってしまう人が多いのも、よく承知しているつもりです。

どうぞご安心あれ。わたしが読者の代表として、専門家たちに、無知を恥じることなく、初歩的なことから果敢（?）にお話をお聞きしたのが本書です。ホッとしましたか。まずは、肩の力を抜いていただいて大丈夫ですよ。

さて、まだ手に取ったことのない方もいると思いますので、まず、光文社古典新訳文庫について、簡単に触れておきましょう。

このシリーズは、「いま、息をしている言葉で。」をキャッチフレーズに、普通の読者が「読むことのできる古典」を目指して、二〇〇六年九月に創刊されました。

創刊時は思い切って八冊を揃えて刊行しましたので、幸い読書界の注目を集め、大きな話題にもなったのです。

以来、三百冊を超える古典作品の新訳を刊行してきました。本書に登場する作品は、すべてこのシリーズの一冊として刊行されたものです。

本書の成り立ちについても、ご紹介しておきます。

二〇一四年十月に、紀伊國屋書店の電子書籍サービス「Kinoppy《キノッピー》」とのコラボレーション企画が「紀伊國屋書店 Kinoppy＝光文社古典新訳文庫 Readers Club Reading Session」と銘打って、新宿本店のイベントスペースをお借りして、読書会としてスタートを切りました。編集長を務めていたわたしが聞き手となり、光文社古典新訳文庫の翻訳者の皆さんに登壇していただく形は今日まで変化はありません。

おかげさまでなんと六十回を超えて、現在も継続中です。常連となっているお客さんも多くなり、今日はあの方の顔が見えないな、と心配になったり、終了後に「今日は面白かったよ」と言ってもらえると妙にうれしくなったりという、楽しいコミュニケーションが成立するまでになりました。

教養とは、そして文学とは

本書のタイトル（『文学こそ最高の教養である』）は、実は極めて個人的な体験から思いついたものです。

わたしは夜の散歩が好きなのですが、自分の住む町の最寄り駅から一駅歩いて、隣の駅にある比較的大きな書店を訪ねるのが週末の楽しみです。都心のオフィスに通う若いビジネスパーソンが多く住む地域ですので、彼らの旺盛な知的好奇心を満たすような選書がされています。すぐにでも吸収しなければならない、即効性のある知識や教養をテーマとしたものが多いのもうなずけます。

そういう書棚を眺めていると、長年、編集を生業《なりわい》としてきた人間の性《さが》で、どうしてもタイトルや装幀に目がいきます。それから帯の文章。「おお、これはうまいな」と思うものに行き当たると、軽い嫉妬さえ覚えることがあります。

そのなかでひと際目を引くタイトルが、『教養としてのワイン』『教養としての落語』『教養としての仏教』『教養としてのアート』など「教養」という文字が冠された本です。「教養としての」と謳《うた》ったものがこんなにたくさんあることに驚きます。なかには『教養としてのヤクザ』などという物騒なタイトルもあり、いったい教養とは何だろう、といまさらながら考えさせられることがありました。

ちなみに広辞苑で「教養」の項を引いてみると、こんな風に説明されています。

> 単なる学殖・多識とは異なり、一定の文化理想を体得し、それによって個人が身につけた創造的な理解力や知識。その内容は時代や民族の文化理念の変遷に応じて異なる。

それでは、「文学」のほうはどうでしょう。

これもまた、桑原武夫さんの岩波新書『文学入門』から始まって、「入門」と名のつく本が驚くほどたくさんあります。どれから読んでいけばいいのか迷うほど、多種多様な本が刊行されています。

イギリス、フランス、ドイツ、ロシア、中国など、もしあなたがある国の文学に興味を抱いたら、その入門書を即座に手に取ることができます。

では、そんなにたくさんの書物がすでに存在するところに、本書は何のために刊行されるのでしょうか。屋上屋を架するような内容なら、出版する意味はありませんし、お勧めもできないことは言うまでもありません。

しかし、それでも『文学こそ最高の教養である』という本書のタイトルは、少しばかり意表を突いていると思うのです。何故なら、最近では、教養は実用として役に立つものだということが、前提とされていることがほとんどだと思えるからです。

小さな声でそっと言いますが、文学はすぐには役に立ちません。身も蓋《ふた》もないことを言うようで恐縮ですが、すぐには役に立たないからこそ、極めて大切なものであり、教養として身に付けるべきものなのではないでしょうか。

わたしは一昨年、『いま、息をしている言葉で。「光文社古典新訳文庫」誕生秘話』（而立書房）という本を上梓しました。そのなかで率直に書いたことは、わたし自身が最初に古典を読んだ時に、どれくらい理解ができなかったか、そして、そのことにいかに深いコンプレックスを抱いたかということです。

「追いつくため」「勉強するため」の文学から、楽しむ文学へ

最初にご紹介したように、光文社古典新訳文庫は二〇〇六年に産声を上げました。しかし、当時のほとんどの出版人が、続いてもせいぜい二、三年がいいところかな、と思っていたはずです。そしてそれは、決して意地悪な見方ではありませんでした。

古典は、端的に言って、売れるジャンルではなかったことは否定のしようのない事実でしたし、まして「新訳」を謳うにせよ、大御所の翻訳が揃っているジャンルに、いまさらドストエフスキー、スタンダール、シェイクスピア、トーマス・マンなどの綺羅星《きらぼし》のごとき作家の作品を継続的に刊行することは、喩《たと》えてみれば、蟷螂《とうろう》の斧《おの》のように思われても仕方のないことでした。

日本は明治から、西洋の文物をとにかく急速に吸収することをいわば国是としてきました。少なくとも二十世紀の終わりまでは、この傾向は絶えることなく続いてきたように思えます。

しかし今世紀になって、「追いつけ追い越せ」の時代はついに終わりを告げ、急激なグローバル化が進んだことと相俟《あいま》って、外国文化に対して、過度に緊張するような雰囲気は消えたといっても過言ではありません。

にもかかわらず、西洋を始めとする世界の古典文学を前にすると、人々はいまだ前時代的なコンプレックスに囚われて、窮屈《きゅうくつ》な表情をしているように思えてならなかったのです。

文学とはなにか、ということを正面から議論することも大事ですが、どんな偉大な文学でも、勉強ではなく、楽しみながら読むことが可能になったのではないかというのが、わたしの実感でした。日本の近代文学者たちが、新しい文学の方法論を学ぶために、力の限り奮闘しなければならなかった時代は、ヌーヴォー・ロマンを最後に終わりを告げたことは、否定しがたい事実のように思えました。

しかし、敢えてひと言だけ補足しておきますと、文学は本来、危険なものだということは、決して忘れられてはならないとも思うのです。

古典が見つけた新たな居場所

面白いことに、最近、古典新訳文庫のファンだという若いビジネスパーソンに出会うことが急に増えてきました。気負いなく、「このシリーズで古典に目覚めました」と言う読者がたくさんいるのです。

一方で、リタイアした若いお爺《じい》さん（わたしはシニアという言葉がなぜかとても嫌いなのです）たちにも、「若い頃読んだときにはよく分からなかったけれど、この新訳シリーズでやっと読めたよ」と言って下さる方がたくさん出現しています。

古典新訳文庫の創刊を準備していたころから、古典といえば「難しい」「読むのが大変そう」「他にもっと面白い読み物がある」――こんな言葉を何度聞かされたことでしょう。古典は現代作品として読むことができる。いや、古典は普遍的な価値を持つどころか、いつの時代にも新しい読まれ方を待っている、などと言っても、人間の意識はそんなに簡単に変わるものではないことも肌身に染みて感じていました。

ですから、手に取りやすい文庫形式にして、装幀もスタイリッシュなものにしました。文字は大きくして、註はページの左側に入れ、さらには人名を解説した栞《しおり》を挟むなど、考えられるすべての工夫を凝らしました。

そのおかげもあってか、先にも述べた通り、創刊から十四年、大方の予想を裏切る形で、途絶えることなく刊行を続けることができました。やっと世の中に居場所が見つけられたような気持ちです。

*　*

この新書は、最初に述べたように、わたしが聞き手になって、翻訳者にさまざまな質問を投げかけていく形をとっています。

対話形式ですから、話はあちこち飛んだりします。しかし、本質的なことにしっかりと答えていただいた、読み応えのある内容になったと自負しています。

加えて、対談ならではの予想もしない脱線も楽しんでいただけるでしょう。

もちろん、それは、ご登場いただいた十四人の翻訳者の方々のおかげです。わたしの質問があまりに未熟なゆえに、愚問だと思われる部分もあるかもしれませんが、そこはどうぞご海容のほど。

それでは、文学という「即効性のない教養」（笑）を敢えて身に付ける旅に、一緒に出かけましょうか。まずは深呼吸をして、リラックスしながら楽しんでください。

翻訳者はいずれも斯界《しかい》を代表する方々ですから、含蓄に富んだ内容は絶対に退屈させない自信があります。

そして願わくば、本書を読んだすべての方が、古典文学の面白さに目覚めんことを。

文学こそ最高の教養である

――目次

まえがき……3

フランス文学の扉

フランス文学への入り口（駒井）……20

第1夜 **プレヴォ『マノン・レスコー』**……25
自由を求め、瞬間に賭ける——フランス恋愛小説のオリジン ― **野崎 歓**

第2夜 **ロブ=グリエ『消しゴム』**……70
戦争体験に裏打ちされた、ヌーヴォー・ロマンの方法論 ― **中条省平**

第3夜 **フローベール『三つの物語』**……111
隠れた名作、その感動的なラストを日本語で再現する ― **谷口亜沙子**

第4夜 **プルースト『失われた時を求めて』**……146
「いま」「この瞬間」によみがえる、深い目論み ― **高遠弘美**

さらにお勧めの4冊……69・110・145・190

ドイツ文学の扉

ドイツ文学への入り口（駒井）……192

第5夜
トーマス・マン
『ヴェネツィアに死す』『だまされた女／すげかえられた首』……197
謹厳な作家が描くエロスの世界・三部作――**岸 美光**

第6夜
ショーペンハウアー『幸福について』……234
天才哲学者の晩年のエッセイはなぜベストセラーになったのか？――**鈴木芳子**

さらにお勧めの4冊……233・272

英米文学の扉

英米文学への入り口（駒井）……274

第7夜 **デフォー『ロビンソン・クルーソー』**……278

百カ国以上で訳された「イギリス最初の小説」の持つ魅力 ― **唐戸信嘉**

第8夜 **オルダス・ハクスリー『すばらしい新世界』**……309

『一九八四年』と並ぶ、元祖「ディストピア小説」を読み解く ― **黒原敏行**

第9夜 **メルヴィル『書記バートルビー／漂流船』**……347

謎の多い『白鯨』の著者が、巧妙に作品に隠した秘密とは ― **牧野有通**

さらにお勧めの4冊……308・346・376

ロシア文学の扉

ロシア文学への入り口（駒井）……378

第10夜 **ナボコフ『カメラ・オブスクーラ』『絶望』**……383
『ロリータ』の作家が、亡命時代にロシア語で書いた小説の謎 ― **貝澤 哉**

第11夜 **ドストエフスキー『賭博者』**……420
文豪の三つの病、そしてルーレットと性愛と創作の関係とは？ ― **亀山郁夫**

さらにお勧めの4冊……419・468

日本文学・アフリカ文学・ギリシア哲学の扉

日本文学・アフリカ文学・ギリシア哲学への入り口（駒井）……470

第12夜 **鴨長明『方丈記』**……475
達観していない作者、災害の記録——予想外の人間臭さの魅力　―　**蜂飼 耳**

第13夜 **アチェベ『崩れゆく絆』**……506
世界的ベストセラーに見る、アフリカ社会の近代との出会い　―　**粟飯原文子**

第14夜 **プラトン『ソクラテスの弁明』**……541
哲学二千年の謎を解く——死の理由、そしてプラトンの戦略とは　―　**納富信留**

さらにお勧めの４冊……505・540・584

イベント会場の隅から　宇田川信生……585

あとがき……591

編集協力／今野哲男
本文・帯デザイン／熊谷智子

フランス文学の扉

フランス文学への入り口（駒井）

わが国にはかつて、「出羽守（でわ〔は〕のかみ）」と揶揄《やゆ》されるような典型的な論理展開がありました。つまり、「フランスでは、イギリスでは、ドイツでは、こんなに優れた文化があるのだ。それに比べて日本は……」と一方的に日本を断罪する言い方です。

とはいえここではあえて、「フランス人の読書」に関する二冊の本をご紹介しましょう。「ではのかみ」などと言うなかれ。ここにはたくさんのヒントがあると思うからです。

最初の一冊は、『哲学する子どもたち　バカロレアの国　フランスの教育事情』（中島さおり著、河出書房新社）です。本書にも登場する、フランス文学者の野崎歓《のざきかん》さんに教えていただいた一冊です。著者の中島さんは、エッセイストにして翻訳家、フランス人の男性と結婚してフランスで子育てをしています。

フランスでは、中学生になると文学教育が始まるのだそうです。いきなりスタンダールやカミュを読まされるのです。息子さんが、日本の小学六年生にあたる中学一年生で、「古典と中世文学がカリキュラムだとかで、ホメロスとかラブレーを現代語訳で読んでいた」というくだりを読んだ時には驚きました。

さらには中学三年生になると、「学年のテーマが一九世紀のリアリズム小説と幻想文学だったので、モーパッサンとかメリメとかテオフィル・ゴーティエとか、私にも馴染みのある作家の作品のことを子どもたちと話す楽しみが生まれた」といいます。

なんとも本格的な読書教育ではありませんか。


もう一冊は、『読書教育　フランスの活気ある現場から』（辻由美著、みすず書房）です。著者の辻由美さんは翻訳家です。本書で知った「高校生ゴンクール賞」の存在には、正直、羨望の念を抱きました。

言うまでもなく「ゴンクール賞」は、フランスで最も権威ある文学賞です。そして、一九八八年に創設された「高校生ゴンクール賞」は、地方都市レンヌの一国語教師が、「高校生に現代文学に触れる機会を」と考えたのがきっかけです。毎年二千人の高校生が、審査員となって、本家のゴンクール賞の第一次選考でノミネートされた十数作の候補作を対象として、選考を行うのです。

「作家や文芸評論家たちを審査員とする数多くの文学賞をしりめに、高校生ゴンクール賞は、

『信頼のおける賞』という定評を得るにいたった。実際、この賞を得た作品はいっきょに売り上げをのばす」と辻さんは書いています。

こう書くと、いかにもフランスらしいエリート高校生を思い浮かべるかもしれませんが、これが全く違うのです。「これら若き審査員たちの顔ぶれはきわめて多彩で、文系の生徒もいるし、理系も職業高校生もいる。一般的に言えば、ごく普通の高校生、とくに学力の高い生徒をあつめているわけでない」。

これも大変優れた試みだと思います。こういう変わらぬ土壌があって、フランス文学は今日でも世界で読まれ続けているのではないでしょうか。

さて、フランス文学は、もちろん日本でもとてもよく読まれてきましたので、先行訳が何種類もあるケースが多いのです。ですから、それを乗り越えていく新訳は、とても大変な作業になります。本書に登場いただいた四人のフランス文学者は、編集部のわがままな注文に丁寧に応えてくれました。

まず、プレヴォの『マノン・レスコー』です。タイトルはご存知の方が多いと思いますが、実際に読んでみると、「ファム・ファタル（宿命の女）」と呼ばれる、フランス文学によく登場するいわゆる「悪い女」の典型であるとされるマノンが、実はとても複雑な印象を与える女性であることが分かります。マノンという謎の存在を、野崎歓さんの渾身の新訳でお楽しみいただけることでしょう。対談で野崎さんが述べられた「マノンという人が僕にはよく分からない」という言葉が、強く印象に残りました。

次に、『消しゴム』。青年時代に二十世紀フランス文学からわたしを遠ざけたと言っても過言ではない作家、アラン・ロブ＝グリエの作品です。ヌーヴォー・ロマンと呼ばれる二十世紀のフランス文学の実験を、中条省平さんにこれほど明晰に翻訳していただいたことで、初めて、当時一世を風靡《ふうび》した大胆な試みの真実を知ることができました。なによりもロブ＝グリエの戦争体験が重要であるという指摘には、蒙《もう》を啓《ひら》かれた思いがしました。

フローベールの『三つの物語』は、個人的にも大好きな作品です。フローベールでは、代表的な作品である『ボヴァリー夫人』や『感情教育』などの長編が有名ですが、じつはここでご紹介するこの三つの短編から、フローベール、いえフランス文学に入門するのは、最善の道ではないかと思います。フローベールが、その生涯の最後に書いた作品ですが、どれも奥行きのある、読後に余韻の残る作品ばかりです。谷口亜沙子さんの、大胆な解釈を基にした新訳で、鮮烈な印象を残す作品として蘇《よみがえ》りました。

『失われた時を求めて』の新訳を手掛けることができるとは、よもや思っていませんでしたので、高遠弘美さんの美しい文章で、つまり、「プルーストが日本語で書いたらこうなるだろう」という形で読むことができるのは、稀《まれ》なる僥倖《ぎょうこう》だと思っています。本書では、高遠さんの『失われた時を求めて』との初めての出会いから今日に至るまで、作品と過ごしてきた長い時間が語られます。有名なマドレーヌの挿話の本当の意味についてのお話は心に残りました。

「うーん、やっぱりフランス文学はすごい！」。——すっかり、「ではのかみ」になってしまったようです。

第1夜

Antoine François Prévost / HISTOIRE DU CHEVALIER DES GRIEUX ET DE MANON LESCAUT

プレヴォ『マノン・レスコー』

野崎 歓×駒井 稔

自由を求め、瞬間に賭ける ——フランス恋愛小説のオリジン

アントワーヌ・フランソワ・プレヴォ（1697-1763）
フランスの小説家、聖職者。フランス北部のエダンで法律家の家に生まれる。通称アベ・プレヴォ（アベは神父の意味）。十代半ばで修道院に入るも脱走を重ね、国外逃亡を余儀なくされる。逃亡中、全7巻からなる長編恋愛小説『ある貴族の回想』を発表、最終巻に収められた『マノン・レスコー』はヨーロッパ中で一大センセーションを巻き起こす。その後も破産などで逃亡を繰り返すが、多くの作品を執筆し文学者としての名声を得た。

『マノン・レスコー』
将来を嘱望されている良家の子弟シュヴァリエ・デ・グリュは17歳。ある日偶然出会った美少女マノンに瞬く間に心奪われ、駆け落ちを決意する。夫婦同然の新たな生活は愛に満ちていたが、マノンが他の男と通じていると知り、絶望する。しかし、「宿命の女」から離れることができない。引き離されるたびに、再び愛を確かめあうのだが、最後は破滅への道を歩んでしまう。不滅の恋愛悲劇。1731年刊。

野崎歓　1959年生まれ。放送大学教授。東京大学名誉教授。文学研究のみならず、映画や文芸評論、エッセイなど幅広く活躍。著書に『異邦の香り　ネルヴァル「東方紀行」論』『夢の共有　文学と翻訳と映画のはざまで』『水の匂いがするようだ　井伏鱒二のほうへ』、訳書にサン=テグジュペリ『ちいさな王子』、スタンダール『赤と黒』、ヴィアン『うたかたの日々』、ネルヴァル『火の娘たち』など多数。

世界がその瞬間に様相を変えてしまう――その一文を訳してみたかった

駒井　こんにちは。光文社古典新訳文庫の駒井です。今日は野崎歓さんをお招きして、新刊の『マノン・レスコー』について、いろいろお話をうかがいたいと思っています。

野崎さんには、二〇〇六年九月の古典新訳文庫創刊時八冊のなかの一冊で、サン゠テグジュペリの『星の王子さま』を改題した『ちいさな王子』を翻訳していただいてから、スタンダールの『赤と黒』、ボリス・ヴィアンの『うたかたの日々』と新訳していただいて、これが一番新しい翻訳になります。マノン・レスコーという伝説の「悪女」が日本に蘇ったという画期的な新訳です。さらに、この作品についてはもちろん、野崎さんはフランス文学に関するたくさんのエッセイもお書きになっていますので、もっと話題を広げてフランス恋愛小説の魅力ですとか、そういうところまで話ができればと思っています。

野崎　こんばんは。どうぞよろしくお願いします。

駒井　では、早速お話に入りたいと思います。野崎さんはご専門がフランス文学で、古典だけでなく、いろいろな現代作品も訳していらっしゃいます。さて、今度は何を翻訳しましょうかとご相談したときに、なぜ『マノン・レスコー』を選ばれたのか、そこからお話しいただけますか。

野崎　そうですね。毎回、そう突き詰めて考えるわけではなくて、ごく単純に、「この本を自分で訳せたらな」と、そんな夢のような気持ちしかないんです。無謀ですよね（笑）。でも翻訳の仕事はけっこう難行ですから、まずは理屈を超えて飛び込む勢いがないとできません。それから、編集部にうまく水を向けてもらうと、何だか嬉しくなって引き受けてしまう。乗せられやすいんですね。

　最初は自分でも奮《ふる》い立って、「やってやるぞ！」という感じですが、そこから後は、毎日、毎日、机に向かってひたすら訳す地味な日々です。自分の大切な人生の時間を捧げるわけですから、それを支えるだけの、「どうしてもやりたい」という気持ちがないと続かない。

　その理屈ではない部分が、どのように培《つちか》われたかと言うと、僕の場合はどうも二十歳ぐらいまでの出会いが大きかったようです。その時期までに出会った本にいまだに、こだわり続けている。それがフランスを中心とする文学だったわけですけれど、それをさらに突き詰めたい、さらには今の読者に手渡したいという気持ちがあります。

『マノン・レスコー』は、その中でも特別な一冊でした。お読みになった方はご存知の通り、主人公が十七歳のときの出来事です。「私は十七歳、アミアンで哲学の課程を終えるところでした」というところから話が始まる。十七歳の主人公に突然、人生のスイッチが入り、想像もしなかったような事件が起きて、世界がその瞬間に様相を変えてしまう。その一文を訳したいという思いがありました。

人間が生きていくうちには、ときとして、事件と呼ぶに足るようなことが起こります。外部からの刺激によって自分の内側が揺るがされるような事件を、『マノン・レスコー』は鮮烈に描いた小説です。大昔、初めて読んだときはとにかくびっくりしましたが、その驚きを翻訳者としてじっくり吟味してみたいと思ったのです。あくまでも後付けの理屈ですが。

駒井　二十歳までとおっしゃいましたが、初めて読んだのは高校生の頃ですか。

野崎　大学に入る直前か、入ってすぐのころだったかと思います。岩波文庫の河盛好蔵《かわもりよしぞう》訳でした。翻訳で読めるフランス文学の主なものを次々に読んでいた時期で、その中の一冊でした。

日本海を見つめながら、地中海に思いをはせた高校時代

駒井　野崎さんには『翻訳教育』（河出書房新社）というご著書があって、本との出合いということで、カミュとか堀口大學の詩の翻訳とか、高校生ぐらいで出合ったフランス文学をいろいろ挙げていらっしゃいます。そういう流れでお読みになった一冊だったのですか？

野崎　その次の段階でした。これは十八世紀前半の小説なので、そういった作品より一歩遠くにあったのかもしれません。最初にフランス文学を意識したのは、おっしゃったとおりカミュの『異邦人』とか『ペスト』でした。当時の新潮文庫にかかっていた銀色のカバーがすごく輝いていた。それに手もなくやられた単純な中学生、高校生の読者でしたけれども、カミュやサルトルの実存主義文学が、いまだ影響力を持っていた時代だったんです。僕にとって、フランス文学の核になったのはエグジスタンシアリスム、実存主義でした。

　といっても、僕は哲学的な人間ではないので、サルトルの哲学論文にはあまり付き合いませんでした。それでも「実存は本質に先立つ」などと聞きかじって、嬉しくなった。カテゴリーに縛られる必要はない、何よりもまずおまえ自身が存在しているじゃないかという励ましとして受け止めたわけです。よくぞ言ってくれたと。そんなふうにしてフランスの文学者に興味をかきたてられました。

　堀口大學は何と言っても、フランス詩の訳詩集である『月下の一群』でした。新潮文庫版で手に入れたのは中学から、高校に入るくらいのときです。ジャン・コクトーのシャボン玉の詩や、「私の耳は貝のから　海の響をなつかしむ」がたちまち好きになって、フランスの詩というものに目が開かれていった。それも大學訳の表現が面白かったおかげです。

　というわけで、コクトーからカミュやサルトルを経由して、二十世紀からじわじわと攻め上り、十九世紀のスタンダールやバルザックを経て、その次のところに『マノン・レスコー』が待っていたという感じでした。

駒井　なるほど。『翻訳教育』に、故郷の新潟の海を見て『異邦人』のアルジェリアの風景を思い出すところがありましたね。

野崎　海がそばにあるということが、僕にとっては大きかったんです。今から考えると、とても幸せでした。ただ、日本海と、カミュの地中海とはかなり隔たりがあるような気はしていました（笑）。地中海というと、皆さん、明るくて華麗なイメージをお持ちでしょう。後年、念願かなって地中海で泳いだこともありますが、まあ泳ぐ分には日本海と大差はない。でも、それは夏の話で、日本海の場合、冬はなかなか荒涼とした寂しさがあります。

　僕が生まれたのは高田という、豪雪で知られた町で、日本のスキー発祥の地です。生まれてすぐに新潟市に移ったんですけど、昔は新潟市もかなり雪が積もって、冬は近所の坂でスキーができた。そんな人間ですが、冬の寒さは苦手ですね。今日はこんな冷蔵庫みたいによく冷えた日なのに、皆さん、本当によく来てくださいました。

　とにかく、コクトーやカミュを読んでみると、海がとても大切な要素になっていることが感じられました。こちらは目の前に佐渡島《さどがしま》が見えるような海の眺めに親しみながら、コクトーの詩のカンヌの海や『異邦人』の海はどんな海なんだろうと思いを巡らせたわけです。

当時の僕にとって、フランスは果てしなく遠かった。そもそも新潟にはフランス人はあまりいなかったと思うし、実際にフランス人に会う機会などまったくなかった。なまのフランス語を初めて聞いたのは、大学に入ってからです。フランスは僕にとって、ずっと本や映画の中の世界でした。最初にパリに行ったとき、フランス人はやっぱりフランス語を話しているんだと思って感動したくらいです。前世紀の青春というのは、まだそんなものだったんですね。

「恋愛もの」以外の魅力——別世界（アンシャン・レジーム）に旅する面白さ

駒井　面白いお話ですね。ところで『マノン・レスコー』は、一七三〇年代の作品ですよね。フランス文学を遡《さかのぼ》っていっても、スタンダールとかゾラとか、やはりあの辺りの作品がメインになりますよね。『マノン』はそれより一つ前の時代の作品という感じがしますが、フランス文学の専門家の目で見れば、つながりがあると思うんです。そういう意味で、この作品の魅力はどの辺りにあるのでしょう。

野崎　まずは純然たる恋愛小説としての魅力でしょう。この主人公は優等生で、皆にお前はよくできると言われ、聖職者として出世まちがいなしと太鼓判を押されている。顔立ちもよくて皆にほめそやされている。そんなおぼっちゃまが、マノンとたまたま出会ったその瞬間に恋の炎を燃え上がらせてしまう。「マノン、一緒にどこまでも逃げよう」ということになる。大変な決断をするわけですよね。このパッションは凄《すご》いと、ただそれだけで読んでいました。

　そこには、自分もそんな熱烈な経験をしてみたいという気持ちもあったと思います。でも、そういうパッションの背後には、実は歴史や社会的な文脈が描き込まれていたわけで、大学生のころにはそこまで意識が働かなかったと今になってつくづく思います。

『マノン・レスコー』と言えば、悪い女にたぶらかされてすべてを犠牲にした男の悲劇だというふうに思われているわけですけど、冷静に読むと、背景にある歴史的な環境がみごとに描き込まれているのがわかるんです。今回、訳していてそれを堪能《たんのう》しました。物語を支えていた社会が、我々の日常からかけ離れているので、その分、別世界に旅する面白さがある。

　別世界とは、要するにアンシャン・レジーム（旧体制）です。この作品は、一七三一年が初版です。フランス革命まで、まだ半世紀以上ある。世の中がひっくり返って、王権が停止され、貴族制度が廃止されて、皆がシトワイヤン（市民）と呼び合うようになるなんて、だれにも想像できなかった身分制世界です。国王を頂点とする、民主主義以前の世界。裁判制度なんかもかなり無茶で、有力な貴族があいつをちょっと監獄に入れろと言えば、すぐ監獄に入れられてしまう。人権意識が希薄な、ルイ王朝の時代です。

物語の途中で、主人公は偶発的な事故とはいえ人を殺してしまう。我々の感覚だと、これはもう一線を越えてしまったと思いますよね。でも、その点についてはほとんど何のお咎《とが》めもないのです。とんでもないことだと思うけれども、小説の中では誰もそう思っている節《ふし》がない。

ルイ十四世の時代に、ルイ王朝は栄華を極めたわけですが、ルイ十四世は晩年になると信心深くなり、カトリック色の強い宮廷になったようです。その反動か、その後のフィリップ・ドルレアンが摂政を務めた時代、そしてルイ十五世になってからは、貴族、宮廷を始めとしてかなり乱れたんですね。そのあとを継いだルイ十六世は、趣味が時計いじりという真面目な人だったのに、可哀そうに革命が起こって、一族のつけを払わされることになりますが。そういったアンシャン・レジーム期のただ中に、この小説の読者は入っていくことになる。どれだけ貴族が威張《いば》っている時代だったかを、肌身で体験してみるのも面白いと思うんです。

現代の常識ではあり得ない世界に落ちていくスリル

野崎　この作品は、冒頭に語り手である貴族の「私」が出てくる。主人公・シュヴァリエの「私」とは別に、大枠としてはこの貴族の回想録という仕立てになっているわけです。そして「読者にはまず、私がシュヴァリエと初めて出会った時期まで遡ってもらわなければ」とある。マノンの恋人のシュヴァリエです。出会ったのはどういうときだったかというと、マノンが国外追放処分を受けて、後ろ手に縛られて馬車で運ばれている。田舎町の人がそれを見に集まってきたところだったんです。

「私」は馬で通りかかるわけですが、こんなふうに書いてあります。「マスケット銃を肩に負った警吏が戸口に現われたので、私はこちらに来るよう手招きした。いったい何の騒ぎかと尋ねたところ、警吏はこう答えた」と。

ここで読み取っていただきたいのは、「私」は馬に乗っていて騒ぎに出くわした。そこに警吏、つまり今で言う警官がいたので、手招きして呼んだということです。今ではちょっと、考えられませんよね。警官を呼びつけて「どうした」と聞くなんて。しかも「私」は馬から降りていない。だから、地面に立っている警官に対して終始「上から目線」です。警官は、貴族にとって上から呼びつける相手でしかないということです。

そんなことから始まって、貴族は絶対的に偉いということが、この物語のはしばしに出てきます。語り手の「私」は話を聞いているうちに、いたく同情します。マノンの監視役に、「親切にしてやれよ」などと言ってお金を渡す。金貨を握らせるのですが、換算すると十万円近いのではないかと思われるほどの額を、いきなり渡している。見ず知らずの、会ったばかりの女性を助けるために、それだけの金を渡す。

一事が万事、現代の常識ではあり得ない人間関係と社会です。だからこそ、ここで語られていくとんでもない運命の転変だって、なるほどあり得たんだなと思えます。この小説を読むことには、そういう僕らの常識の通じない世界に落ちていくスリルがある。

マノンとシュヴァリエの境遇

駒井　なるほど。ただ、どうしても現代的に読んでしまうところがあると思うので、ここで理解しておかないといけないことが、それ以外にもあったら教えてもらえますか？

野崎　とにかく、まったくの不平等社会だということを頭に入れておいていただきたい。それが一つと、もう一つはシュヴァリエが貴族の次男坊だということです。革命が起きるまでは、フランスの貴族制度は長子相続制です。父親は長男に財産の大部分を相続させ、次男以下はほんの少ししか貰えない。だから、主人公は聖職者を目指している。

我々には、神父さんはキリスト教を心から信じて、その使命に一生を捧げるというイメージがありますが、それは現実とは必ずしも一致していない。この時代は会社に就職するなんていう道はありませんから、貴族の次男坊の職業は、基本的には聖職者あるいは軍人しかない。そういう枠組が、揺るぎなくあったということです。

あとは、女性の身分、つまりマノンは何者かということです。出会ったシュヴァリエが恋の炎に燃え上がり、彼女に身の上を聞くと、両親の意向で修道院に入れられるところだというわけです。つまり、マノンは一生、修道院から出られない可能性もある。

十八世紀の後半になると、啓蒙思想の哲学者たちが、修道院の監獄状態を告発するようになりますが、要するに、修道院に入るということは、家族からも世間からも見捨てられるという意味合いが強い。そうすると、マノンはシュヴァリエに会う前に、すでに問題行動があったのではないかと邪推したくなります。親の手に負えなくなったので修道院にやってしまおうとした。それが物語のスタートです。

マノンという主人公のわからなさ——具体的な情報は書かれていない

駒井　よく「マノンのような女」と言うように、日本では「浮かれ女《め》」というステレオタイプなイメージが固定していますが、今、おっしゃっていただいたことを背景に読んでいくと、より深くわかります。でも、こういう女性が青年シュヴァリエを翻弄する話が、なぜこんなに長く世界中で読まれてきたのでしょう？

野崎　それが、よくわからない点です（笑）。何しろマノンの正体もはっきりとは掴《つか》めないのですから。今回の仕事でマノンがすっきりとわかるかと思っていましたが、依然として謎の存在です。だからいつまでも興味深く読める。一つには、作者が謎めかせて書いているということがあります。シュヴァリエの情熱にしても、昔はわかる気がしていたのですが、今では、もう一度考え直したらどうかなどと余計な忠告をしたくなる。

　この作品は、瞬間に賭けるというフランス恋愛文学の伝統のオリジンです。でも、年を取るとむしろシュヴァリエの父親の立場になって考えるようになる。シュヴァリエよりお父さんのほうに感情移入しかねないというか、こんな馬鹿息子を持ったお父さんが可哀そうになってくる。息子の不品行に対して、それでもお父さんが、お前は可愛い奴だなどと言うところに感動したりするくらいですが、思えばマノンにそんなことを言ってくれる親はいないんですね。守ってくれる家族がいない。逆に、貴族にとっては家系がすべてですから、次男坊ではあるけれど、シュヴァリエにとっては家名が強力な防波堤の役割を果たします。ところがそれにもさすがに限度がある。

　貴族には貴族の道があって、そこから一歩踏み外したとき、どういう崖っ縁に立たされるかということを、この小説はみごとに描き出しているんですね。その意味で、これは一種の恐怖小説と言うか、ジェットコースター式のホラーになっていると思います。若い二人が幸せに暮らす場面はほとんどなく、たとえあったとしても、その幸せも長くは続かなかったと、そういう展開ばかりですから。

　実際のところ、マノンはどういう顔立ちをしていたのか、どんな服を着ていたのかというような、そういう具体的なこともまったくわかりません。髪にしたってブロンドなのか茶色なのかも書いていない。外見についての情報がほとんど与えられていないんですね。そのこともあって、いくら読んでもマノンに辿り着いた感触がない。そこにあるのはシュヴァリエがマノンを追慕《ついぼ》して語る言葉だけということになる。

　ただ、一つ言えるのは、「悪女伝説」の「悪女」という言葉は否定したいということです。その点については青柳《あおやぎ》いづみこさんの面白いエッセイ（『無邪気と悪魔は紙一重』文春文庫）

があって、悪いのはマノンではない、シュヴァリエこそ悪人なんだと強力な主張が繰り広げられています。

ただ、善悪というのはたいてい打算が絡むもので、損得勘定と表裏一体であるわけですけれども、マノンにせよ、シュヴァリエにせよ、そこを突き抜けているという印象があります。そこがこの小説の一番面白いところかもしれません。この二人の疾走ぶりは、もう善悪を超えているという気がしてしまう。

男性読者と女性読者では、印象がかなり違うかもしれませんが、ともかくマノンに関して言えば、彼女はあまりに自由で、大胆で、ある意味では異様ですらあるほどの肝《きも》の据わり方です。そこが凄い。凄いというのは、もう理解が及ばないほどだということです。

「悪女」ではないマノンの「裏切り」方

野崎　「解説」でも書きましたけど、その真意はともあれ、とにかくマノンは何回もシュヴァリエを裏切るじゃないですか。駒井さん、これ、酸いも甘いも噛み分けた大人としてどう思います？

駒井　なんで私に振るんでしょうか（笑）。いや、私も齢《よわい》六十を過ぎたので、もうリアルではないのですが、でも、こういう女性っていたよなぁ、みたいな感じはしました。

野崎　そうですか。昭和の時代にはあったという感じですか。

駒井　ええ。個人の体験としてではなくです（笑）。

野崎　それは、単に「悪い女」だったんじゃないですか（笑）。それこそ「悪女伝説」的な。

駒井　ええ。マノンにはそれとも違う、よくわからないところがありますね。マノン・レスコーを「悪女」の枠に入れるのはどうかと思います。

野崎　考えてみると、「悪女」という言い方自体が、フランス語にはないような気もします。日本人のほうが言うのかもしれない。マノンについては「ファム・ファタル」という表現がよく使われますが、ファタルはラテン語のファトゥム（運命）、つまり英語の「fate」ですね、これが語源です。運命を左右する影響力を及ぼす女、さらには破滅へと至らしめる怖い女というわけです。まあ、平たく言えば「悪女」なんですけども。

　今回は、最初の原稿から初校、二校、三校とかなり直しましたよね。その都度、必死になって繰り返し読むわけです。読み返すたびごとにシュヴァリエはマノンに逃げられ、裏切られる。第二部でシュヴァリエが「ぼくはちゃんと数えてみた、これで三度目だよ」なんて言っていますから、翻訳者としては軽く十二回くらいは裏切りを経験している（笑）。

とにかく、その第二部での裏切りにはびっくりしてしまいます。有力な大貴族の息子を引っ掛けて、大金をふんだくってやろうという作戦で、シュヴァリエは止めるのですが、マノンは絶対大丈夫だからと、その息子の屋敷に行く。シュヴァリエは、コメディ・フランセーズの前で夜七時ぐらいに待っていると約束して馬車で待っているわけです。しかし、マノンは来ない。劇場の中に入って探してみても見つからない。どうしたのかと思って馬車に戻ってみると、馬車の中にはマノンの代わりに、会ったこともない、可愛い女の子が乗っている。その娘はマノンに派遣されて来たと言う。これは酷い。駒井さん、こういうことはありましたか？

駒井　いや、いや、いくら何でも、これはないでしょう（笑）。

野崎　ないですよね。

駒井　こういうところが日本文学にはないフランスの小説の凄みなんでしょうね。

野崎　少女はマノンからの手紙を託されていた。今日は行けなくなったけど、寂しいだろうから代わりにこの少女を差し向けましたなんて書いてあるんですね。マノンの心遣いだったというわけなんですが、この神経もよくわかりません。

マノンはかなりの上層ブルジョワジー？

野崎　そこでさすがにシュヴァリエは憤然となって、マノンを問い詰めようと、決死の覚悟で貴族の息子邸に乗り込んで行きます。すると、マノンは涼しい顔で本を読んでいる。これにも驚きます。十八世紀ですから、読書する女性はたぶん人口の一割もいなかった。だから、マノンはけっこうインテリですよね。プレヴォは、マノンを頭が空っぽの、お金だけあればいい女としては描いていないわけです。作戦の途中で、読書しているんですから。

　マノンはシュヴァリエがやって来たのを見て、「どうしたの？」と驚くんですけど、「あんな女を寄越《よこ》して。あの男と一夜を過ごすつもりだったんだろう」と問い詰めると、言い逃れしようとはしません。

　つまりマノンは、肉体関係なんかどうでもいいと思っているんです。シュヴァリエに対しても、自分の代わりの少女を差し出して、肉体上の忠実さは求めないと言い切っている。いつの時代であれ、こんな女はなかなかいないでしょう。とりわけ、「貞節」が何よりも大切と一般には考えられていたこの時代なら、なおさらのことです。マノンのような少女が、よくここまで社会の道徳や通念を超越できたものです。その裏にはよほどの覚悟があったのか。でも同時に、何も考えていない感じもあって、そこがまた凄みを感じさせます。

駒井　マノンはラシーヌの詩を引用しますね。だから、浮かれ女などと捉えていると、それにそぐわない教養があることに驚愕《きょうがく》する。この人は、平民の出ということになっているけど、そのバックグラウンドと言うか、受けた教育はなかなかのものですね。

野崎　読み書きをしっかり身につけていて、今言った手紙も自分で書いてますからね。そのうえ、文学的教養がある。演劇についてもけっこう詳しいのでしょう。ラシーヌの引用については、これは訳すのが難しかったところで、ラシーヌの演劇はせりふがすべて定型詩になっているわけです。マノンはそれをひねってパロディにしている。だから訳すときには文語的に、定型詩を真似したというふうにしないといけない。

　それにしてもラシーヌを即興で引用しながらお笑いのネタにするなんて、これは相当の教養ですよね。そうすると、マノンはかなりの上層ブルジョワジーの出身なのかという気もします。

　恋愛のパッションと文学的教養とが、持ちつ持たれつという関係にあるのも、フランス文化の大きな特色ということになるでしょうか。十九世紀にはいわゆるドゥミ・モンドの女が俄然《がぜん》、テーマになってきますね。「モンド」は社交界ですが、ドゥミ・モンドと呼ばれる裏社交界もありまして、これは大金持ちに囲われている女たちの世界です。そういう、『椿姫』

のヒロインみたいな女たちは、みんな立派な教養の持ち主なんですね。

「謎のままに留める」という書き方の発明

野崎　フランスに限らず、日本にもそういう伝統はあったでしょうね。遊里文化というか。たとえば『マノン・レスコー』は、日本で言えば元禄のちょっと後ぐらいになるかと思います。『好色一代男』とか、ああいった作品が書かれたころです。あれはあれで大変なものですよね。『好色一代男』の主人公は、今のお金で確か数百億円の財産をもっている。それで、することと言ったら太夫と遊ぶだけ。太夫はドゥミ・モンドみたいなもので、お金がかかる。そして、和歌の上手な太夫さんが人気を集めたりする。エロティシズムと蕩尽《とうじん》が文化と密接につながっていたわけですよね。

　そこでこれまた謎なのは、『マノン・レスコー』にエロティックな場面がないことです。「プレジール」という単語はよく出てきまして、英語の「pleasure」ですね。今までの翻訳では「快楽」と訳してあることが多く、「彼女は快楽を求める女だった」みたいになっているのですが、「快楽」となるとちょっと重すぎる気がします。プレジールはより気軽な「喜び」とか「楽しみ」も意味しますから。ドゥミ・モンド的な女ではあるにしても、彼女の求める「楽しみ」は、馬車に乗ってパリに繰り出したり、劇場に行ったりすることが中心になっています。

ただ、さっきから言うように、マノンというのはとにかく存在として遠いというか、奥行きが深いというか、これでマノンの正体を見たとは、なかなか言いにくい。プレヴォは、マノンがついに謎のままに留まるという、そういう書き方を発明したんですね。そこにこそ小説としての値打ちがあると思うのです。

『マノン・レスコー』の文章――筋金入りのフランス語

野崎　タイトル・ロールでありながら、マノンの姿が見えないし描写もない。それからマノンのせりふも直接話法は意外に少なく、間接話法が多い。つまりシュヴァリエの語りの中に溶かし込まれる形でマノンの言葉が紹介されることが多いんです。この時代のフランス小説の書き方としてはそれで当然だとは思いますが。

今回、つくづく思ったのは、フランス語が基本的に間接性を重んじるということです。別の言い方をすると、抽象性を重んじる。日本語は、「今、ここ」を中心にしていると言われます。主語が常に「私」であって、だからこそ「私」を消して喋ることができるというような言語ですね。逆に、客観的視点に立った抽象性は弱いかもしれない。

フランス語の場合は、日本語と比べてはるかに名詞、それも抽象名詞の重要性が高いという気がします。『マノン・レスコー』のような「私」で書かれた一人称の作品でも、そうなんですね。

たとえば「マノンがいなくて、私は寂しかった」ということが、フランス語では、「彼女の不在が私を悲しませた」というふうに表現される。「son absence（彼女の不在）」という抽象化された名詞句が主語に来るのです。フランス人の感覚だと、これで文章がぐっと引き締まる。古典主義のフランス語で確立された、ルイ王朝以来のフランス語ですね。それが現在でも背骨になっている。フランス語には「私は寂しい」というふうに言うよりも、抽象名詞を用いて間接的に言うほうが、表現としてレベルが上がるという無意識の確信があるんですよね。

もう一つ。フランスの言い回しに、「猫を猫と呼ぶ」というのがあります。包み隠さず、ズケズケと言うという意味の表現です。日本人からしたら、猫は猫以外に呼びようがないと思うんですけど、猫を猫と単純に言ったら、いかにも幼稚で言葉のレベルが低いという、そういう発想がフランス語にはある。それが極端になると、ルイ王朝の気取った女性たちのように「鏡」を「美の相談役」などと言い換えるようになるわけですが。

それを、フランス語の基本として頭に入れていただくと、そうした性格が如実に表れているのが『マノン・レスコー』の文章なのです。

もし原文を直訳したなら、今、言ったようなフランス語の性格が全面展開されることになってしまいます。抽象名詞が多い。名詞構文が多い。間接話法ばかりで抽象度が高い。それが、この小説をフランス語で読むときの心地よさにもなっています。カチカチッとした、全体が四角く切った石材を積み上げてできているような文章。

今回の訳文は、最初はできるだけ、そういうガチガチの古典主義的な文章にしたいと思っていました。『マノン・レスコー』はフランス恋愛小説の起源ではありますが、しかしそれでいかにも情緒纏綿《てんめん》なよなよした作品だと思われたらまずいと怖れたわけです。筋金入りのフランス語で書かれていて、それが心地よい。かなり理屈っぽいところもある、文体としては堂々たる古典主義の文体です。

最初に編集部にお渡ししたとき、そうやって古典主義的に作った訳文をお渡ししたので、そこからけっこう難航しました。かなり読みにくい日本語になってしまっていたわけですね。

だから僕もそれを出発点に、より日本語として頭に入りやすいようになるよう努力を重ねて仕上げました。でも、最初にそういう訳文を作っておいたのは、無駄にはなっていないと思います。そういう筋金が、翻訳の底にも入っているはずですから。

訳文比較——講義ふうに

野崎　お手元の配布資料をご覧ください。最初の裏切りがあって、シュヴァリエはマノンへの想いを断ち切って宗教の道に戻ります。パリの真ん中のサン＝シュルピス教会にある、大きな神学校に入って勉強に励み、一年後、ソルボンヌの神学部で公開審査というのを受けることになります。一般市民も聴きに来るのですが、当日、何とマノンまでやって来る。マノンとしてはシュヴァリエとよりを戻したかったわけです。

そこでシュヴァリエは動揺しますが、マノンの魅力に目がくらんで即座に彼女を許し、「マノンのためならばキリスト教世界のあらゆる司教職をなげうってもかまわない」などとまた極端な考えに走ります。そしてすぐさま、一文無しの状態で神学校を脱走する。マノンもお金目当てではありません。それがわかる貴重な場面です。

先達の訳を二つ、引用しておきました。最初のものは青柳瑞穂《あおやぎみずほ》訳です。先ほどご紹介した青柳いづみこさんの祖父で、一八九九年生まれ。井伏鱒二《いぶせますじ》の親友だった人ですね。青柳訳は初版が一九五六年で、粋な言葉遣いが特色です。非常にくだいて訳している。

「彼女のあやまちは水に流すことを約束しはしたものの、それでも私はどんなふうにしてB……の誘惑にみずからかかったのか知りたく思った」

この「水に流す」みたいな日本語のイディオムをさらりと持ってくるのが、名訳者ならではだと思います。ここで言われているのは、マノンがシュヴァリエとパリで暮らし始めてから二週間目ぐらいに、早速金持ちのB……という男と援助交際を始めていたという、とんでもない話です。で、あれはどういうことだったのか、わけを聞きたいとシュヴァリエが言うと、窓辺に佇《たたず》んでいた自分を見て、B……が夢中になったのだと、マノンが事情を明かす箇所です。

「彼はすばらしい約束で彼女を眩惑《げんわく》したので、彼女もだんだんぐらついてきた。それにしても、私たちが別れる直前、彼女が示したあの苦悩の色によって良心の呵責《かしゃく》を察してやるべきだろう。なるほど、彼に囲われて豪勢な生活はしていたが、それでも彼といっしょで楽しい思いなどただの一ぺんもなかったという。なぜなら、私のような細やかな感情や、高雅なふうがないばかりか、彼からどんなに贅沢をさせられても、彼女の心底には、いつも私の愛の思い出があり、自分の不貞への悔いがこびりついていたからだったという」

名調子ですね。素晴らしいと思いますが、「良心の呵責を察してやるべき」云々のあたりはけっこうむずかしいところです。

同じ箇所について、僕が最初に読んだ河盛好蔵訳も見ておきましょう。河盛さんは一九〇二年生まれで、文化勲章を貰っている高名な文学者であり、エッセイの名手でした。もともとは一九二九年に出た訳で、一九五七年に改版されたものがいまだに読みつがれています。

「彼女の過《あやま》ちはすっかり忘れてしまうことを約束しながらも、私はどんなやり方で彼女がB…に誘惑されるがままになったかを知りたいと望んだ」

青柳訳に比べると、カチッとしているというか硬めの訳文になっていますね。

「彼はとてもすばらしい約束で彼女を眩惑《げんわく》したものだから、次第に彼女は動いて来た。けれど私は私たちの仲をさかれた前日に、彼女が示した苦悩によって彼女の良心の呵責を察してやらねばならない」

やはり「良心の呵責」をめぐる部分がちょっとわかりにくい気がします。

ここで問題になっているのは、最初の裏切りの直前、ぞくぞくするような不穏な緊張感のみなぎる場面なんです。マノンと二人で隠れ住んでいたすみかに、突然、男たちが乱入してシュヴァリエを拉致《らち》する。シュヴァリエの父親に誰かが通報して、父親の配下の者たちがシユヴァリエを連れ戻しに来たわけです。

その直前に二人で夕食のテーブルについたとき、マノンがいつになく悲しげな表情をしている。ふと見ると目から涙が落ちている。お互いに何も言葉を口にできず、料理にも手を付けられず、じっと見つめあうほかない。すると階段に足音がし、扉が叩かれて、男たちが踏み込んで来る。これ、名場面だと思いませんか？

駒井　よく指摘される場面ですよね。マノンの不可解さが、一番出ていると言って。

野崎　まさにそうです。説明がないだけにいっそう、痺《しび》れるような張り詰めた感覚が漂うんですね。

　さきほどの「良心の呵責」をめぐる引用は、マノンの側に立っていて、「彼女が示した苦悩」というのは、あのとき自分はシュヴァリエを裏切ることが辛かった、その気持ちを察して欲しいということなんです。

　つまりこれは、彼女があとから釈明している言葉を地の文に落とし込んで、間接話法で伝えているということです。シュヴァリエは彼女の言葉を、括弧《かっこ》のついたせりふとしては書かない。で、僕としては、その間接話法の論理の中から、少しでも直接話法を掬《すく》い出したかったわけです。それから、この物語全体が、シュヴァリエがある貴族に向かって話していると

いう体裁になっている。その点を踏まえて、地の文も語り口調で訳すべきだろうと考えました。その結果、

「彼女のあやまちはすべて忘れようと約束したものの、私は彼女がどんなふうにしてBに誘惑されたのかは知っておきたいと思いました。彼女がいうには（中略）Bが次々にたいそうな約束をもちかけるのに目がくらみ、次第に心がぐらつき始めたのでした。ただし、ふたりが別れ別れになる直前、自分の態度に表れた苦しみこそ、良心の呵責《かしやく》だったとわかってほしいと彼女はいうのです」

という訳になりました。

間接話法を直接話法的に復元するのは、日本語への翻訳の基本的テクニックでしょう。先ほど、最初の訳稿はずいぶん「古典主義的」に硬くやってみたと言いましたが、その段階から、この間接・直接問題については、積極的に直接話法への変換を心がけ、マノンの語りの調子を出そうと試みました。あまりやりすぎると、だらけた調子になってしまうので注意が必要です。でもこのくだりなどは、マノンがシュヴァリエに向かって一所懸命、弁解している状況をぜひとも伝えたいと思ったのです。

もう一度、青柳瑞穂訳を見ていただきましょう。ソルボンヌでシュヴァリエの姿を久々に

見たマノンが、すっかり取り乱してしまったという箇所です。「自分の心の衝動と、ただ会いたさの一念にかられて、神学校へとまっすぐに来たのも、もし私に彼女を許す気持ちがないと見たらば、彼女はその場で自殺する覚悟だったことなどを語った」。

間接話法をそのとおりに訳していますね。河盛訳もそういうふうになっています。

「心の動揺と、逢いたさの一念とに引きずられて、その足で神学校へと、もし私が彼女を赦《ゆる》す気にならないように思えたら、その場で死ぬ覚悟でやって来たことを、最後に言った」

僕の訳を見ていただくと、

「心の向かうがまま、激しい願望の命じるがままにまっすぐ神学校に来てしまった、もしあなたに許すつもりがないとわかったら死ぬ覚悟だったというのです」

というふうに「あなた」を持ち出すことで、今、シュヴァリエに向かって直《じか》に話しているという状況を描き出そうとしました。直接話法のほうに振っているわけです。

じつは日本語では、直接話法、間接話法と、フランス語や英語のようにはっきりと分けることはできないと僕は思います。引用符さえ付けなければ、間接話法にもかなりの自由があるんですね。それを今回は、できるだけ活用したつもりです。

プレヴォは「啓蒙の十八世紀」の隠れたヒーロー――モンテスキューも評価

駒井　有難うございます。素晴らしい翻訳講義でした。

話は変わりますが、野崎さんは「解説」で、モンテスキューとかヴォルテール、ミュッセとかデュマ・フィス、それにモーパッサンと、フランスの名だたる思想家や作家たちがこの小説を読んでいたと書いていらっしゃいます。それも非常に興味深いので、それに関するコメントと、あとは、日本でどういう作家が取り上げたかということをお願いします。

野崎　そうですね。日本のことはあまり調べていないのですが、「解説」を書くときには、三百年近く前の作品が、以後どのように生命を永らえてきたのかということを知りたいと思いました。

いろいろと謎だらけではあるにせよ、マノンが、ある種の自由や自主独立の精神を発揮していることは間違いありません。彼女には体制破壊的なところもある。革命的ともいえるかもしれない。同時にすごく享楽的で、その点ではむしろ現代社会を予言している。

アベ・プレヴォはこの小説を書くことによって、次の時代を予告し、さらには時代が変わっても変わることのない意義をもつ存在を生み出したわけです。そういう作品に同時代の人がどう反応したのかということを、今回、初めて念入りに調べてみました。

フランスの十八世紀は思想の時代だとされています。つまり啓蒙思想の時代です。今、名前の出たヴォルテールとか、ディドロとか、ルソーとか、そういう人たちが理性の光によって闇を照らし啓蒙する、宗教でがんじがらめの人間を解放する仕事をしたとされるわけです。でも彼らよりも二十年、三十年前に、アベ・プレヴォが理屈抜きでそれをやっていた。

そう考えると、たとえばヴォルテールがこの作品を高く買っていたことも理解できる。サンシビリテを刺激してくれる本だとヴォルテールは言っています。つまり感性を鍛えてくれる作品だと。教養とか理屈ではなくて、人間に備わった物事を豊かに感じ取る力、それがサンシビリテです。実際、この作品は何しろジェットコースター型ですから、歓喜から絶望まで、非常に感性の幅が広いですね。

それから、十八世紀最大の知識人の一人であるモンテスキュー。『法の精神』の著者で、その後の近代法の成立に世界的な影響を及ぼしました。その彼が、『マノン・レスコー』を読んでいるということだけでも驚きです。偉大な思想家がちゃんとこういう小説を読んで、手紙で感想まで書いている。

彼はこれが読者に好まれるのは理解できると言っています。なぜなら主人公のあらゆる行いが、恋愛が動機となっているからだと。振る舞いは低劣でも、動機は気高いのだと。『マノン・レスコー』を読んで、気高いと言い切れるのも凄い。

駒井　凄いですね。でも、そうかもしれない。

野崎　マノンは娼婦だけれど、彼女もまた人を愛している。だから彼女の性格は許されると。いや、許されないという人もいるでしょうけれど、モンテスキューがそう言ってはばからないのには驚きました。あらゆる事柄を客観視して相対化するのが、啓蒙主義哲学の一つの柱です。その代表選手であるモンテスキューが、いきなり許すと断言しているのですから。

あるいは十八世紀だと、マルキ・ド・サドがいます。あのサド侯爵が「小説論」というエッセイの中で、『マノン・レスコー』を読んで涙が出たと言っている。僕は根性無しなので、サドを数ページ読むだけでもう気が遠くなる質《たち》ですが、その彼が、この甘美な作品を読むと、いったいどれほど涙が流れることだろうと言っています。サドが本を読んで涙を流すなんて想像できないのですが、著者プレヴォはこの娘からどれほどの哲学を引き出してみせたことかと称賛しているのです。われわれにとっての最高の小説とまで評価しています。

十九世紀：フローベールと『マノン・レスコー』

野崎　十九世紀になると、もうマノン、マノンの大ブームになって、オペラが何回も作られたりする。ロマン主義は情熱礼賛ですから、情熱恋愛の力ですべてをなぎ倒して何が悪いと酔っちゃうわけですね。

でも、十九世紀フランスの文学史には表と裏がある。表は前半です。スタンダールやバルザックの熱い小説が代表ですね。後半になるとその裏側で、情熱が衰えて冷え冷えとしていく時代です。そのチャンピオンはフローベールで、ポジティブなところがない。

駒井　確かにフローベールにはそういう印象があります。

野崎　フローベールの『感情教育』は僕の好きな小説で、主人公のフレデリックは人妻であるアルヌー夫人に一生を捧げる。かなわぬ恋の話ですが、アルヌー夫人を思いながらも、娼婦みたいな女と一緒になったり、子どもができても死んで生まれてきたり、本当に暗いディテールばかり。フローベールは、根はロマンチックな人です。でも、ロマン主義の後の世代として、ロマンチックなものなど本当の人生にはないじゃないか、たぶらかされちゃダメだという小説を書こうとした。

だからとても冷めた小説世界になっていますが、そのフローベールが、一八五三年の友人宛ての手紙で、『マノン・レスコー』を絶賛しているんですね。これも驚きでした。センチメンタルな息吹が通っているのがいいと言うんです。つまり「感情教育」なんですね。それから「情熱のナイーヴさ」が素晴らしいと。

これ、本来ならフローベールの世界で一番否定されるものです。たとえばボヴァリー夫人などは、まさに「情熱のナイーヴさ」に突き動かされて、むざむざ破滅していく。でも、この『マノン・レスコー』においては、「情熱のナイーヴさ」によって、二人の主人公が真実の存在になっている、共感を呼ばずにいないと言っている。さらには、彼らを尊敬に値する存在にしていると言うんです。この二人が尊敬に値しますかね。これも凄いですよ。

駒井　尊敬に値する存在、ですか。確かに凄いですね。

野崎　この小説は偉大な心の叫びだと、フローベールは言っています。

ひょっとするとフローベールはこういう手紙を人に読まれたくなかったかもしれないと思います。でも、これだけ『マノン・レスコー』を絶賛してしまう自分が、やっぱりフローベールの中にはいた。それを抑圧することが、フローベールの小説だった。抑圧しきれないものが残っているから、彼の作品はそれこそ、真実のものになっているのでしょう。

そんなふうに、フランス文学の歴代の文学者たちが、脈々と『マノン・レスコー』礼賛に名を連ねています。

西鶴と、谷崎潤一郎にとっての『マノン・レスコー』

野崎　日本はどうでしょうね。国会図書館の目録で調べると、一九一九年、つまり大正八年に『マノン・レスコオ』の訳が同時に二種類出ています。それ以来、翻訳が途切れたことはないでしょう。読みつがれていく中で日本の作家に影響を与えてもいると思います。当てずっぽうで言うと、谷崎潤一郎の『痴人の愛』などは『マノン・レスコー』の匂いがしますね。『痴人の愛』は、これから、あまり世間に類例がないだろうと思われる私達夫婦の間柄について、ありのままを書いてみようと思います、というような文章で始まります。ルソーの『告白』の冒頭を思わせますね。でも告白の中心になるのは、あの恐るべき破壊力をもつ女、ナオミですからね。これはマノンにもひけを取らないファム・ファタルというか、悪女と言っていいんじゃないですかね。フローベールが『痴人の愛』を読んだとしたら、「尊敬に値する」と言ったかどうか。さすがにそこまでは言えなかったんじゃないでしょうか。

駒井　今のお話に関連しますが、野崎さんの『谷崎潤一郎と異国の言語』（人文書院）という本は大変面白いですから、皆さん、是非お手に取っていただきたいと思います。野崎さんが谷崎潤一郎をこんなにお好きだったとは、私も驚きました。

野崎　谷崎は、西洋文学をよく読んでいて、その素晴らしい批評家でもあったと思います。

スタンダールにせよ、ルソーにせよ、バルザックにせよ、英訳で読んでいた。そこから、日本独自の小説を作り出すわけです。そういう豊かな交流のもとに育まれた自国産の近代文学があるというのは、日本にとって幸運なことですね。

ただ、谷崎は、西洋的な女性像は日本にはないと、しきりに嘆いています。西洋には騎士道以来の女性崇拝がある。だから崇高な小説が生まれる。日本にはそれがないというんです。

さっきも例に出した井原西鶴の『好色一代男』、これは天下の奇書ですよね。そしてある意味で、崇高さというような要素が確かにまったく見当たらない。どこまで行っても、何の垂直性もありません。宗教性、皆無。形而上学的なところも皆無です。毎日、毎日、放蕩に身をやつすだけ。超ニヒルと言うか、ストイックでさえある。絶対的現世肯定かもしれない。最後は「女護《にょご》ヶ島《がしま》」という女しかいない島をめざし、鬼に食われてもいいなどと覚悟を決めて船出していきます。でもそこに、女性を讃美するとか、絶対的な精神的価値を求めている感じはない。

面白いのは、『好色一代男』には、服装の描写が結構あるんです。着物の描写が実に細かいんですね。遊び人にとって、とても大切な要素だったわけでしょう。『マノン・レスコー』にそうした描写が見られないのと対照的です。そのかわりマノンは「愛の神」の化身ということになる。

谷崎が憧れたのは、西洋文学では女性崇拝の精神が恋愛小説の垂直な、絶対的な柱となっている。日本にはそれがないのが悔しいと言って、大正期、そういう作品を書こうとしては失敗しているんです。

ですから、『痴人の愛』では、ある種、居直ったといってもいい。誰の目から見てもナオミというのはいかにも俗で、崇高さに欠ける女ですから。逆に言えば、あれは純日本小説として『マノン・レスコー』を書いたということになるかもしれないと思います。

駒井　興味深い観点ですね。

野崎　裏は取れていませんので、ここだけの話ですが（笑）。

駒井　でも、『痴人の愛』と言うと、やっぱり『マノン・レスコー』の影響があっただろうと、誰しも考えると思います。

フランス文学の魅力——つねに自由を求めている

駒井　ここで話題を変えて、フランス文学一般の話をお願いしたいと思います。野崎さんは『フランス文学と愛』（講談社現代新書）、『フランス小説の扉』『五感で味わうフランス文学』

（ともに白水社）といった著書をお持ちです。次は、ちょっと総論的になりますが、フランス文学一般の魅力をお願いします。

野崎　高校生でカミュを読んだころ、フランス文学は遠いところにある異質なものだと思っていたと申し上げましたが、それは結局、今になっても変わらない。こちらから見ると、まったく別世界ですよ、フランス文学の世界は。

　フランス文学につける標語があるとすれば、やはり「リベルテ」、「自由」でしょうね。人間として生まれてきたからには自由に生きたいということじゃないでしょうか。

　さっきも言いましたが、自分が父親だとすれば、息子にシュヴァリエのようにはなってほしくない。でも文学では、そういう人生があってもいい。それが人生の探求としての意味をもつ。序文でプレヴォは「我々はどんな経験でもできるわけではないから、文学作品が経験の代わりになってくれる」と言っていますが、半分は言い訳としても半分はその通りです。

　文学は経験の一種です。そして、フランス文学が飽きもせず描き続けているのは、自由を求め続ける人間の姿なんだと思います。本を読むだけでも未知の自由を体験させてくれる。それが文学の有難さです。

若い学生たちを見ていると、海外への憧れは、僕らのころに比べればすっかり消えてしまったかのように思えるときがあります。インターネットなどであらゆる情報が手に入るので、距離さえ意識していないのかもしれない。でも実際には、それぞれの社会の間には大きな距離や異質さがある。そのことを意識した上で、その距離を想像的に乗り越えることが、自由に読書する人間にとっての喜びじゃないかと思う。

その中で、フランス文学は、やっぱり極端なことをしてくれる文学だということになります。僕にとって、若いときに刷り込まれたフランス文学の影響はどうしても強いですが、そこから解放されたいという気持ちもつねにあります。たとえば学生のころは、ディケンズなど視野に入っていなかったのに、どれだけ面白いかということがだんだんわかってきました。日本の古典についても同様です。

だから一方で、僕にとってフランス文学はたえず相対化していかなければならないものなんですが、他方ではフランス語が読めて、その世界にアクセスできるということが、さらにまたそのほかの世界を知るための道を広げてくれている。そんなふうに実感しています。

カミュ、ミッテランは、典型的なフランス人だった

駒井　野崎さんのように、フランス文学を研究なさる他に、多くのフランスの小説をお訳し

になっていても、文化の距離は近づいていないとお感じになるのでしょうか。

野崎　そうですね。ちょっと下世話な話題ですが、ド・ゴールと並んで二十世紀後半、最も尊敬された大統領の一人だった社会党のミッテランに、長年の愛人がいることは周知の事実だったわけです。写真週刊誌の『パリ・マッチ』がその愛人の写真を載せてすっぱ抜いた。ミッテラン大統領は、それを突きつけられたときに「Et alors ?（エ・アロール?）」と言った。「それが何か?」というわけですが、それで非難されるなどということもなく、むしろ男をあげたみたいな印象さえありました。

ミッテランが死んで、もうしばらく経ちますけど、そのミッテランが一生付き合いのあった愛人に宛てたラブレターが昨年、本になりました。プルーストやサルトルやカミュの版元である名門ガリマールから、三十年分ぐらいの手紙が千ページの本になって刊行されたのです。そして『ル・モンド』などあらゆる有力紙が特集を組むぐらいの話題になった。

その記事を読んでいると、どうにも不思議な気持ちになってくるんですね。不道徳を咎めるような記事はまったくない。アマゾンのカスタマーレビューなどでも、感動したとか、素晴らしい文体だとかいう声が圧倒的に多い。

まあ、一応買っておこうと思って買いました（笑）。読むと、確かに見事な書簡体文学になっている。そしてミッテラン大統領の教養が溢《あふ》れています。内容は、一番好きな文学者ベストテンとか、そんなものを年下の愛人に一所懸命書き送っている。なかなか会えない苦しみを訴える文章など、泣かせるくだりも多い。要するにしっかり、フランス文学の伝統を担う本になっているんですね。

今年に入ってからのベストセラーは、カミュの書簡集です。カミュは『ペスト』を書く前くらいから、マリア・カザレスという『天井桟敷の人々』に出てくるスペイン出身の若手女優と熱烈な恋愛関係にあった。カミュの奥さんは、そのことでノイローゼになったりして、子どももいたし大変だったようですが、そのカザレスとの往復書簡が出て、これがまた大ベストセラーになっています。

昨今の日本の道徳的な厳格さと比べて、フランスの社会や文化がどれほど異質かを感じないわけにはいきません。相変わらずの情熱恋愛礼賛だなと、付き合い切れない気もします。「too French」だと思いますよね。でも、世界にそういう国があるのは面白いなとも思うんです。しかもそれら書簡集にもうかがえる、フランス語の迫力。つい唸《うな》らされてしまう。

日本人をやめてフランス人になりたいとは思わないし、とてもなれないとも思いますが、そういう人間にとってこそ、いつになってもフランスの文化は面白いんですね。

プレヴォ『マノン・レスコー』

駒井　いや、そういう本を、ぜひ野崎さんに翻訳していただきたいなと思います。

今後の気がかりについて

駒井　さて、最後に、これまでいろいろ翻訳をなさってきた中で、今回はどういうお仕事になったのかということと、それから定番の質問になりますが、次に翻訳してみたい古典を、まとめてうかがいたいのですが。

野崎　さっき白状したように、できればがちがちの古典主義文体にしてやろうかと思いつつ、そうはできなかった。読者をお留守にして翻訳は成り立たないことを、あらためて思い知りました。読者あっての翻訳です。読者の存在を考えてこそ、いい訳文になる。その初心を忘れてはいけないですね。

　今後の翻訳に関してですが、一冊終わると、何だかすっきりしてしまうんですね。マノンで苦労したのも、もう過去のことになってしまったかと。古典新訳文庫でまた何か取り組みたいと思っていますが、最近は現代のフランス小説の翻訳が出ないことに歯がゆさを感じています。

　僕らの知っている範囲で言うと、たとえばノーベル賞作家のル・クレジオとか、あるいはモディアノみたいな人でさえ、大きいところからはもう出ない。昔、僕が最初に翻訳したトゥーサンなど、たまに「トゥーサンはもう書いていないの？」と聞かれるんですけど、彼はその後もいい作品を書いていて、評価も高い。でも日本では、なかなか翻訳を出してもらえなくなった事実がある。

古典新訳の流れは、もう後に戻ることはないと思うんです。読者が古典を新訳で味わう楽しみをもう知っていますから。では、新しいところをどうするのかが課題です。

駒井　ヌーヴォー・ロマンなどの二十世紀の後半のものでも、結構、翻訳されて読んだものですが、その後のモディアノなんかはノーベル賞を貰って評判になったことはありましたけど、今、どういう作家がいて、誰が人気があるのかとなると、この仕事をしていても、よく知らないということはあります。現代作品も面白いのだろうと思いますけども。

野崎　そうなんですよ。アルジェリア出身の若い女性作家の大作とか、読み応えのある面白いものがあるんですが。古典だけになって、現代の作品が途切れては寂しい。

駒井　同じフランスで、古典からずっと続いてきて、現代でも書かれているわけですからね。

野崎　そう。その連続性を感じたい。

駒井　フランス文学は、日本ではそういう状況なのかもしれませんが、ヨーロッパでは、いろんな国の現代作品が翻訳されているのでしょうか？

野崎　翻訳はけっこう盛んにされていると思います。ただ、かつての日本みたいな例は、むしろ例外的だったのかもしれないですね。大出版社がどんどん翻訳を出すというのは。わりと小規模のところが、じっくり出していくのがふさわしいやり方なのかもしれない。

トゥーサンの版元ミニュイ社は、ベケットとか、クロード・シモンとか、ロブ＝グリエとか、世界的な文学者を育てた版元ですけども、光文社の倉庫ほどの広さもない小さな出版社です。光文社の倉庫を見たことはありませんが（笑）。

駒井　なるほどぉ……。

野崎　だから、決め手になるのは志ですよ、出版人の。

駒井　フランスの出版人は、そういうところはきちっとやっているのでしょうね。

野崎　でも日本だって、意欲的な編集者が出版文化を支えてきたのでしょう。駒井さん、弟子の育成をよろしくお願いします！

（二〇一八年一月二十六日）

『マノン・レスコー』を読んだ人に、さらにお勧めの4冊

1

『椿姫』
アレクサンドル・デュマ・フィス　永田千奈訳
光文社古典新訳文庫
作者はアレクサンドル・デュマの息子。若い頃から社交界に出入りし、20歳で高級娼婦マリ・デュプレシスと恋に落ち、その思い出をもとに書きあげたのが本書。パリの社交界で奔放な日々を送る美貌の高級娼婦マルグリット。青年アルマンと出会い、真実の愛に目覚めた彼女は、パリ近郊の別荘でアルマンと暮らし始めるが……。

2

『カルメン／タマンゴ』
プロスペール・メリメ　工藤庸子訳
光文社古典新訳文庫
純粋で真面目な青年ドン・ホセは、カルメンの虜となり、嫉妬にかられるようになる。軍隊を脱走し、悪事に手を染めるホセは、ついにカルメンの情夫を殺してしまう……（「カルメン」）。黒人奴隷貿易を題材に、奴隷船を舞台にする反乱の惨劇を描いた「タマンゴ」。傑作中編2作。情熱の女カルメンは、今も生きている！

3

『悪女入門　ファム・ファタル恋愛論』
鹿島茂
講談社現代新書
ファム・ファタルは普通「宿命の女」と翻訳される。著者である、フランス文学者の鹿島茂さんは、もっと過激な女性、破滅することがわかっていながら、男がのめりこむ魔性の女であると説明する。その嚆矢が、本書『マノン・レスコー』。ファム・ファタルを論じた11講。フランス恋愛文学は「悪女」なしでは成立しない。

4

『フランス恋愛小説論』
工藤庸子
岩波新書
フランス文学者の工藤庸子さんが、若い世代にもっと古典に親しんでほしいという願いから書いた本。比較的読みやすい分量の5作品を取り上げている。『クレーヴの奥方』『危険な関係』『カルメン』『感情教育』『シェリ』。それぞれの作品について論じた魅力的な恋愛小説論。フランス恋愛文学の入門書として最適の一冊。

第2夜

ロブ＝グリエ『消しゴム』

Alain Robbe-Grillet / LES GOMMES

中条省平×駒井 稔

戦争体験に裏打ちされた、ヌーヴォー・ロマンの方法論

アラン・ロブ＝グリエ（1922-2008）
20世紀最大の前衛的な文学運動“ヌーヴォー・ロマン”の代表的作家。映画監督。1953年に『消しゴム』を刊行すると、批評家ロラン・バルトに激賞され、一躍人気作家となる。長編作品『覗くひと』をはじめ『嫉妬』『迷路のなかで』を立て続けに発表。批評集『新しい小説のために』も刊行。以後も精力的に執筆、映画の監督、講演などを行い、2004年にはアカデミー・フランセーズの会員に。

『消しゴム』
ヌーヴォー・ロマンの嚆矢となった作品だが、物語構造の淵源にはギリシャ悲劇『オイディプス王』が存在している。物語は、殺人事件発生の報せを受けて、捜査官ヴァラスが運河の街にやってくるところから始まる。しかしなぜか肝心の遺体も犯人も見当たらず、人々の曖昧な証言にヴァラスは混乱し、右往左往するばかり。だが関係者たちの思惑は図らずも「宿命的結末」を招いてしまう。

中条省平　1954年生まれ。学習院大学教授。仏文学研究のほか、映画・マンガ・ジャズなど、ジャンルを問わず旺盛な評論活動を展開している。著書に『小説家になる！』『反＝近代文学史』『フランス映画史の誘惑』。訳書にバタイユ『マダム・エドワルダ／目玉の話』、ラディゲ『肉体の悪魔』、ジュネ『花のノートルダム』、マンディアルグ『すべては消えゆく　マンディアルグ最後の傑作集』など多数。

ヌーヴォー・ロマンというトラウマ

駒井　こんにちは。今日はフランス文学のヌーヴォー・ロマン、あるいはアンチ・ロマンという、われわれの世代が中学あるいは高校生の頃に日本に紹介され――ちなみに私は一九五六年生まれです――難解という印象が強く残っている文学を取り上げます。

アラン・ロブ＝グリエの『消しゴム』を新訳していただいた中条省平さんに、すでに新訳していただいたジャン・ジュネなども含めて、かつてのフランスの前衛的な文学について、いろいろうかがってみたいと思っています。

その前に、『消しゴム』に限らず、ヌーヴォー・ロマンの小説を読んだことがある方、会場にいらっしゃいますか？――。結構、いらっしゃいますね。では、これはわかったという感じのある方はいらっしゃいますか？――手があがりませんね（笑）。

中条さんは私とほとんど同世代ですが、最初にヌーヴォー・ロマンという言葉をお聞きになって、お読みになったのは、いつごろですか？

中条　中学生のときです。

駒井　サドやバタイユなども？

中条　ええ。そういう作品は、ほとんど全部、中学生で読んでいます。というのは、学校の

ロブ＝グリエ『消しゴム』

仲間が難しい作品をたくさん吹聴してくるんです。そうすると、対抗心で読んで、わからないと恥ずかしいという感じがあった。駒井さんにもそういうことがあったでしょう。

駒井　ええ。でも、私は高校生のときでした。周りが読んで、ヌーヴォー・ロマンがかっこいいと言うので、嫌でも読まされた。でも、よくわからないし、読み通せもしなかったのです。だから、今日お話をうかがうのには、私怨《しえん》を晴らすようなところがあります（笑）。躓《つまず》いたのは、アラン・ロブ＝グリエの『嫉妬』という本です。中条さんもこれからお読みになった？

中条　どれから読んだかは覚えてないですけど、ともかく当時、アラン・ロブ＝グリエというと、『嫉妬』を読まなければお話にならなかったですね。

　これは、いま考えてみると、アラン・ロブ＝グリエの作品の中でも、方法的に一番ハードな作品です。つまり、彼がやろうとした文学の、理論面を徹底的に押し出して、具体的な作品にしてしまった、いわば、純粋小説みたいなものです。

　そうすると、そんなに小説を読んでいるわけではない子どもが読むには、あまりにハードで、ちょっと辛かった。読み通したとは思いますが、本当に苦しかった。こんな思いをして本を読まなきゃいけないのかという、辛い気分になりました。

だからロブ＝グリエって、自分で翻訳してはいますけど、本当はあまり好みじゃないんです（笑）。『嫉妬』という作品は、トラウマの一つです。

駒井　私は、最後まで読めませんでした。まさにトラウマですよね。

ロブ＝グリエは映画作家でもあった

駒井　今、ロブ＝グリエの映画の上映にあわせて、『キネマ旬報』で、中条さんがやはりフランス文学者の野崎歓さんと「映画監督の肖像」というタイトルの対談をなさっています。アラン・ロブ＝グリエがこんなにたくさん映画を撮っていたとは、知りませんでした。

作家としての彼と映画監督としての彼には、どういう関係があるのでしょう？

中条　ロブ＝グリエ自身は、たぶん小説家と映画監督の比重を、小説が六だとしたら映画は四ぐらい、もしくは五分五分にしたいと思っているという気がします。

フランス映画史で誰もがご存知の、アラン・レネ監督の『去年マリエンバートで』（一九六一年）という映画があります。皆、あれはアラン・レネの映画だと認識していますけど、実はロブ＝グリエの映画でもあって、彼自身は、あの作品が自分の映画第一作だと言っているのです。

つまりストーリーとかセリフ、あの設定などを考えたのは、全部ロブ＝グリエです。彼が撮影用の台本まで書いてアラン・レネに渡し、それがああいう映画になったわけで、ほとんどがロブ＝グリエのアイデアに基づいた映画なんです。

アラン・レネは音楽とか、役者の演出などに主に自分の趣味をこらして、それから、あの作品で印象的なものにヒロインが纏《まと》う衣装がありますけど、あれはシャネルや、ジャック・ドゥミの映画で有名になるベルナール・エヴァンにやらせている。だからそういう商業的な部分とか、俳優の使い方のうまさとか、画面の美しさなどはレネのものですが、中身はロブ＝グリエです。

そんなわけで、ロブ＝グリエは初めから、やっぱり映画を撮りたかった人なんですね。

駒井　『消しゴム』は、訳していただいたのが二〇一三年ですが、読んでいて、ある種、映画的な印象がありました。

中条　ロブ＝グリエはヌーヴォー・ロマンの作家と言われますけど、それ以前のフランス文学がどんなものだったかというと、端的に言えばサルトルとカミュ、いわゆる実存主義でした。この二人は世界的な人気者だったわけですが、彼らの考えたことを一言で言うと、「人間中心主義」です。つまり、世界の中で人間というものが特権的な地位を占めていて、人間と世界の戦いの中で人間は自分を鍛え上げる、みたいな思想が一致してあるわけです。

カミュは、世界を不条理だと言って、不条理との戦いを描いたと言われますが、その戦いの中で、どこに比重を置いているかというと、それは戦う「人間」にだと思うんです。その意味で「人間中心主義」。

それからサルトルも『嘔吐』でマロニエの木を見ていたら、存在がいきなり剥《む》き出しになって、気持ち悪くなったという話をしますけども、そこでは人間を超えた世界のわからなさが、突然、マロニエの木となって現れたわけです。それで主人公のロカンタンはショックを受ける。でも、そういう世界のわからなさ、不透明さみたいなものにどう対処するか、どう乗り越えるのかというところに重点が置かれる。こちらもやっぱり「人間中心主義」ですね。文学を書くのは人間ですから当然の話ですけど。

ヒューマニズム、人間中心主義の否定

中条　それに対してロブ＝グリエ以降のヌーヴォー・ロマンは、そういう人間中心の考え方をひっくり返しちゃったところが、世界的な思想の転換につながったわけです。そこで出てきたのは、小説だったらロブ＝グリエだし、文化人類学だったらレヴィ＝ストロース、精神

分析だったらジャック・ラカン、文芸評論だったらロラン・バルト、それと哲学だったらミシェル・フーコーがいました。

彼らは、一言で言いますと、人間より世界のほうが大きいし、人間は世界をわかった気になってはいけないと言ったわけです。実存主義のあとに来たのは構造主義だと言われていますが、その一番の違いは、カミュやサルトルは人間を信じていたけど、レヴィ＝ストロースとかフーコーとか、ロラン・バルトといった人たちは、人間はそれほど大したものじゃない、世界の大きさとか、深さとか、わからなさのほうが凄いので、それに対する畏《おそ》れの感覚を持たなきゃダメだと言ったと思うんです。

とくにレヴィ＝ストロースはサルトルと論争しましたが、サルトルは最終的にはマルクス主義者で、歴史は進歩すると考えていた。マルクスの理論は、要するに経済的な生産体制があって、それが革命を経るごとに、より良いものに進化するという考え方です。最終的には、資本主義の生産体制が革命によって共産主義にとって代わられ、或る種の最高段階に到達するという、歴史は理想的な目標にむかって進歩するという考え方があったわけです。

ところが、レヴィ＝ストロースは違うと言った。つまり、未開人が文明人よりも劣っているという考え方は間違っていると。彼は未開人を研究したわけですが、その未開人の世界もそれなりに完結したシステムであって、そのシステムと今のわれわれが生きている高度資本主義のシステムは、どっちがいいとか悪いとか言えるようなものではない。だから、未開人のシステムを文明人が超えて進歩したという考え方を、レヴィ＝ストロースは否定した。それはあくまでシステムの差異の問題で、進歩とか未熟とかいう問題ではないと。

　つまり、人間と世界が対立して、そこで事件が起こったときに、大事なのは人間だという考え方に対して、いや、人間以上に世界はわからないもので、そのわからなさを考えなければならないというのが、構造主義やヌーヴォー・ロマン以降に出てきた態度だと思うんです。

　それで、なぜロブ＝グリエが映画を撮り始めたかというと、映画というのは意味づけをしなくても済む。つまり、カメラを向けただけで世界が映っちゃう。ところが、小説の場合はなぜそういう世界を描いたかと意味づけしなければならない。そういう意味づけ自体が、既に人間中心主義的だとロブ＝グリエは考えるんです。だから、そういうのはやめようと。

　そういうことをやめると『嫉妬』になっちゃうわけです。つまり、一人の男が自分の女房が浮気しているんじゃないかと思って、ブラインドの陰から、ずっと見ていて、ああでもないこうでもないと、延々と言い続ける。普通、人間中心主義的に考えれば、女房が浮気していて、亭主が怒るという話になって、喧嘩が起こったりします。これが従来の小説だとすると、ロブ＝グリエの場合は、その女房が浮気しているかどうかなんて、表面的にはわからない。だからひたすら見続ける。世界に嫉妬という人間的な概念を導入して、理解した気になってはいけないというのが、ロブ＝グリエの考え方なんです。

それと、『嫉妬』は題名じたいが言葉遊び、だじゃれになっています。原題は『La Jalousie』ですが、この言葉には「嫉妬」と「ブラインド」という二つの違った意味があります。「嫉妬」を抱いた夫が「ブラインド」ごしに妻の行動を見ているんですね。この「ブラインド」によって、人間は全面的な、曇りなき認識を初めから妨げられているという含みがこのタイトルには表れています。

仏文学の流れの中でのヌーヴォー・ロマン

駒井　私は高校生で読んだわけですが、当然ですが、そういうことが全くわからなかった。それはここにいらっしゃる方の多くが同じだと思います。レヴィ＝ストロースの、未開人とわれわれ現代人とでそんなに差があるのだろうかという問いが、とても大切だとわかります。ロブ＝グリエは『新しい小説のために』（新潮社）という、ヌーヴォー・ロマンの理論書と言える本を出している。

中条　そうですね。読みやすいエッセイです。

駒井　小説はわかりにくいのに、何でこんなにと思うくらい読みやすい（笑）。今は古書でしか手に入りませんが、ヌーヴォー・ロマンがどういう小説なのかということがよくわかります。

それで、フランスでは二十世紀に、まずシュルレアリスムとか実存主義があったわけですが、ヌーヴォー・ロマンのあたりから理解できなくなって、文学の二十世紀的な流れがよく見えなくなるということがあります。たとえば、最近評判になった、ウエルベックの『服従』とか、ああいう作品に、従来のフランス文学がどう流れ込んできたのかというのが、普通の読者には理解しにくくなっているような気がします。その辺りについてはどうでしょう。

中条　ロブ＝グリエがやったことは、すごく革新的なことで、いま言われた『新しい小説のために』というのは、端的に言えば、バルザックを否定するということなんです。

つまり、バルザックは、世界を描いているように見えるけれども、情念とか感情とか、そういうもののドラマとして世界を描いていると言うわけです。でも、現代人がバルザック的な情熱とか、情念を持てるかと、彼は考える。嫉妬するにしろ、お金が欲しいにしろ、あるいは女に狂うとか、ごく当たり前の人間的な情熱にしろ、それをあたかも素晴らしい人間的な価値であるかのように書いちゃうバルザックの小説は嘘だと言うわけです。人間はもっと平板な世界をみみっちく生きていて、なぜその真実に近づかないんだと言った。

これは彼以前に偉大な先達がいます。カフカです。カフカは、人間って自分が何だかわからないし、へたすれば虫になっちゃうような存在だと書いた。世界の中で途方に暮れている存在を描き出した。だから、世界と人間を比べたときに、人間は大したものではないという考え方を、ロブ=グリエはカフカから受け継いでいると思うんです。

だから、すでに世界文学には、一方にバルザック的な、人間をどんどん神話化して面白く感動的にする流れがある。それに対して、たとえばカフカには、「世界とお前との戦いでは世界を支援しろ」という有名な言葉があります。つまり、お前は世界と戦うけれども、そのときに自分のほうが偉いと思ってはいけない。世界のほうが巨大だと肝に銘じろと言った。

ロブ=グリエの場合も、バルザックのように人間をどんどん神話化していくあり方を否定して、人間って、カフカが描いたような虫けらであったり、途方に暮れた迷子みたいな存在だったりするので、そのことを現代的に描く必要があると考えたわけです。ただ、それを思い切りやったものだから、『嫉妬』みたいな、わけのわからないものになった。

でも僕は、もう一生この小説を読まないと断言できます（笑）。何故かというと、面白くないから。今言った偉そうな理屈を背景に書かれていても、読んでもつまらないなら、もういい。

駒井　でも、それでは困りますよ。

『消しゴム』を読み、あとは映画を観よ！

中条　いや、ここで僕のほうに翻《ひるがえ》って言うならば、『消しゴム』だけは例外で、なぜかというと、『消しゴム』はロブ＝グリエの第一作ですし、しかもミステリーとしてすごく面白い。だからこれを読んでロブ＝グリエの神髄に触れたら、あとはもう無視してもいい。

　それと映画を観てください。映画は努力しなくても、椅子に座れば観られます。どれもすごく面白い。いい加減ですけど、観ていると楽しい。だから『消しゴム』を読んだら、あとは映画を観るというふうに、これからはロブ＝グリエの受容を変えていただく。

駒井　なるほど（笑）。『キネマ旬報』の対談でも、野崎歓さんも、もうどの作品も読むのが辛かったと言ってますね。ほかにも『覗《のぞ》くひと』とか『迷路のなかで』などという作品があるわけですけども、どれも辛かったと言う。感想は、もう全部、辛い辛いです（笑）。

中条　野崎歓にしてそうなのですから、普通の人は、みんな辛かったはずです。

駒井　実は、今回、私も何冊か読み直してみたのですが、『消しゴム』は、その中ではちょっと特別な作品という感じがしました。小説の構造で言うと、最初から、不思議な時間のズレがある。腕時計が止まったりとか……。
バルザックを否定したと言うけれども、バルザックは今でも偉大な小説家として、フランスだけでなく世界中で読まれています。それをなぜ、そこまで否定するのか。ヌーヴォー、つまり新しいことをなぜそんなに脅迫的に追究しなきゃいけないのかという疑問が、たぶん普通の読者の方にはあると思うんです。その辺についてはどうですか？

それ以前の時代の圧力を否定する力

中条　やっぱり、それ以前の時代の力を跳ね返すためには、すごい力がいるんでしょう。レヴィ＝ストロースもフーコーもバルトも、ラカンもロブ＝グリエも、今では文化史における英雄とされているけど、当時はそんなことはないわけです。だからスキャンダラスにやることによって、自分の立場を打ち出そうという気持ちがあったと思うんです。
たとえばミシェル・フーコーにしたって、今ではみんな、「ははぁ〜、御意！」みたいにお辞儀しますけど、当時の、たとえばゴダールなどのインタビューを読むと、フーコーの言っていることなど全然わからないと、はっきり言っています。ところが、フーコーは『言葉と物』という有名な本の最後に、人間は消え去ると書いているわけです。浜辺の砂の上に書かれた顔のように、いつしか波に打たれて消えちゃいますよと。そういう言い方をしなければ、以前のカミュとかサルトルの人間と世界の戦い、その中での人間の栄光と挫折みたいなものを徹底的に描いた小説を否定することはできなかったわけです。

ロブ＝グリエも、バルザックのような面白い話を否定するには、人間ってつまらないでしょと言わなきゃならない。そのためにはつまらない小説が必要だった。

駒井　いや、つまらない小説を読まされるほうは大変です。

中条　大変ですよ。だから初めはきつかった。でも、ロブ＝グリエ自身が飽きるんです。彼は後に『快楽の館』という香港を舞台にした小説で、本の書き方は『嫉妬』とそう変わらないけれども、エロティックな幻想を描く。やりたかったのは、サド・マゾの遊戯です。

なぜそういうふうに主題が、だんだん自分の本当にやりたいものに移っていったかというと、それは、方法的にすごく先鋭的なことをやり続けていても先はないし、書いている自分が面白くなくなったからだと思います。だから映画で、もっとダイレクトなイメージ、たとえば裸の女性やサド・マゾの遊戯、それから、彼の特徴である割れたガラス瓶のようなものが出てくる。その上を女主人公が踏んで歩くとかね。格別な思想的意味はないと思いますけども、ロブ＝グリエはそういうものに昔から引かれていたと自伝の中で書いています。

それから、つい最近、翻訳が出ましたけど、アラン・ロブ＝グリエの自伝的小説の第一作目『もどってきた鏡』（水声社）という作品の中で、自分は人形愛好者だったと言っています。子どものときに、磁器でできた小さな二体の少女の人形があって、それでオナニーを始めたと。オナニーとは書いていませんが、孤独なレッスンを始めたみたいに書いてあります。

だから、彼の中にも、人間的な欲望みたいなものはあった。でも、それを、バルザック流に、たとえばドストエフスキーに少女凌辱者が英雄として出てくるようにして、逆の意味での悪を讃美する物語にはしたくない。彼の中には、人間のあり方を物語化して、そういうふうにドラマティックに描くことへの、どうしても許せない気持ちがあったと思うんです。

戦争で魂の底まで思い知ったもの

駒井　ロブ＝グリエって、略歴を見ると、国立統計経済研究所とか、植民地果実柑橘類研究所などに勤めたり、いきなり作家になっちゃったり、サルトルなんかとは違う経歴ですけど、いったい何を読んで、こういう新しいものに辿《たど》り着くことになったんでしょう。

中条　僕が知っている限りでは、今、言った『もどってきた鏡』という自伝に、キップリングが好きだったと書いてあります。あのイギリスの『少年キム』とか『ジャングル・ブック』の作者です。だから、ごく普通の小説が好きだった人であることは間違いない。

のちになると幻想的な映画を撮ったり、小説を書いたりしますけど、なんかある種のゴシック・ロマンスみたいな幻想小説が好きだし、映画で言うと『囚われの美女』という作品がありますが、これは明らかに吸血鬼の話です。出てくる脇役のおじさんは、ムルナウが監督した『吸血鬼ノスフェラトゥ』の、あのノスフェラトゥと全く同じ顔。だから、はっきりと自分は吸血鬼が好きだと明らかにしている。

要するにロブ＝グリエは、そういうごく普通の設定で小説を書いたつもりなわけです。しかし、僕が思うのは、ロブ＝グリエにとっては、戦争経験が決定的だったんじゃないかなということです。

カミュは、レジスタンスに参加して、ナチス・ドイツあるいはフランスの反動勢力と戦いますが、非合法新聞による言論活動であって、銃をもって実際に戦闘をおこなったわけではありません。とはいえ、レジスタンスの英雄として戦後フランスの文壇・思想界に登場してくる。サルトルは、戦争には行きますが、ほとんど戦争を知らない、いいとこのお坊ちゃんです。

ところが、ロブ＝グリエは、戦争中に大学生になって、大学生としてドイツの工場にひっ張られています。ニュルンベルクの工場で旋盤工をやらされるんです。理科系の人なので、旋盤工とか、工作作業をするのは好きだったけど、ドイツでそれをやらされるのはとてもじゃないけど耐えられなかった。つまり、ナチス・ドイツの監視のもとで、一日八時間だか十時間の労働を、休みなしでずうっとやり続ける生活をしているんです。だからカミュやサルトルよりも、戦争のどうしようもない理不尽さをよく知っている。

　そのナチスの絶対主義的な体制が、一夜で完全に引っくり返る。だから、彼は政治体制というものを全く信用していない。右翼で言うなら、全ての国家はナチス・ドイツになると思っているし、左翼で言うなら、全ての国家はソ連の強制収容所になると思っている。だから、国家と秩序が大嫌い。サルトルみたいに、歴史が進歩して革命を起こすと幸福なユートピアになるなんて考えている奴らが戦争を起こすんだと、心の底では思っていたと思います。そういう考え方はナチスの強制収容所とソ連のラーゲリ（捕虜や反体制派の収容所）に帰結すると。

駒井　話が元に戻るのですが、私の世代ですと、アンチ・ロマンとかヌーヴォー・ロマンを最初に知ったのは、中学二年生で読んだ庄司薫の『赤頭巾ちゃん気をつけて』の中でという人が多いんです。慶応に行く小林君とか、登場する日比谷高校のエリートたちの中では、主人公の薫君こそ「『椿姫』を読めばきっとまた不覚の涙をこぼすに違いない」と書いてありますが、みんなは、もうヌーヴォー・ロマンの話をしている。それが背伸びしているイメージで描かれているわけですが、早い話が我々のヌーヴォー・ロマン観はそこで止まってしまった。

つまり、フランスの小説は優れていて、それが翻訳されれば、読まなきゃいけないことになっているけれども、実際に読んでみるとわからない。ところで先ほども話題に出ましたが、ロブ＝グリエには、カフカなどの直接の影響はなかったんですか？　キップリングとか、ゴシック・ロマンスだけだったのでしょうか。

中条　僕が知る限りでは、カフカに影響を受けたということは、具体的には言っていないです。カフカから影響を受けたということではなく、世界の見方がカフカ的だと思うんです。

やっぱり彼のどこかに人間に対する絶望があって、その絶望が、人間をドラマティックに神格化するのは嫌だという気持ちになっていくと思うんですよね。

世界を揺るがした、一千部の爆弾

駒井　構造主義の話に戻りますと、『消しゴム』の「解説」でも触れていらっしゃる『零度のエクリチュール』というロラン・バルトの本があります。この「エクリチュール」というのがまた、私の中ではトラウマになっています。あとは、「シニフィエ」とか「シニフィアン」。つまり、構造主義がいかに我々を言語的にいじめてきたかという問題がある（笑）。
ヌーヴォー・ロマンと構造主義との関係は、さきほどのお話をうかがうと、すごく面白いですが、日本における構造主義の受容は、やっぱり言葉が難し過ぎます。ただ、いいなと思ったのは、エクリチュールを「書き方」と訳したものがあったことです。

中条　いいですね、そのとおりです。でも「零度の書き方」だと売れない。「零点の書き方」みたいで（笑）。

駒井　何を言いたいかというと、こういう言葉が流行った時期があって、それが進んだ文学だと言われても、実質的には読むのが辛いので、日本の読者の多くが途中で諦めちゃったわけです。それでは、フランスの人たちはヌーヴォー・ロマンをわかっていたのでしょうか。

中条　当時から、フランスでは誰も読まないと言われていました。ところが、正確にはわかりませんが、千部とか、そういう世界です。部数で言うと、日本人は、そういう小説を翻訳して、大手の出版社が出す。そうして皆でいたいけな中学生をいじめていた（笑）。
だから、フランス文学の中でのヌーヴォー・ロマンは、文学史には位置づけうると思いますが、日本人が思うほど、フランス人にとっては大したものではなかったんじゃないでしょうか。

駒井　何か衝撃的な話をうかがっているような気がします。逆に言うと、その当時のフランス人は何を読んでいたんでしょう?

中条　普通の小説だと思います。今でもフランスで売られている小説は、みんなが夏休みに読むわけですけど、普通とても分厚い。話が難しいと、薄い『嫉妬』でもダメだったのですから、あの厚さでそれをやられた日にはもう電話帳を読んでいるようなものです。だから話が面白くて分厚い本が読まれる。それは、たぶん今でも同じです。

駒井　では、その千部を読んだ人たちというのは……。

中条　ですから、その中にロラン・バルトとかブランショとかいう大御所がいて、いろいろ言うわけです。そうすると、売れている数とは関係なく、凄いという話になる。

　で、僕にも、ロラン・バルトにせよ、ロブ=グリエにせよ、そんなにわからないことを言わなくてもいいじゃないのと思う気持ちはあります。でも、彼らがそう言ったことによって、人間中心的な思想に対して、世界はもっと深いと言おうとする人たちが出てきた流れが了解できるわけです。ただ放っておかれたら、相変わらず人間中心に世界を見る見方に捉われていたと思う。それを変えてくれるものが、ここに含まれていると教えてくれたのは、ロラン・バルトであり、ブランショだったんだと思います。だから、たとえ千部であっても、文学史を変えたという事実は残ると思います。

駒井　カフカの初版は八百で、ブレヒトは六百だったという話がありますから、千部ってある意味では結構な部数です。歴史を変える本は、大方そうなんでしょうね。

わかりやすく書いてあるのに、内容がわからない

駒井　我々は、中条さんにたくさんのフランス文学を新訳していただいています。難解な作品が多く、創刊の一冊にはバタイユも入っています。「マダム・エドワルダ」と「目玉の話」。かつては『眼球譚』という名で知られた難しい小説です。こういうものって、やっぱり、ロブ＝グリエとつながりがあるんですか。

中条　いや、バタイユと直接のつながりはないとは思います。

ただ、『消しゴム』に関して一言いうならば、中村真一郎さんが訳していますが、後ろを見ると三輪秀彦との共訳で、たぶんほとんど三輪秀彦が訳し、大御所の中村真一郎は名前を貸したということだと思うんです。

これは、推理小説仕立てで、殺人事件が起こって、犯人は誰かという話ですから、面白く読みましたけど、ただ、何を言っているのか、よくわからなかったんです。

人の訳を悪く言うつもりはないですけど、たとえばこの話の主人公の名前は、「WALLAS」といいます。中村訳や、他の訳では、これをワラスというふうにローマ字読みしているのですが、そう読んだのでは、この小説は意味が通らないところが出てくる。なぜかと言うと、刑事が郵便局に行って局留めの郵便を捜査しようとしたときに、その名前と、局留め郵便に書かれている「VS」というイニシャルが近いという話を郵便局員とするんです。でも、ワラスだったら、なんでワラスという名前と「VS」というイニシャルが近いのか、わからないですよね。

実はこれは単純な話でして、フランス人は「W」の音を「ワ」ではなくて、「ヴァ」と発音するんです。だから音で聞いたときには、「V」、ヴァラスという音で、あ！ この「VS」の音は、主人公のヴァラスと似ている、もしかしたら、このイニシャルはヴァラスが打ったものかもしれないとわかるんです。しかし主人公がずっと片仮名でワラスと書かれていては、「この『VS』、あなたじゃないですか？」って言われても、わけがわからない。そういう仕掛けが結構ある。

そんなことが積み重なって、もともと何が起こったのかがわからなくなるように書かれている小説なのに、輪をかけて何が起こったかわからなくなってしまう。

駒井　そうですよね。

中条　ええ。だから困っちゃったんだけど、後にフランスに留学したときに原書を読んだら、わかりにくい小説なんですが、書かれている一つひとつのことは明瞭で全部よくわかるわけです。だからそれならば、少なくとも読んでもよくわからないと思うことと、読めばわかるということをきっちりと分けて、読めばわかることは、全部わかるように訳しましょうと思ったのが、これを翻訳するキッカケなんです。

駒井　その翻訳者は何故そこをワラスにしたのでしょう。

中条　全体がわからなかったからじゃないですか。

新訳の意味、翻訳の難しさ

中条　新訳する意義にはいろいろあると思いますけど、今は、ネットが発達していますから、固有名詞なども、だいたいのことはわかりますよね。つまり、二十世紀の前半にフランスで流行っていたチョコレートの銘柄とかがわからないと困る時代があった。たとえば「彼は～

を持っていた」というときに、それが「駒井」という名前だったとして、「彼は駒井を持っていた」となるわけですが、その駒井が何なのかを知らなかったら適当にやるしかない。「駒井印の煎餅」を持っていたとやって、実は万年筆だったということがありうるわけです。

駒井　ワラスはそういう時代の訳だということですね。

中条　ええ。そういうこともありますし、文法上の誤解みたいなものもあるだろうし、いろんなレベルで、やっぱり今のフランス語の理解のほうが、五十年前より多少は進んでいるということがあると思うんです。

だから新訳を出す意味というのは、そういうところにもあると思いますけども、ただ、やっぱり僕が訳文を読んで、隔靴掻痒《かつかそうよう》というか、どういう話かはなんとなくわかるけど、細かいところのピントが合わないよなっていう感覚は、やっぱり訳に問題があったところに生じるんだろうと思うんです。僕の訳が全部合っているとか、それは言えませんけれど、少なくともちょっとは良くなったところがあるのかなと思います。

駒井　編集するときには、既に訳されたいわゆる既訳と照らし合わせながら読むと、ほんの少し違っているとしか思えないこともあるんですが、その違いが積み重なって、わずかな誤差と見えたことが、作品の像を結べるか結べないかという重大事につながっていくことがあります。中条さんの『消しゴム』のときには、ああ、ロブ＝グリエって、こういう、少しずつずらしていく、不思議なプロットを立てる人だなと思いました。でも、ミステリーとしては読めますよね。

中条　ありがとうございます。

駒井　ジュネのときも中条さんはすごく大変で、その大変さは言葉を象徴的に使うからだとおっしゃっていましたけど、ロブ＝グリエとジュネは関係あるのでしょうか？

中条　そもそもロブ＝グリエは象徴ということを信じていないというか、否定しています。つまり言葉が、その言葉を超えた何かの観念を表しているということを否定している。それを彼は「形容詞性の否定」と言います。つまり、ここに水があると言ったときに、「冷たい水」というのはかろうじて許す。でも、「おいしそうな水」というのは、絶対に許さない。中に人間の感情が入っちゃうので、それを見たときに言うのは嘘だと言うわけです。

アカデミー・フランセーズでのロブ＝グリエ

中条　だから、ロブ＝グリエの小説というのは、外から見てわかることは認めるけれども、内側に何かの感情的な判断が入るようなものは許さないというか、もう既にそこで世界が歪められているという徹底した考え方がある。

それから、深さということを彼は嫌うんです。深いというのは、たいていの場合、人間的な内容がある。あの人は深みがあると言うと、外には見えないけど本当は、ということになる。でも、人間にとっては外に見えているものだけが、全てだと。

駒井　なるほど。しかし感情が全く入らない表現が続くと、読者としては辛いですよね。

中条　感情移入できないものばかりを読まされたら、それはイヤですよね。

駒井　主人公に感情移入のできる広義の小説というのは、ギリシアの昔から古典として読まれてきたわけですけど、それを否定しようとするこの手法は、フランスではどのような評価を受けているんですか？

中条　総体としてはわかりませんけど、最初に『嫉妬』でやったような、文学の革命という評価は揺るがないと思います。ただ、実際に『嫉妬』を読む人が、今のフランスにいるかと言ったら、知識としては知っていても読む人は少ないだろうと、僕は思います。

駒井　それは、逆に言うと、ロブ＝グリエが成し遂げたことを理解できる層は、一定の尊敬の念を抱いて読んでいるということですか？

中条　そう思います。現にロブ＝グリエという人は、アカデミー・フランセーズの会員になりますし。でも、彼はただの一度もアカデミー・フランセーズの集まりに出なかった。そういう、或る意味で秩序をおちょくった人です。サルトルだったら、「アカデミー・フランセーズは拒否します」と宣言すると思う。

文豪ロブ＝グリエの人間臭さ

中条　小田実の『何でも見てやろう』（講談社文庫）という有名な本があります。あれにロブ＝グリエが出てくる。彼がフランスに行ったとき、先鋭的な文学を出すエディシオン・ド・ミニュイの事務所に行ったら、東洋から面白い奴が来たというので、二階で手を振っているお調子者がいた。それが、世界に冠たるロブ＝グリエだったと。だから、僕は、ロブ＝グリエは人間的にサルトルよりいい奴だったんじゃないかと勝手に決めています。

駒井　そのエピソードは初めて聞きました。ロブ＝グリエというと、なんか高踏的な感じがして、手を振る人のイメージとはだいぶ違う。

中条　そうなんです。しかも、彼はサド・マゾ好きです。

駒井　映画表現なんかでも、そういうのが出てきますね。

中条　ええ。縛られた女性、目隠しされた女性、要するにボンデージ、緊縛が好きなんです。

駒井　小説にも書いているのですか？

中条　書いています。『快楽の館』という作品では、東洋を舞台にして出てきますし、それから、カトリーヌ・ロブ＝グリエという、ロブ＝グリエの奥さんの自伝があるんですけど、野崎歓さんから聞いた話なんですが、これがとんでもないらしい。カトリーヌという人は、映画にもよく出てきますけど、すごく小さな人です。ちょっと見ると、子どもみたいな感じ。パーティなんかでは、その奥さんを「お嬢さんですか？」と聞く人が、たくさんいたらしいんです。そうすると、ロブ＝グリエはすごく喜んだと。

　なぜかと言うと、彼は少女愛の人ですから、奥さんが自分の子どもだなんて言われると、嬉しくてしょうがないわけです。それから自分と夫婦関係にある女が、娘ということになると、近親相姦的な欲望も満足させてくれる。それも嬉しくてたまらない。この手の話は『もどってきた鏡』の中にも少し出てきますけど、カトリーヌの自伝はもっとすごいらしい。

　二人の間にはいっさい秘密がなくて、それでロブ＝グリエは、カトリーヌ以外の女と寝たことがなかった。唯一の恋愛は、映画の『エデン、その後』に出ている女優とのものなんです。でも、二人の間では秘密はなしということで、カトリーヌがロブ＝グリエとその女優が寝ているところを見たいというので、二人が一緒になったら、窓を開けといてくれとロブ＝

グリエに言った。そうしたら、窓が開いてなくて、カトリーヌはガラス窓の後ろで、ロブ＝グリエと女優が寝ているところを見ようとしても湯気で曇って見えなかったという。バカでしょ。バカだと思うんだけど、本気なんですよ。

駒井　その辺の本気度は、何かフランス的ですね。

晩年には自伝的作品も

中条　そういう夫婦だったので、カトリーヌが男を作るのは、ロブ＝グリエも許していたらしいです。カトリーヌは映画で見ると、性的な欲望をそそるようなタイプには見えないのに、驚くことにサド・マゾ界では有名な女王さまでした。しかも、その道に引き込んだのはロブ＝グリエだったらしい。

　でも、人間は誰しもそういう性的な偏向があるわけで、彼もそれを持ったごく普通の人間だったと思うんですが、それをバネに自分の文学世界を一種の性的なファンタスムの世界にしようということはなかったわけです。『快楽の館』には少し書いていますけど。

　ところが、死の前年に出た『ある感傷的な小説』という作品では、少女凌辱のテーマを全面的に展開して、総スカンを食いました。八十五歳の瘋癲《ふうてん》老人の最後の爆発ですね。

駒井　小田実の話もそうですが、ロブ＝グリエがだんだん身近になってきます（笑）。
話は変わりますが、ロブ＝グリエは、私の感覚で言うと、二十世紀の作家というイメージが強かった。でも、実は二〇〇八年まで存命していて、自伝的な作品など、最後までいろんなものを書いている。

中条　そうですね。自伝的な作品については、要するに、本来はロブ＝グリエに自伝なんて、ありえないわけです。人間を否定してきたんですから。でも、最後にはそこに戻ってきた。
しかも、その自伝三部作には、『ロマネスク』というタイトルが付いています。「ロマネスク」は、小説的で荒唐無稽なことという意味です。やっぱりロブ＝グリエも客観的な眼差しに徹して事物や人間を外から描こうとしてきたけれど、最後は自分という人間の本質みたいなものに降りてきて、人間の底知れなさみたいなものも筆にせざるを得なかった。

駒井　それは、いわゆる転向とかではなく……。

中条　ええ。むしろ、当然のこととしてだと思います。

駒井　彼もやっぱり成長して、最終的にはそうなっていったということですね。

中条　そう。だから自分という人間を語っておかなければということで、晩年に自伝的な三部作を書いたわけです。ただ、自伝的と言っても普通の自伝ではなくて、中には変な幻想小説ばりの、嘘か本当かわからない話がいっぱい出てきますけど。

『消しゴム』のアンチ・ミステリーとしての質の高さについて

駒井　この作品を新訳なさって、何かあらたにお感じになったことはありますか？

中条　『消しゴム』については、古典的に作りあげられた非常に完成度の高い作品だと思います。

『嫉妬』のほうは、方法論ばかりが頭にあって、言葉も痩せて読むのが辛いけれども、『消しゴム』については、言葉と小説の構造がきちんとした像を結んでいて、古典的な風格さえある見事な出来栄えだと思います。ミステリーの形を取っているけれども、ミステリー風の謎解きを少しずつずらしていって、最終的には真実とは何なのかということが、わからなくなる書き方をしている。

ミステリーにも、最終的に犯人がわからないという書き方はあります。その場合は、こういう犯人がいるかもしれないという、いくつかの蓋然性《がいぜんせい》を並列して終わるわけです。ところが、『消しゴム』は、犯人も探偵もわかっているにもかかわらず、そこで描かれていることが本当に起こったかどうかわからなくなるという仕掛けを、細かく計算し尽くして書かれたミステリーなんです。

中井英夫に『虚無への供物』（講談社文庫）というミステリー史上の傑作があって、アンチ・ミステリーと呼ばれていますけど、アンチ・ミステリーというのは、むしろ『消しゴム』のほうで、ミステリーの構造を完璧に体現しながら、犯人も被害者もわかっているんだけど、世界の見え方が、その小説を読んだあとでは、ちょっとずれちゃうような感覚がある。『虚無への供物』の場合は、純然たるミステリーで、中井英夫の思想が投影されています。つまり人間がいかに残酷であるか。洞爺丸が沈んだときに、溺れている人たちを平気でパチパチ写真写す奴らがなんで人間なんだというふうに、中井英夫は思ったわけです。

中井英夫の場合も、戦争が決定的で、日本人がいかに愚劣なことを平気でする民族かということを、もう骨の髄まで叩き込まれた。そこで文学に逃避して、いっさいの日常的なものを拒否したわけです。その意味では、ロブ＝グリエと中井英夫は、通じるところがある。

駒井　なるほど。なんとも面白い分析ですね。

中条　『消しゴム』に関して言うならば、本当の意味でのアンチ・ミステリーです。ミステリーというのは、最終的に犯人は誰かがわかることによって、世界の秩序が回復するという話です。誰が殺したかわからないという話は、世界を安定させません。だから名探偵が出てきて、これをやったのはこういう理由で、犯人は誰々だと言うと、世界は安定するわけです。でも、ロブ＝グリエはそうじゃない。犯人も、それから探偵も、被害者までわかっているけれど、そのどれもが全部ずれていく不気味さを、完璧な構成で実現しているんです。

　これはアンチ・ミステリーの極限で、その意味で言うと、その後に出たポール・オースターとか、それから安部公房の『燃えつきた地図』（新潮文庫）みたいな作品は、ロブ＝グリエの『消しゴム』がなければ、書かれなかった作品だろうというふうに、僕は思います。

駒井　中条さんは、マンシェットなど、フランスのミステリー作品もお訳しになっていますが、アンチ・ミステリーは、ああいうものとはやはり違うのですか？

中条　後で気がついたのですが、マンシェットとロブ＝グリエはすごく近いです。

マンシェットも人間の内面を信じていない人です。読んでも、ほとんどダシール・ハメットばりの、登場人物の行動とか言動しか書かない。心理は書かないじゃないですか。

駒井　ええ、確かに。

中条　だからダシール・ハメットの、心理を書かずに行動しか書かないやり方は、ハードボイルドと名づけられましたけど、その意味でハードボイルドはマンシェットに至って、たぶんダシール・ハメットの最高の後継者を見いだしたと思うんです。

その意味ではロブ＝グリエも、徹底的に外しか書かない『嫉妬』でさえも、一応はハードボイルドなんです。ただ、ハードボイルドの度が過ぎて、ちょっと干からびちゃったという。

駒井　確かにそうですね。干からびて、ついていけませんものね。

中条　人間の内面を信じていないという点では、つまり、外側からしか人間は描けないという意味では彼らは非常に近いし、現代的ですよね。

ロブ＝グリエと日本の作家たち

中条　われわれは通常、新聞などで残酷な事件を見聞きしても、一応みんな最終的には心の闇ということでかたづける。でも、心が闇だとしたら、それを外側から描くしかないわけです。それを最近、一番徹底してやったのが髙村薫さんの『冷血』（新潮文庫）という小説です。

すごいです。人間の内面の愚かしさとか、空虚さみたいなものを徹底的に描いている。空虚な人間の内面なんか書かれたって、面白くないですよね。でも、その辺を歩いている人のほとんどは、みな空虚。で、そういう人たちが犯罪を起こしているわけです。

中身が空っぽの人たちが犯罪を起こすということは何なのかということを、髙村さんは徹底して書いている。そうすると、やっぱり人間ってわからなくなっちゃいます。

駒井　高村さんのその作品は読んでいませんが、日本の作家で言うと、『消しゴム』の「解説」の最後に、倉橋由美子、後藤明生、高橋源一郎、保坂和志といった名前があります。ロブ＝グリエは、日本の作家にも大きな影響を与えていると言っていいわけですか。

中条　いや、僕はたまたまロブ＝グリエと似ていると思う人たちの名前を挙げただけで、影響を与えられたというよりも、人間というものは絶対ではないとか、世界の表面というものに目を凝らさなければ、われわれは偽りを見続けることになるという感覚を持つと思った人たちが、名前を挙げた作家たちです。そういう意味ではあの人たちは、ロブ＝グリエの影響を受けたのではなく、ロブ＝グリエが表した新たな文学の姿に、自分の心とか感覚が響いて、そういう世界を描いたということじゃないかなと思います。

駒井　直接的影響ということではないと。

中条　僕はそう思いますね。だから、あそこで言いたかったのは、彼らはロブ＝グリエ的な感覚がある。ロブ＝グリエを読んだときに、ある種の解放感を感じたのではないかということです。ちょっと逆説的ですけども。

つまり、『嫉妬』みたいに書くと苦しいけども、こういう書き方をしても構わないんだ。

ひたすら世界を眺めるという小説もありうるということに気がついた人たちだと思うんです。

駒井　高村さんの『冷血』も、その流れの中に出てきた小説ということですか？

中条　いや、高村さんのは違います。高村さんは、もともと徹底して心理を描く人でしたよね。人間の情念とか心理を描くという点では、『神の火』（新潮文庫）という、とくにものすごい作品もありました。

　でもその後、彼女はそうやって犯罪者たちの心理を徹底して描くと、やっぱり犯罪者の心理を神格化しちゃうことに気がついたんだと思います。だから犯罪を犯す人間の、どうしようもない空虚さみたいなものを、小説で描けるかと挑んだのが『冷血』です。空虚な人間が犯罪を犯すということを徹底的に追い詰めると、ああいう小説になるという。

　空虚な人間が、空虚なまま人を殺してしまうことを、あのように徹底的に描かれると、読者は感情移入ができないです。どうしようもない奴が、どうしようもない薄っぺらなことを考えて、人殺しに至るということはよくわかりますよ。でも、そこには救いが何もない。ただ、人間ってこういうものじゃないですかっていう感じが残るだけで。

トゥーサン、カフカと通ずるものと、相違点

駒井　日本文学だけじゃなく、世界文学の中で、ロブ＝グリエに影響を受けた、あるいは彼を高く評価していると公言している作家はいるんでしょうか？

中条　ＳＦ作家のブライアン・オールディスは、影響を受けたとはっきり言っています。でも、ロブ＝グリエの影響を受けて書いた作品は、ずうっと出版社にボツにされていたと。今では読むことができますけれども、ロブ＝グリエそのままみたいなＳＦは、出版社が出してくれなかったらしい。あとは、野崎歓さんが訳しているジャン＝フィリップ・トゥーサン。

駒井　『浴室』の人ですね。

中条　ええ。あの人もはっきりと言っています。やっぱり影響を受けた人はいるんです。
　ただ、トゥーサンは人気作家になりましたけど、それはロブ＝グリエと通じるクールに世界を見る方法を自分のものにしただけで、そこから先は、その見方以外では世界が見えないなんて彼は言わなかったし、クールに突き放したうえで、やっぱり人間の愚かしさとか、悲しみみたいなものに寄り添う優しい姿勢がありますよね。それはロブ＝グリエの元祖であるカフカを見ればわかる通りです。カフカの小説にはどことないユーモアがある。

駒井　そうですね。カフカはあの『変身』を友人に笑いながら読んで聞かせたと伝えられて

いると、訳した丘沢静也さんがお書きになっています。カフカは深刻だと思い過ぎですよね。

中条 ええ。カフカは、人間が虫になったりして「何を言っているんだ」と突っ込みを入れたくなる話ばかりです。だから彼は、人間の条件の厳しさを書いたけれど、一方では、人間だからしょうがないという気持ちがあったと思うんです。それがユーモアに通じるのだと思う。ロブ＝グリエは『嫉妬』で、そういう余裕をもって人間の限定された条件を眺める以上の方法的な徹底性を発揮しちゃったわけです。

駒井 それは、フランス的だと言えますか？ 徹底していく、そういう考え方は。

中条 そうですねぇ、まあ、デカルトの国ですから、そういうふうに突き詰めていくことが重要だという考え方は、あるかもしれないですね。論理性にしてもそうですが。

駒井 吉本隆明さんが、フーコーなどの名を挙げて、要するに極限まで突き詰めてしまうところがあると書いていた記憶がありますが。

中条 ブランショとか。

駒井 そうです。そういうことってやっぱりフランス的なのかな。フランス文学って突出して、いつも先駆的であった印象がありますものね。

アラン・ロブ゠グリエが示唆したもの

駒井　今日は謎に満ちていた作家をご説明いただいて本当にありがとうございます。とくに、ロブ゠グリエの戦争体験の話には、なるほどと納得するものがありました。

中条　僕も、自伝を読まなければ、あそこまではっきり、彼が国家や政治体制を信じていないことがわからなかったと思います。ある意味でニヒリストであることは承知していましたが。

駒井　右にナチス、左にラーゲリという、そういう二十世紀を生き抜いて、戦争をくぐり抜けた作家が辿り着いた方法論は、逆に深い内面の体験に裏打ちされていたということですね。

中条　ええ。そのときのロブ゠グリエは二十歳前後、ほとんど十代に近かったんじゃないですかね。そういう少年が、国家の非情さや残酷さと、どれほどどきびしく直面させられたかということです。

ロブ゠グリエは言っています。ドイツの工場に強制徴用され、働かされていたけど、そこには俺たちより下の人たちがいっぱいいたと。つまり、ユダヤ人はのちに強制収容所に送られるし、ポーランドからの移民は、もう食べ物から労働時間まで全部違っていて、差別されていた。だからそうすると、自分がどれほどつらい労働をしていても、それ以下の人がたくさんいて、彼らを思ったら自分の境遇に文句を言うことはできなかったと。

病気になったからもう働けないと言う彼らの一人に、じゃあ病気だと言えばいいじゃないかと言ったときに、もしも俺が病気だと言って労働をサボろうとしたら、家族がどんな目に遭うかわからないと言われた、というようなことも言っています。そういう人たちがいかにひどい目に遭ったかということを思うと、自分は何も口を利けなくなったと。

駒井　それが彼の小説技法に繋《つな》がったというお話は、とても深くて、勉強になりました。

中条　だから人間の内面は目に見えないという考え方は、彼にとっては単純に一つの方法、たとえば絵画的な技法のようなものではなくて、人間というものに対する理解が、普通の眼差しでは深いところに届くわけがないという絶望感を、どこかに伴っていたと思います。

駒井　そこが本質でしょうね。今日はお話をうかがって、その辺りのことが深く印象に残りました。

（二〇一八年十一月二十九日）

『消しゴム』を読んだ人に、さらにお勧めの4冊

1

『狂気の愛』

アンドレ・ブルトン　海老坂武訳

光文社古典新訳文庫

ブルトンは、フランスの詩人・批評家。1920年頃から大胆な文学的実験であるシュールレアリスム運動を領導。この伝説的な作品は20世紀の芸術に大きな影響を与えた。難解で詩的な表現をとりながら、美とエロス、美的感動と愛の感動とを結びつける。その思考実験の果てに、美しい娘（と妻）への、究極の愛の手紙が置かれる。

2

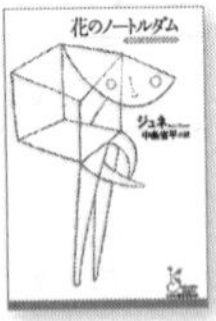

『花のノートルダム』

ジャン・ジュネ　中条省平訳

光文社古典新訳文庫

泥棒で同性愛者だった青年ジュネは、それまでの人生のほとんどを犯罪者として過ごしたが、獄中で書いたこの処女作で20世紀最大の〈怪物〉作家の評価を得た。独特の創作方法、比喩を駆使して都市の最底辺を生きる犯罪者や同性愛者をリアルに描写し、卑劣を崇高に、悪を聖性に変えたフランス文学史上最も危険な小説。

3

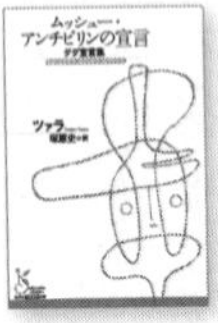

『ムッシュー・アンチピリンの宣言　ダダ宣言集』

トリスタン・ツァラ　塚原史訳

光文社古典新訳文庫

ツァラはルーマニア生まれのフランス人の詩人。1916年、スイス・チューリッヒで、作家と作品を解体する反芸術運動ダダイズムを始動した。1920年から「パリ・ダダ」の運動を主導するが、ブルトンと対立。運動はシュールレアリスムに吸収された。「DADAは何も意味しない」。ダダ運動は、この言葉で熱病のように世界に広がった。

4

『フランス小説の「探求」『クレーヴの奥方』からヌーヴォー・ロマンまで』

生島遼一

筑摩叢書

17世紀に始まり、20世紀のラディゲまで連綿と続くフランス心理小説。それは『クレーヴの奥方』から始まった。著者は、この魅力的な作品から、スタンダール、バルザックなど19世紀文学を論じた後に、20世紀のプルースト、そしてヌーヴォー・ロマンまでを射程に入れた解説を展開する。フランス文学の流れを知るための一冊。

第3夜

フローベール『三つの物語』

Gustave Flaubert / TROIS CONTES

谷口亜沙子×駒井 稔

隠れた名作、その感動的なラストを日本語で再現する

ギュスターヴ・フローベール（1821-1880）
ノルマンディー地方の都市・ルーアンに生まれる。大学では法律を学ぶが、興味を持つことができず文学の道へ。1857年、36歳の時、処女作『ボヴァリー夫人』が公序良俗に反し宗教を侮辱した廉《かど》で裁判にかけられるが、結果として無罪。逆に話題となり大ベストセラーに。48歳、代表作の一つ『感情教育』刊行。1875年、54歳で『三つの物語』を書き始める。1880年、脳溢血により死去。

『三つの物語』
フローベールの最後の作品となったこの『三つの物語』には、文字通り三つの短編が収められている。無学な召使いフェリシテの人生を、寄り添うように描いた「素朴なひと」、城主の息子で、血に飢えた狩りの名手ジュリアンが、父母殺しの大罪を犯す「聖ジュリアン伝」、サロメ伝説を下敷きに、ユダヤの王宮で繰り広げられる愛憎劇を描く「ヘロディアス」。彫琢された文体が際立つ短編集。

谷口亜沙子　1977年生まれ。パリ第7大学文学博士。博士論文の主題はミシェル・レリス。現在、明治大学文学部文学科フランス文学専攻准教授。専門は「詩（ポエジー）」を中心とした近現代のフランス文学。著書に『ジョゼフ・シマ　無音の光』『ルネ・ドーマル　根源的な体験』。訳書にドーマル『大いなる酒宴』など。本作『三つの物語』で、2020年に第25回日仏翻訳文学賞受賞。

フローベールとの出会い——原文講読テストでの衝撃

駒井　年末のお忙しいところ、たくさんの方にいらしていただきありがとうございます。今日は、谷口亜沙子さんをお迎えして、フローベールの『三つの物語』についてうかがいたいと思います。

　フローベールというと、日本では長編の『ボヴァリー夫人』や『感情教育』の名が挙がりますが、『三つの物語』はその名の通り、三つの物語で構成された優れた短編集で、個人的にも大好きな作品です。谷口さんに古典新訳文庫でお仕事をしていただいたのはこれが初めてですが、読みやすく画期的な訳を作っていただいたと感謝しております。

　最初におうかがいしますが、谷口さんは「あとがき」の中で、「この作品を訳したい」と思われた動機に、ご自分の読書体験と並んで、今、手に入るものがないことを挙げていらっしゃいますが、谷口さんが『三つの物語』を新訳してみたいと考えた理由を、あらためてお聞かせください。

谷口　谷口です。どうぞ、よろしくお願いいたします。

　今回、古典新訳文庫からお話をいただいたときに、とても嬉しく思いました。と言うのは、私は大学の教員をしていまして、学生たちに「読んだことのあるフランス文学は？」と聞くと、挙がってくるのが、古典新訳文庫で新訳されたものであることが大変多かったからです。だから、どんどんいい古典が出るといいなと思っていました。

お話があったのは四年ぐらい前で、私の好きな『アドルフ』とか『マノン・レスコー』は、まだ出ていませんでした。それで、そういう読みやすくて、学生に勧めやすい作品の名を挙げてみたのですが、もう翻訳する方が決まっていました。それなら自分が学生の頃に一番感動したものをと思って、『三つの物語』を挙げました。学生の頃は直接フランス語で読む作品は限られていましたが、この作品は原書で読んだので、日本語の訳の文章が頭に入っていなかったということも一つにはありました。

ただ、実は、私とフローベールとの決定的な出会いは、『三つの物語』の前、大学の三年生のときのテストでのことでした。辞書持ち込み可の原文講読のテストに、『ボヴァリー夫人』の主人公エンマが毒をあおって死ぬシーンが出たんです。エンマがすごく苦しんで、シーツに爪を突き立てて煩悶《はんもん》する場面です。

なにしろテストなので、とにかく辞書を引いて答案を書いたわけですが、終わった時に、「なんて面白いものを読んでしまったんだろう」と思ったのを覚えています。もうテストの出来とかはどうでもよくて、早く『ボヴァリー夫人』を最初から読み直したかった。つまり、その前に一回は読んだことがあって、その時には読みそこねていたんです。面白かったけれど、本当の面白さが分かっていない段階があった。後になって、いかに皮肉な展開が用意されているかとかいろいろ分かってきたわけですけども。それで、その体験が原点になって、原語で読んだ時のフローベールの面白さを日本語でどうやって伝えられるかを考えていました。

もう一点付け加えますと、その時点できちんとイメージできていたのは、実は「素朴なひと」と「聖ジュリアン伝」だけでした。「ヘロディアス」の面白さはむしろ翻訳に取りかかってからようやく見えてきたんです。ですから、最初は「素朴なひと」と「聖ジュリアン伝」のような作品もフローベールにはあるんだということを伝えたいという、とにかくその一心でした。

駒井　ありがとうございます。フローベールとの出会いは、翻訳ではなくフランス語での直接の体験だったのですね。

谷口　そうです。いきなりクライマックスから始まったという感じでした（笑）。

『ボヴァリー夫人』の背後に隠れた名作

駒井　ここにいらしている方々も、フローベールと言うと、すぐに『ボヴァリー夫人』が浮かぶと思います。日本の近代文学で出てくるのは、ほぼ『ボヴァリー夫人』ですし、『ナボコフのロシア文学講義』（河出文庫）などを読んでも、『アンナ・カレーニナ』と対比されるのは、やはり『ボヴァリー夫人』です。たぶん世界的にもそうなのでしょうね。

谷口　そうだと思います。ですから、今回の文庫の帯を作っていただいたときに、「フローベールの最高傑作」とあって、有り難かったんですが、ちょっとドキッとしました。フローベールの文学的野心に照応する作品と言うと、やはり『ボヴァリー夫人』かなと思いますので。

ただ、『三つの物語』もものすごく完成度は高いですし、フローベールの一種の到達点であることは間違いないと思います。そもそも文学に、ランキングはそぐわないというか、どれが最高かなんて決めなくていいと思いますが、世界的には何と言っても『ボヴァリー夫人』でしょうね。

駒井　ええ。でも、『三つの物語』と聞いたときに、私も愛読してきた作品だったので、「おっ」と思いました。未完のものは別にして、生前に刊行された最後の作品ですし、もっとたくさんの方に知っていただきたかった。そう思って新訳をお願いしたのを覚えています。

残念なことに、フローベールの作品は、最近の若い人たちには、少し距離が出てきたかなという印象があります。というのは、読書会などで若い人たちと話していると、「遠い感じがする」と言う人が意外に多い。逆にそういう時代だからこそ、『三つの物語』という短編集の魅力を再発見する可能性が残されているのかもしれませんが――。

その辺りの事情を含めて、お訳しになりたいと思った魅力と、それぞれの物語の概説的なコメントを、あらためてお話しいただけますか。

それぞれに違う三つの短編の味わい

谷口　最大の魅力は、敷居が低いというか、入りやすいところだと思います。それでいて、フローベールの奥深さもちゃんと詰まっている。つまり、「入り口にして奥の間」みたいな作品だと私は思っています。フローベールに限りませんが、フランス文学はプルーストにしても、スタンダールにしても、バルザックにしても、優れた作品が軒並み長い、勧めにくい、というところがあります。だから、逆に、短くていい作品はとても貴重なんです。
長編小説を読む達成感もいいけれど、短く凝縮された短編を味わうのもいい。とくに今回の『三つの物語』の場合、三つの短編の味わいがそれぞれに違うので、自分は「素朴なひと」が好きだとか、いや自分はなんといっても「聖ジュリアン伝」だとか、その人なりの入り方ができるのも魅力です。そして、実はその三つの作品が時空を超えて響き合っているところが、この短編集の最大の魅力だと思います。

駒井　お読みになっていない方のために、「素朴なひと」がどんな物語で、「聖ジュリアン伝」と「ヘロディアス」はどんな話かということを、少し語っていただけますか。

谷口　はい。「素朴なひと」は、十九世紀の、フローベールとほぼ同時代の、貧しい召使いの一生の物語です。「聖ジュリアン伝」は、一種の聖者伝で中世の物語です。遡って、「ヘロディアス」は、キリスト教が誕生する直前のパレスチナが舞台になっています。

ヘロディアスは、サロメという名で知られている少女の母親です。ヘロディアスと結婚しているアンティパスというユダヤの領主がサロメの魅力に参ってしまい、「望むものを何でもつかわそう」と言った結果、ヘロディアスの思惑どおりに預言者ヨカナーンの首をはねる羽目になってしまう。ヨカナーンは、洗礼者ヨハネと呼ばれる人ですが、そのヨカナーンが死ぬことによってキリストが救世主として現れるお話です。「素朴なひと」のフェリシテという召使いは、とても素朴な信仰心を持っていて、最後にその信仰によって救われます。

「聖ジュリアン伝」も聖人の話ですから、三作品のすべてにキリスト教的なテーマが通底しています。

駒井　私は、「素朴なひと」が好きです。教育のない女性が、忠実な召使いとして一生懸命に働くわけですよね。初恋に破れ、愛する人たちを失って絶望したり、その人生は辛い。ある時、女主人からもらった鸚鵡《おうむ》を飼い始めるととても可愛がり、彼女の愛の対象となる。鸚鵡が死ぬと剥製《はくせい》にして手元に置いて大事にする。しかし、自身もやがて病を得て死の床に——。フェリシテが亡くなる最後のシーンの、谷口さんの訳文を引用しますと、「とほうもなく大きな鸚鵡が、自分を包み込むようにして、羽をひろげていた」のを見るお話です。

「聖ジュリアン伝」は、中世に材を採った話で、主人公のジュリアンは、攻撃衝動の強いところがある男で両親を殺してしまう。でも、ラストシーンでは、実はキリストである癩《らい》の男に口づけすることもためらわず、彼に抱かれて昇天する。そして、「歓待の聖者」として教会のステンドグラスに描かれたという物語です。

「ヘロディアス」も含めて三つの作品が、いずれもエンディングが宗教的で、『三つの物語』が傑作だと言われるわけが、今度の新訳ではとてもよく伝わってきます。

原文のイメージを伝えるために、原文にはない言い方を使う

谷口　ありがとうございます。実は今回の翻訳で一番苦労したことの一つがそれでした。「聖ジュリアン伝」の結末では、ずっと中世の話が続いたあとに、「以上が、私の故郷の教会のステンドグラスに伝えられている、歓待の聖者ジュリアンの物語である」という二行があって、すっと現代に繋がる感じがあります。それから、「ヘロディアス」の最後の「三人はヨカナーンの首を手にすると、ガラリアの地をさして歩いていった。／首はとても重かったので、三人はかわるがわるにそれを運んでいった」。この二つのラストが素晴らしいというのは、よく言われてきたことです。

この二つに加えて、「素朴なひと」の最後では、フェリシテが息を引き取るときに鸚鵡の姿を見るという、駒井さんが一部引用してくださった文章があります。全部を言いますと、「最後の息を吐き出した瞬間、フェリシテは、空が開かれてゆくところを見たように思った。そこには、とほうもなく大きな鸚鵡が、自分を包み込むようにして、羽を広げていた」（*傍点編集部）というものですけど、これには、もうどれだけ悩んだかわかりません。

この文章を、私はずっと「羽を広げていた」というイメージで読んでいたのですが、今までの翻訳を読んだら、そう訳した版はなくて、フェリシテが「巨大な鸚鵡が舞うのを見た」

とか、「大空をかけめぐっている」とか、「滑空している」とか、「頭上はるか飛んでゆく」とか、基本的に空を飛んでいるイメージになっていました。

でも、このプラナン（planant）という単語は、プラネ（planer）という動詞の現在分詞ですけど、プラネ（planer）は、「鳥が羽を動かさずに飛ぶこと」（＊傍点編集部）、もしくは「浮いている」こと、たとえば、「空気が漂っていた」などと言うときにも使われる動詞で、何かが「ふわっと浮いている」というニュアンスがあるんです。

だから、私は、たぶん鳥は移動もしていないし、羽ばたいてもいないということが、重要だと思いました。その中で一つだけ、『世界の名作を読む　海外文学講義』（角川ソフィア文庫）という本の中で工藤庸子先生が訳された文章では、「巨大な鸚鵡が一羽、頭上に翼をひろげているような気がしたのだった」となっていて、それなら、私の見たイメージに比較的近いんです。

画像を見ていただきたいのですが（＊スクリーンに画像が出る）、これはキリストの洗礼のシーンです。ピエロ・デラ・フランチェスカの絵ですが、聖霊である白鳩が頭上に浮いているのが見えますでしょうか。あるいは、こちらはヴェロッキオの絵ですが、これも白鳩がふわっと浮いています。それから、これはデューラーの聖霊です。あるいは、これが一番近いような気がしますが、ヴァチカンの聖ピエトロ寺院にあるベルニーニの聖霊のステンドグラスです。これがプラネ（planer）という動詞が表すイメージだろうと思うのです。

こういう絵画イメージが共有されている伝統の中で、プラネ（planer）という動詞を使えば、ほぼ間違いなく、こういう格好の、浮いている鳥の姿が思い浮かぶと思います。宙づりと言うか、ふわっと静止していて、音楽でいうと曲の最後のフェルマータみたいな余韻が残る。その効果を出したかった。

私の訳では「自分を包み込むようにして」となりましたが、実はそんなことは原文には一言も書いていないんです。どうしてそうなったのかと言うと、巨大な鸚鵡が出てくるんですけど、まず絶対に飛んでいないと思ったのは、遠いところを飛んでいる鸚鵡が大きく見えるなんて、遠近法的にあり得ないと思ったからです。鳥は飛んだら小さく見えるわけですね。それが大きいと、恐竜大戦争になっちゃう（笑）。だからここで「巨大」と言われているのは、「ここに見えている」という、心理的な近さを表しているのだろうと思いました。

一方で、工藤先生の訳のように、「頭上に翼を広げている」ではどうか。これは正確な訳ですが、私が、これでもまだ少し足りないと思ったのは、「頭上」という言葉の語感の問題です。人間は座っているか立っているかが基本姿勢なので、「頭上」というとふつう頭頂部の上を指しますので、頭上を飛んでいるものとは目が合わないんです。だけどここでのフェリシテは寝ていますから、「頭上」と言っても実際は向き合うような位置なんですね。

だから、「頭上」が使えなくて、しかも「巨大」という意味のジゴンテスク(gigantesque)という単語も相当に強いので、その視界いっぱいに広がるような感じも表したくて、私の翻訳では「頭上に」がなくて「自分を包み込むように」としたわけです。どうしてもそこでフェリシテと鸚鵡に向き合ってもらう必要があった。

そうしたら、初稿を見てくださった最初の担当編集の方が、「素朴なひと」の最後の数行に感動した、と言ってくださいました。それで、それまでずいぶん悩んでいたのですが、「自分を包み込むように」に込めた対面感を大事にしようと、最後はそのまま出すことにしました。

たった十日間の苦吟なんて、フローベールも甘い!?

駒井　僕も「素朴なひと」を谷口さんの訳で読み直して、地方から出て来て大きな家に仕え、他人のために働いて一生苦労した、その死の床で見たイメージが最後の最後にフェリシテを救うことがわかり、「素朴なひと」というタイトルも含めて、これは凄い物語だということが理解できました。

谷口　ありがとうございます。

駒井　最後の三行で、フェリシテが救われていくのがわかる。

谷口　「空が開かれてゆく」というのがすでに天国のイメージですしね。そこに先ほどのような図像的な伝統があれば、プラネ（planer）の一語で足りるんですね。普通、聖霊の居る場所はキリストの真上だということを踏まえれば、フェリシテは天国にいる鸚鵡に迎え入れられるような位置にいますから、なおいっそう救われているかもしれません。その目の前に鸚鵡を見ている最後の感じを出すのに今回一番苦労したし、最もやりたかったことの一つでもありました。

駒井　素晴らしい場面で、いい小説を読んだなと思いました。それは、従来の解釈の束縛から、いい意味で大胆に離れ、いろいろご苦労なさった結果だと思います。

谷口　ここについては、「あとがき」や「解説」であれこれ書くわけにはいかなくて、何も書かずにただ読んで感動してもらわなければならなかったので、今日は、こうして初めて皆様に話せて嬉しいです。

駒井　私も、今までは淡々とした終わり方をする作品だと思っていたので、今回のように鸚鵡に抱擁される感じがあると、三つの短編のエンディングが感動的に揃うことが、よく分かりました。

谷口　三つ目の物語「ヘロディアス」の最後に、「三人はヨカナーンの首を手にすると、……かわるがわるにそれを運んでいった」とある、その「かわるがわる」という副詞を思いつくのにフローベールは十日もかかったという有名なエピソードがあるんですが、「え、たった十日なんだ?」とも思うんですね（笑）。翻訳していると十日どころじゃないので。でもそうは言っても、フローベールは好きなことを書けたじゃん！　と思うわけです。こっちはフローベールの言ったことしか言えないし、日本語しか使えないなかで、翻訳という細い小道を歩かないといけない。翻訳者の方はみんなそうでしょうが、好きなことを書けないという制約の上でよく書かないとならないわけです。

駒井　副詞一つのために、十日も悩んだというエピソードは、いかに文章に凝ったかというレトリックとして使われることが多いわけですが、それでは甘いということですね（笑）。

谷口　そうですね（笑）。こっちはプラネ（planer）をどうするかとか、「包み込むように」で本当にいいのかとか二年以上も悩んでいるわけです。他にもあの動詞どうしようとか考えながら自転車に乗ったり、歯を磨いたりしていたので、「十日かよ！」という感じは、ちょっとありますね（笑）。

駒井　フローベールが苦笑いしているのが見えるようなお話です（笑）。

谷口　いえ、もちろん、さすがに、それだけのことはあって、翻訳していて驚いたのは、フローベールは、段落の最後の一行を非常に凝って書いています。ある一語にチャージされたエネルギーがそこでマックスになるように書かれている。

そういう風に言うと、それだけ練りに練った一語なのだから、忠実に訳すというか、その単語を大事にして、そのまま辞書通りの日本語にすべきみたいな考え方があるかもしれないですが、私はそう考えませんでした。一語のチャージが高いのは、その一語が文章のその場所に置かれていて、その位置でその周りの単語との関係によって最大の輝き方をするということですから、語ではなくてそのような流れをまるごと再現しないとならない。辞書には載っていない新たな意味を獲得していることも多い。そうすると、訳すときには、こっちもクリエイションというか、新しいものを創るしかなくて、そうなってくると、一語一語の対応とか文章の区切りとかについては、つべこべ言っていられない、ということもありました。

フローベールの真骨頂と意外な魅力

駒井　フローベールをお訳しになって、彼の普遍的な魅力はどういう部分にあるとお思いですか。先ほども申し上げたように、今の若い読者は、十九世紀の小説となると、バルザックやゾラなどは読んでも、フローベールは遠くなったかなと思うのですが。

谷口　そうですね、「フローベールが遠い」のは、もしかすると日本におけるフローベール受容史なども関わっているのかもしれません。私には、フローベールの日本文学における位置というのは、系統立てて研究していないので、よく分からないのですが、フローベールと言うと、たとえば最初に思い浮かぶ日本の文学者は、私の場合、金井美恵子さんと蓮《はす》實《み》重彥《しげひこ》さんになります。

ただ、このお二人の場合は、『ボヴァリー夫人』寄りのフローベールというか、実は「解説」でフローベールの「えもいわれぬ意地の悪さ」という書き方をした時、同時に頭の中に浮かんでいたのが金井美恵子さんのことでした（笑）。

バルザックやゾラとは異なった存在として語られるフローベールの凄さは、小説の構造であるとか、書き手としての上手さの他に、その圧倒的な現代性というか、何が書かれているかというより、どう書かれているかに徹したところにあります。つまり、小説は言葉の連なりだけで成り立っているということを明らかにしてしまった。ただ、そういう先端的な部分がフローベールを遠い存在にしてしまうのかなとも思います。ゾラとかバルザックのほうが、ある意味でベタに楽しめますから。

ただ、フローベールも、実はベタに楽しめる部分があって、それが一番わかりやすく出た作品が、「素朴なひと」かもしれないと思いますし、だからこそ今の若い人たちに、フローベールをもっと読んでもらいたいと思います。

先鋭的なフローベールと、あたたかくベタなフローベール

谷口　そのことに少し関係があるのですが、先月、藤谷治さんという方の『燃えよ、あんず』（小学館）という新刊小説を読んだんです。そのお話の中に、それまで小説などはそんなに読んだことがなかったのに、ナボコフの『ロリータ』以降、文学の魅力に目覚めたという、「久美ちゃん」という二十歳ぐらいの女の子が出てきます。この久美ちゃんが、もの凄く好きな小説が『三つの物語』なんです（笑）。

駒井　そうなんですか！

谷口　作者の藤谷治さんは、自分の好きな本だけを売る本屋さんを下北沢でやってらした方

で、藤谷さんとほぼ等身大の本屋さんが語り手です。その本屋さんに久美ちゃんが通ってきて、『ボヴァリー夫人』は、あまりピンと来なかったけれども、『三つの物語』には感動して、その感動を伝えようとすると泣きそうになって言葉に詰まるというとてもいいシーンがあるんです。『三つの物語』というのは、なんというか、そういう位置に来ることができる作品だと思います。

それで、もう一つ思い出したのは、リルケが『マルテの手記』の中で、「聖ジュリアン伝」について書いていることです。聖ジュリアンは最初から聖人だったわけじゃなく、普通の人なわけですけれども、先ほど補足してくださったようにキリストの化身であった癩病の男の人を裸で温めて、口と口をつけ、胸と胸を合わせたそのときに、奇跡が起こって罪から救われます。それについてリルケが、癩者を温めるために抱きしめるという、そこまで思い切るかどうかが決定的だと言っていて、そのことについて書いている「聖ジュリアン伝」の解説がありました。それでちょっと思ったのは、『ボヴァリー夫人』、蓮實重彦、金井美恵子みたいな、ものすごく辛辣でものすごく先鋭的な流れがあるとして、一方には『三つの物語』、久美ちゃん、リルケのような流れもあるのではないかということでした。

リルケは不思議な人です。私の中では、彼は例外的にしか皮肉を認めなかった詩人なんですが、そのリルケとフローベールが「聖ジュリアン伝」で出会ったことには、必然性があるような気がします。そういう無茶苦茶にあたたかくて、ものすごくベタなフローベールという、『ボヴァリー夫人』よりも『三つの物語』寄りのラインがあるのかもしれないと、ちょっとかなり雑ですけど、思ったりしました。

駒井　そうですか。「聖ジュリアン伝」に対して、リルケがそんなことを。いや、忘れていました。もう一度、『マルテの手記』を読みたくなってきました。

反教権主義者としてのフローベール

駒井　だから、「聖ジュリアン伝」の、予言通りに父と母を殺してしまい、そういう自分が怖いからと旅に出たり、その後もいろんな苦労をして癩者と出会い、最後に昇天していくシーンも、「素朴なひと」の一生恵まれない召使の女性の話も、非常に強烈な短編小説の終わり方ですよね。読者をぐいとひきつける力が凄いと思います。

　今回の新訳には、スピード感と言うと語弊があるかもしれないですが、流れが止まる感じがなくて、フローベールが書いたように我々も読めるところが素晴らしい。

谷口　「聖ジュリアン伝」は、本当にスピード感に満ちた、移動撮影で撮った映画のような印象を残す小説だと思います。そう思って読み直すと、前半が結構ゆっくりだったり、狩りのシーンの描写が長かったりもするのですが、第三部での、癩者が出てきてからのスピードには凄いものがあります。もちろん、ジュリアンが馬に乗って動物をどんどん狩るスピード感もありますが、最後に向かってギュッと絞っていく感じは本当に速い。

駒井　そういうふうにお話をうかがってくると、キリスト教的な伝統という、宗教的でちょっと遠くに感じていた世界が、我々にも少しずつわかってくる実感があります。

谷口　私自身も、「ヘロディアス」はどんどん固有名詞が出てきて、最初はよくわからなかったことがありました。宗教の要素があり過ぎてわからないと思われやすいですが、外郭の部分くらいは知っていたほうがいいかもしれないけれど、基本的にはそんなことはないですね。

　三つともキリスト教に関わる話なので、フローベールがよほど「宗教的な」人だったのかというと、そんなに単純なことではなくて、むしろ「ヘロディアス」はものすごく世俗的というか、宗教を批判的に書いた物語だと思います。

　フローベール自身がキリスト教をどういうふうに見ていたかということは、私はフローベール研究者じゃないのであまりうかつなことは言えないのですが、ただ、彼が反教権主義者だったということははっきりしていて、反教権主義者というのは、ローマ教皇を頂点に戴くカトリック教会の権威やシステムに批判的な人ということですが、フローベールはまさにそうで、制度的な宗教とか、権威的な宗教というものには、はっきりと皮肉な目を向けています。だから、「ヘロディアス」も、それこそキリスト教が誕生するところで終わっているのですが、そこで書かれているのは、そこに到るまでに起きたことが、どれほど俗っぽいことだったか、領主アンティパスの欲望や宗派同士の人間的な権力争いがどれだけその背景にあったかということです。

「素朴なひと」にしても、フェリシテが教義のことは何もわかっていなかったという一文が出てきます。フェリシテが宗教的な恍惚感《こうこつかん》を得るのは、自分の仕えている家のお嬢さんであるヴィルジニーが聖体拝領をする時で、ヴィルジニーに感情移入をして、ほとんど憑依《ひょうい》するように一つになるときで、それは宗教というよりも、単に純粋な愛という感じなんですね。そういう所にフローベールの普遍性があるんじゃないかという感じがします。

つまり制度としての宗教は批判しているけれども、信仰は否定していなくて、信仰を徹底して素朴な方向につきつめると、それが聖なるものにつながる、つまり、宗教性ではなく聖性。聖性は否定していない。聖性と言うか、もうちょっと汎神論的な、人間的な価値観の頂点に神様がいるのではなく、偏在するものとしての神様、それは否定していないと思うんです。だけど、まやかしとか、偽物の宗教的なものは徹底的に否定して、嘲笑《あざわら》っています。

「ヘロディアス」と『サロメ』

駒井　ヘロディアスは、サロメのお母さんですよね。オスカー・ワイルドの有名な戯曲である『サロメ』は、作家の平野啓一郎さんに新訳していただいて古典新訳文庫にも入っていますが、バックグラウンドは「ヘロディアス」とほぼ同じです。でも、オスカー・ワイルドがサロメが妖艶《ようえん》な踊りをするのを軸に戯曲を作ったのとは違って、フローベールは、お母さんの名前を小説のタイトルにしています。同じ素材を使いながら、物語の展開がずいぶん違う。『サロメ』と「ヘロディアス」は違うと、今回あらためて感じました。

谷口　確かにかなり違いますね。ワイルドの『サロメ』では、ヘロディアスも悪魔的ですが、サロメが特別に悪魔的な存在として印象に残る。『三つの物語』の場合には、ヘロディアスだけが悪役で、サロメは、ただお母さんの言うことを聞いている女の子という設定で、サロメの内面は書かれない。

あと、よく言われることですが、ワイルドは、サロメの踊りについて、「七つのヴェールの踊り」を踊ると書いているだけで、どんな踊りなのかはわからない。七つのヴェールだから、何か凄い踊りだろうというだけで、描写が一切ない。フローベールのほうは、そこはすごく書き込んでいます。

駒井　結局、「ヘロディアス」という作品は、『三つの物語』の中で一番の難物で、今回訳していただいて、「こういう作品なのか」と、二回読んだところで漸《ようや》く分かりました（笑）。

それは、聖書の知識がないといったことだけではなくて、物語の作り方と書き方の問題で、フローベールは、文章を徹底的に磨き上げていくタイプの作家だということもあるし、これ、フランスの読者は、読んだらすぐには分かるのでしょうか。

谷口　どうでしょうね。人によるとは思いますが、実際に、ほとんど註がない版というのもあるんです。フランスの読者の場合には、この話で一番ベースになる基本的な知識、ヨカナーンが誰かぐらいはわかるので、「ヘロディアス」を普通に面白く読んだという人には何人も会ったことがあります。

だけど、その面白さというのも、情報の出し方や調整の仕方がとても特殊なので、「あれっ?」という具合にはなるようです。でも、少し分からない所があっても平気で読んでいけちゃうと言うか、先に進んでいこうというふうになる。

要するに、コンプレックスを無くせばいいと思うんです。我々は、これはキリスト教の話だから、きっとよくわからないとか、フランス文学だから難しいんじゃないかとか、そうやって分からないことにしてしまわなければ、この話は、分かる。

でも、やっぱり「二回読んだところで漸く」かもしれないなとも思います（笑）。一回では、ちょっと厳しいかもしれない。でも、二回読めば理解できるように、できるだけのことはしたつもりです。ですから一回で分からないのは、あとはもうフローベールのせいだと思うことにしています（笑）。

駒井　ユダヤ教のサドカイ派とか、パリサイ派とかのいろんなセクトが出てきて、それを真っ向から受け止めてしまうと、物語がだんだん楽しめなくなりますよね。

谷口　なりますよね（笑）。フローベールもよく読めば分かるように書いているんですけれど、でもあれ、分からなくても読めますよ。なんやかんや言っているけど、結局、宗教の派閥争いとか、教義がどうとか、生き返りがどうとかやっていても、サロメが出て来ると皆がうっとり見惚れてしまうという、それが「ヘロディアス」ですから。ヨカナーンの首が来るときには、皆、「まだなのか」と待っているとか、そういうところは、別に派閥がどうとかがわかっていなくても、読めちゃうと思います。

駒井　気にし過ぎるんですよね。仕方ない面もあるのですが。

谷口　気にし過ぎているところに、語註なんかが入ると、「やっぱりわからなきゃいけないのかな」みたいな感じになることもあって。

駒井　今回は「入れ過ぎず足りなからず」という適量の註を入れていただいていますよね。我々が読むときにも、註を気にし過ぎて先に進めなくなることがあるので。

谷口　そうですね、だから、サロメは誰かとかすら知らずに、ただ読んで、「面白かった」という読者がいてくれるといいなと思って訳したんです。ただ、それでも「この女の子は誰だろう」と思うのは大事なんです。で、次に出てきて腕だけ見えたりするときに、「これ、さっきのあの子かな」と思う必要はあって、でも「サロメかな」とは思わなくてもいいというか。

「聖と俗の一致」という共通点

駒井　サロメが「お前の欲しい物はみんなくれてやるぞ」と言われて「ヨカナーンの首が欲しい」と言う有名なシーンは、オスカー・ワイルドの『サロメ』でもそうなっていますけど、その前に、サロメがヘロディアスに呼ばれるシーンは、オリジナルですよね。

谷口　そうですね。絵画などでも、普通はヘロディアスが同席しているように描くのですが、ヘロディアスが見えないところから指を鳴らす。あの音は、もう本当にフローベールの想像だと思います。そうするとサロメが消えていく。出て来るときに、いろんなことが一気に分かる。もう一人、老いた側妻《そばめ》という重要な登場人物も出て来ますが、ヘロディアス自身は最後まで戻って来ない。

　聖書の記述では、少女が「何をねだりましょう」とたずねて、ヘロディアスが「ヨカナーンの首を」と答えるのですが、フローベールにはそのやりとりのシーンはなくて、読者が察するだけになっています。

　オスカー・ワイルドの場合には、ヘロディアスに促されてではなくて、サロメ自身が自分から、主体的にヨカナーンの首を欲しがる設定になっています。

駒井　『サロメ』だなと思って読んでいると、その辺がだいぶ印象が違うんですよね。タイトルがお母さんの名前か娘の名前かというだけではない違いがある。この作品が最後に置かれ、そういう宗教的な背景があった上での『三つの物語』だと考えていいんですよね。

谷口　そうだと思います。「ヘロディアス」の最後にある、「首はとても重かったので、三人はかわるがわるに、それを運んでいった」という、即物的なものと聖性を持ったものが一致するイメージ。「聖ジュリアン伝」の癩者との接吻も、やはり最後に聖と俗が一致します。そして、「素朴なひと」のラストでは、死の床にあるフェリシテと鸚鵡。ここでは鸚鵡自身がすでに聖俗の一致というか、本来は白鳩じゃなきゃいけないものが鸚鵡になっていて、それに救われるということで、やはり聖と俗が一致する。これを合わせて「上昇のイメージ」と言われることもありますが、確かに最初の二つは昇天するんですが、鸚鵡はやっぱり浮いているので、「素朴なひと」は「宙吊り」、聖ジュリアンが「上昇」、ヨカナーンの首が「下降」、そして「聖と俗の一致」が三編の共通点かなと思います。

原文の感動を伝えそこねないかという不安

駒井　文章の話をしましょう。たとえばバルザックには、寝ないでコーヒーを飲みながら書いたとか、校正で直しが多くて植字工が泣いたとか、いろんなエピソードがありますよね。

フローベールの場合は、谷口さんが寡作だとお書きになっていて、もう文章に凝り過ぎた部分があると述べていらっしゃいます。フローベールは、同じ十九世紀のゾラやバルザックやスタンダール、それに弟子のモーパッサンと比べても作品数が少ない。それは文体に気を配ったからだということですが、それは翻訳のしづらさにも繋がってくるのでしょうか。

谷口　はい、思った以上に繋がっていました。たとえば、「素朴なひと」に海辺のシーンが出てきます。フェリシテと子どもたちが貝拾いに行って、潮が引いているところに、クラゲが打ち上げられて、子どもたちが風に吹き上げられる波の泡をつかまえようと走り回ったというところです。

　その一節を「まどろむような波が、砂浜に打ち寄せては砕け、長くのびる渚をなめらかに濡らしていた」と翻訳したんですけども、これは、波が打ち寄せていったん砕けた後にスーッと砂の上で伸びますよね。その感じを表した一節です。「ルロンドゥ（le long de）」というのは「〜に沿って」、つまり、「渚に沿って」という意味で、「ス・デルレ（se dérouler）」というのは、丸まっているものが広がるイメージなんです。だから、「渚に沿って波が砕けて広がっていた」と訳せばそれで済むんですが、この波が落ちてから平らに広がっていく感じ、しかもノルマンディーの浜辺には、どこまでも視界が遮られないで続いていく感じがあるので、どうしようかと悩みました。最後は「長くのびる渚をなめらかに濡らしていた」となったのですが、これは直訳からはかなり離れています。ただ、そのぶん、実はNの音を重ねていて、最初は「渚を長くなめらかに濡らしていた」とやっていたんです。そうしたら、校正で「長く濡らしていた」というのが自然じゃないということで赤字が入って、結局、渚のほうを長く伸ばしたのですが、Nは守りました。「ス・デルレ」を波に使うのは、フローベールに特別なことじゃないかもしれないけど、すごく効いていて、そういう動詞が本当に多い。

でも、厳密にはフローベールは「なめらかに」とか「長くのびる渚」とか言ってないじゃないかと言われたら、そうかもしれないし、こういうことをしていると、「いつか逮捕されるんじゃ」とも思うんです（笑）。

ただ、いつもこんなふうにやっているわけじゃないです。基本的には、原文通りに訳しているんですけど、時にやっぱり、メカニックに訳しても足りなくて、いても立ってもいられなくなってしまう一文があるんです。そのまま日本語にしたのでは、自分が感じたものを、読者が感じ損ねるのじゃないかという、そんなことばかりでした。

駒井　「逮捕される」って、誰に逮捕されるんですか（笑）。

谷口　わからないんですけど、やっぱり罪があるんじゃないかという気がして。「こんなことは、フローベールは言っていないじゃないか」と言われて並べて見せられたら、「いや、ごめんなさい」みたいな気に、やっぱりなってしまうかもしれません。

だけど、ただ誰にも怒られないというだけの翻訳をいくら重ねていってもしょうがないと言うか、それでは新訳の意味もなくなるような気がしたんです。だから「もう、怒られちゃえ」という覚悟を最終的にはしたのだと思います。

駒井　いや、今回の新訳は、僕は非常に文学的な感興を覚えたというか、印象の強いとてもいい翻訳だと思っています。なぜ、そう感じたのかも、今の説明でよくわかりました。でも、この訳文の問題はフローベールの文体のせいなんですか。

谷口　そうだと思います。他の作家ではこんなに大変なことにならないので。そのまま訳すと、感興が足りなくなるのはどうしてかというと、フローベールはフランス語のネットワークの中で、その語のチャージが最大になるように書いているからです。それを一語、一語、逐語的《ちくごてき》に写しても、別のネットワークを持っている日本語の中では、同じテンションにはならない。だから、そのテンションと密度をどう移すかということと、一作としての言葉の水準が揃っていなければという、この二つにはとくに気をつけたつもりです。

ただ、私はそういうことを考え過ぎていて、「いや、もっとストレートに訳しても感動できるよ」という読者もきっといると思うんですね。だけど、それでは私は不安なんです。原文では、すごくいいなあという文章が、訳文では何か普通の文章になっちゃうという、これをどうにかして、そのままにはしておかない方法を、いつも探していました。

直訳と意訳の二元論を超えて

駒井　私が書いた『いま、息をしている言葉で。「光文社古典新訳文庫」誕生秘話』という本がありまして、このなかでも従来から論じられてきた翻訳論について書きました。今の話は、直訳か意訳かという二元論に近づきますね。

谷口　近づいちゃうでしょうか。ここまで来ると、そうかもしれませんね。

駒井　要するに、原文に忠実な直訳と、そこから外れた意訳があって、意訳はかなり自由にやってしまう傾向があって、その先には超訳があるみたいな翻訳論が、長い間、語られてきたわけです。古典新訳文庫は、それをやめようということで、著者が本当は書いていないことを自由に書いたりとか、逆に大幅に削ったりするのではなく、その作家が日本語で書いたらどんな訳文になるのかというふうにお願いしてきました。

おっしゃったように、その語圏の中での理解ができたとしても、日本語に逐語訳で持ってきて理解が届かなかったならば元も子もありません。だから、補うというのではなく「翻訳をする」という意味で、先ほどの「鸚鵡が自分を包み込むようにして」と訳した話にあったような、エンディングの感動を日本語でも同様にもたらす独自の訳文の工夫は、実はフローベールがそのような効果を狙って書いていることを伝えるためだということがわかりますし、それが「新訳」だと思います。そういう意味では、フローベールという人は、削られた言葉を、翻訳で補ってやらないといけない作家なのかもしれない。

谷口 そうなんです。彼が削って、削って、削れたのは、やはりフランス語のネットワークを最大限に活かしたせいだと思います。だから、さっき見たような聖霊のイメージを共有している読者が相手だったからだと思いますが、文化的な背景を共有していない日本語の読者に、同じような救済感を受け取ってもらうには、「包み込むように」の一語を入れるしかなかった。ただ、この次の翻訳がもし出たら、その翻訳者はこの表現をもう一度省いてしまってもいいのかなと思ったりもしています。

でも、今回は、今までの訳とは違うイメージを出したいというのがあったのと、最後のイメージがどれだけ凄いかを伝えたかった。フローベールはいつも、みんなの知っているイメージを「指さす」みたいな書き方をするのですが、それを日本語の一語でやってもできないことが、どうしても起きる。だから、削ることを可能にする文化的なものの共有と、言葉のネットワークの問題、その両方を解決したかったのですが、「申し訳ないけど、フローベールさん。これ以上は無理」みたいなこともいっぱいありました。

駒井　いや、フローベールは喜んでいるだろうと思います。自分が日本語として書くのだったら、こういうことになると、ちゃんと理解するだろうと思いますね。翻訳のお話をうかがっているようで、実は、作品そのもののお話をうかがっている感じがしますから。

新訳して思ったこと

駒井　では最後に、今回の翻訳が谷口さんにとってどういうお仕事になったかということと、これから古典新訳文庫でお訳しになってみたい作品があったら、お聞かせください。

谷口　翻訳というものが自分にとってどういう体験なのか、その認識自体が新しくなったことが一番大きいです。自分は本当に翻訳を好きだとも感じました。ただ、その一方で、私は本当に抜けの多い、本当にうっかりした人間なので、危険が大きすぎるというか、自分はつくづく翻訳に向いていないと痛感したこともありました。

それでも、もし古典新訳文庫でもう一度機会をいただけるのであれば、考えているのはヴェルコールの『海の沈黙』という作品です。ご存じの方もいらっしゃるかと思いますけども、フランスがナチに占領されていたときに地下出版されたレジスタンスの文学です。

これにはジャン＝ピエール・メルヴィル監督の映画があって、以前、岩波ホールで上映された時に、映画が終わった瞬間、隣で観ていらしたご婦人が、すごい勢いで立ち上がって、「何、この映画」と言って怒って出て行かれたんです。私はその時に、驚いて、でも、私自身も大学生の時にフランス人の先生に、「これ、絶対にいいから、読んでみなさい」と原書を勧められて、あんまりよく分からなかったという体験がありました。その後にもう一度、歴史的な事情を知って再読してみて、「ああ、良い作品だな」と思ったわけですけども、そういう意味で、これは古典新訳文庫の強みだと思いますが、長い解説がつけられるのであれば、ヴェルコールの『海の沈黙』がいいかもしれません。

駒井　面白そうだなと思います。海外の作品が、全く予備知識なしに分かるかというと、分からないものが結構ありますし、解説は長くていいというのは、我々の最初からの方針なので、それに打ってつけの作品かもしれません。

谷口　岩波文庫で『海の沈黙・星への歩み』という既訳があるはずです。

駒井　早速読んでみます。今日は面白いお話を、ありがとうございました。

（二〇一八年十二月二十一日）

『三つの物語』を読んだ人に、さらにお勧めの4冊

1

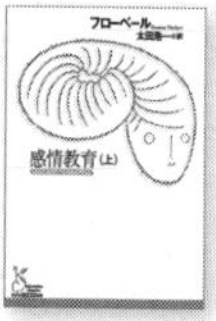

『感情教育（上・下）』

フローベール　太田浩一訳

光文社古典新訳文庫

法律を学ぶためパリに出た青年フレデリックは、帰郷の際に利用した船の上で美しい人妻アルヌー夫人に心奪われる。パリでの再会後、美術商の夫の店や社交界に出入りし、なんとか夫人の気を惹こうとするのだが……。二月革命前後のパリで夢見がちに生きる青年と、彼をとりまく4人の女性の物語。フローベールの代表的な長編小説。

2

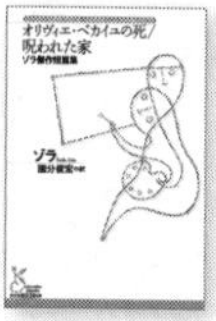

『オリヴィエ・ベカイユの死／呪われた家　ゾラ傑作短篇集』

エミール・ゾラ　國分俊宏訳

光文社古典新訳文庫

完全に意識はあるが肉体が動かず、周囲に死んだと思われた男の視点から綴られる「オリヴィエ・ベカイユの死」。新進気鋭の画家と容姿に恵まれない妻との奇妙な共犯関係を描いた「スルディス夫人」など、稀代のストーリーテラーとしてのゾラの才能が見事に開花した印象的な短編5篇を収録。短編作家・ゾラの魅力が満載。

3

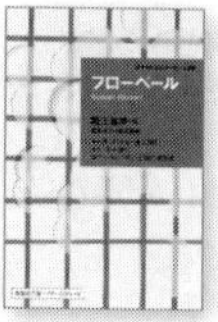

『フローベール　ポケットマスターピース07』

堀江敏幸編

集英社文庫ヘリテージシリーズ

フローベールの『ボヴァリー夫人（抄）』『サランヴォー（抄）』から遺作『ブヴァールとペキュシェ（抄）』まで、その全体像を読みやすい一冊にまとめてある。入門者には敷居が低く、フローベールの有名な作品をすぐに読み始めることができる。作家でフランス文学者の堀江敏幸さんが編者として解説でこの作家の本質に迫る。

4

『三島由紀夫のフランス文学講座』

鹿島茂編

ちくま文庫

編者の鹿島茂さんは「あとがき」で「いかに三島がフランス文学から大きな影響を受け、それを自らの文学の糧として吸収していたかが手に取るようにわかってくる」と評しているが、三島のフランス文学に対する理解の深さは特筆に値する。フローベールはもちろん、古典から20世紀まで、様々な作家の本質をズバリと突く評論集。

第4夜

プルースト『失われた時を求めて』

Marcel Proust / A LA RECHERCHE DU TEMPS PERDU

高遠弘美×駒井稔

「いま」「この瞬間」によみがえる、深い目論み

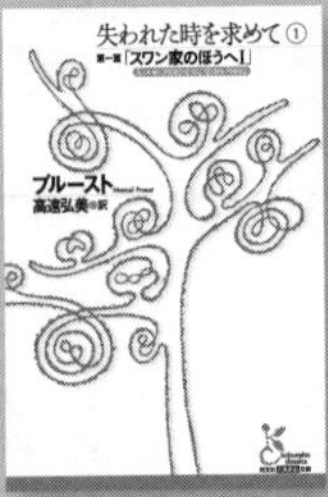

マルセル・プルースト（1871-1922）
パリ郊外オートゥイユで生まれる。９歳のとき喘息の発作を起こし宿痾《しゅくあ》となる。三十代の初めに両親と死別、このころから本格的にエッセイやラスキンの翻訳を手がける。1912年、『失われた時を求めて』の原型が完成、翌1913年第一篇『スワン家のほうへ』を自費出版。その後も執筆を続け、1922年第四篇『ソドムとゴモラII』を刊行するが、気管支炎が悪化、全七篇の刊行を見ることなく死去。

『失われた時を求めて』
色彩感あふれる自然描写、深みと立体感のある人物造型、連鎖する譬喩《ひゆ》。深い思索と感覚的表現のみごとさで20世紀最高の文学と評される『失われた時を求めて』。その奥深い世界を新訳で味わう。「あなたは一語一語を追いながら、いつしかプルーストの世界に入り込んでゆく。目的地を知らされていない長期にわたる航海。しかしそれが、読書というものではなかったろうか。」（訳者）。

高遠弘美　1952年生まれ。早稲田大学大学院文学研究科博士課程修了。明治大学教授。フランス文学者。著書に『プルースト研究』『七世竹本住大夫　限りなき藝の道』『物語パリの歴史』。訳書にプルースト『消え去ったアルベルチーヌ』、ロミ『悪食大全』『乳房の神話学』、カリエール＆ベシュテル編『珍説愚説辞典』、P・レアージュ『完訳Oの物語』など多数。『失われた時を求めて』は6巻まで刊行中。

全訳を志した経緯と理由

駒井　今日は、プルーストの『失われた時を求めて』を翻訳していただいている高遠弘美さんをお招きしました。ただいま全十四巻中、第五巻まで刊行されていますが（＊二〇一七年五月当時。以下同）、最初にまず単独で第六篇の『消え去ったアルベルチーヌ』からお訳しいただき、その後は個人全訳という形でお仕事が継続中です。

　最初に一つ、皆さんにお尋ねしたいのですが、プルーストの『失われた時を求めて』を全巻お読みになった方、いらっしゃったら手をお挙げいただけますか……、ほう、六人！

高遠　素晴らしい。

駒井　これは凄いですね。私は、最初に高遠さんにお願いしたときに、いつも第二篇の『花咲く乙女たちのかげに』で挫折していると申し上げたくらいで、全部読むのはなかなかのことだと思います。でも、この作品は二十世紀文学の最高峰と言われる作品ですから、新訳という形での個人全訳が、旧来の井上究一郎訳と鈴木道彦訳に加え、今も岩波文庫の吉川一義さんと、わが社の高遠さんとで進行しています（＊その後、岩波版は完結）。

　ということで、早速、始めたいと思います。今挙げた個人全訳の他にも先人の翻訳が数多《あまた》ある中で、ご自分で全訳しようとお思いになった理由を、まずお聞かせください。

高遠　はじめまして、高遠弘美と申します。よろしくお願いいたします。

いきなり難しい質問で、どうして全訳をしようと思ったのかということですが、おそらくプルーストをやっていらっしゃる方は、その気持ちをどこかに持っていると思うんです。

光文社古典新訳文庫から翻訳を打診されたときに、「どういう作家の翻訳をお望みですか？」と質問されました。私としては、「こういう作家のこういう作品」とたくさん書きまして、プルーストは修士論文以来になりますので、もう何十年という付き合いですが、いきなり「プルースト」と書くのも畏れ多いと思って、実は最後に、同じ大きさの活字ではありましたが、気持ちとしては小さく「プルースト」と書いた（笑）。

それから三カ月ほど連絡がなく、プルーストの名前は出さないほうがよかったかなと思っていたら、電話があって、「プルーストで行きましょう。何にします？」と言われたのです。

そのときに、先人の全訳があるので、今さら屋上屋を重ねるのもどうかと思い、『スワン家のほうへ』か、『花咲く乙女たちのかげに』か、『ゲルマントのほう』かと、いろいろ考えましたが、一九八七年に初めて本になった『消え去ったアルベルチーヌ』の最終稿と言いますか、解説と書簡とかもいろいろついているので、それを紹介したいと申し上げて翻訳することになりました。幸い皆さんから高い評価をいただき、「全部できたら、どんなにいいだろう」とは思っていたのです。その機会を与えていただいて全訳に挑むことになりました。ありがたい限りです。

それが二〇一〇年でして、今は一七年ですから七年で五冊。少ないですよね。遅いのはよくわかっているのです。ただ、プルーストの翻訳はさすがに右から左というわけにはいかない。毎回、毎回、嬉しいことではありますが、悩みながらの翻訳を続けております。

新訳がなぜ必要だと考えたかということですが、多少、先達の先生方に失礼になることを承知の上で申し上げる関係上、今日は正確を期して自分用の資料を作ってまいりました。これを使って、最初にこの作品との出会いから申し上げます。

困難だった通読と、プルーストへの思い

高遠　私は六十五歳になります。定年までもう五年を切りました。人生の定年まで何年かはわかりませんが——。七〇年に大学に入って、翌年の一月に鈴木道彦先生訳の第一篇『スワン家の方へ』が出ました。集英社のデュエット版の世界文学全集です。第一部と第二部が入っていて、第三部がなかったのですが、最初にそれを読んだ。年末に読了して感激しました。

それで次を読みたかったのですが、鈴木先生のほかの巻の翻訳がなかなか出なくて、当時の全訳、つまり新潮社版の全十三巻を読むしかありませんでした。中村真一郎、伊吹武彦、生島遼一、淀野隆三、市原豊太、井上究一郎といった先生方が訳したものですが、絶版品切れでした。図書館に行っても、必ずどこかの巻が貸し出されていた。それでは、読書の大きな妨げになる。

どうしようかなと思っているうちに、七二年の四月に仏文科に進みまして、そのときに河出書房のカラー版世界文学全集に、井上究一郎先生訳の第二篇『花咲く乙女のかげに』があって、それを読みました。これも素晴らしいと思いました。

それで第一篇の第三部が欠けていますが、『スワン家の方へ』の二つと、『花咲く乙女のかげに』を読んで、さて、次を読みたいなと思ったら、五月になって中央公論の世界文学全集で鈴木道彦先生の第五篇『囚われの女』が出ました。だから飛び飛びです。第一篇の二つと第二篇と第五篇は読んだのですが、三、四、それから六、七篇目がどうしても手に入らない。

古本屋さんに新潮社版の揃いのセットがあって、一万八千円しました。一九七一年、七二年当時の一万八千円の価値がどうだったかと言いますと、私が住んでいたアパートの家賃が月に一万二千円です。それから日本育英会の自宅外通学の特別奨学金が一万二千円の時代でした。私は親がなくて大学に入った貧乏学生で、一万八千円の本などとても買えない。

それでも、「欲しいな」と思っていると、一九七二年の十一月ですけれども、別の古本屋さんに第二篇だけが欠けた新潮社版のセットがあったんです。値段が一万五千円でしたから三千円廉《やす》かった。

これだったらと考え、自分では買えないけれど兄がいたものですから、「悪いけど、クリスマスプレゼント、早めにくれないか」と言いました。で、「幾ら?」と言われて、「そんなに高くてはダメだ」と押し問答になったのですが、結局「しょうがない」とお金をくれたのです。それで、お金を握りしめて早稲田にあった古本屋に駆けつけ、「ください」と言って――自分では悠然たるつもりでしたが、たぶん焦っていたでしょうね――、一万五千円を渡して買いました。で、嬉しかったものですから、最後の所に、節夫というのが兄の名前ですが、「節夫兄より賜与《しょ》」と、普通は使わない字を使って、もちろん日付も書きました。一九七二年十一月十八日のことです。

これ、実は二〇〇八年に『消え去ったアルベルチーヌ』を翻訳しているときに、いろんな既訳と一緒に並べていたんです。それで、忘れていたことにはっと気づきました。七二年十一月十八日は、プルーストが死んでちょうど半世紀後の命日だったんです。それで、自分なりにこじつけて、「やっぱりプルーストは、全訳しなければ」と思った次第です（笑）。

話を戻しますと、最初からまた読み始めて、『花咲く乙女のかげに』だけは河出になりますが、最後まで読み通しました。十一月の十八日に手に入れて、読み終わったのが十二月のクリスマスイブの辺りでした。だから、一カ月ちょっとで最後まで読んだわけです。アルバイトの家庭教師と塾の講師で毎日一杯だったのですが、その合間に読んで、これはぜひプルーストを専攻しなくてはという思いに駆られました。

カミュの導き

高遠　しかし、卒業論文でプルーストを書くのは無謀です。原書で読まなければいけないのに、読む時間も能力もなかったからです。フランス語を十八歳で初めて習った人間が、二十歳か二十一歳でプルーストを読めるわけがない。それで、そこは諦めて、原書で読んでいたアルベール・カミュを卒業論文にしました。非常に拙いものですが、いま読むとおかしいのは、頻繁にプルーストが引いてあるんです、カミュに関する論文なのに（笑）。

なぜカミュを経由したかということについては、数年前に大阪の『産経新聞』で、「プルーストと暮らす日々」という連載で書いたものがあるので、それを朗読させていただきます。

大学に入って初めてフランス語を学んだ私が、最初に原書で読み通したのはカミュの短編集『追放と王国』、それに『異邦人』だった。思索に満ちながらも、新鮮な生の息吹を感じさせるその文章は若き私の心を鷲摑《わしづか》みにしたのだ。小説に続いてエッセイ集『裏と表』と『結婚』を原文で読むに至って卒業論文はカミュを書こうと決意した。

その後、三年生で仏文科に進んで私はプルーストの魅力に開眼した。こういうときはさまざまな啓示があるもので、カミュを読んでもプルーストにどこかで繋がってくる。プルースト訳者の井上究一郎訳で、カミュの師だったジャン・グルニエが書いた『アルベール・カミュ回想』を読んだのも、カミュの長篇評論、『反抗的人間』でこんな言葉に遭遇したのも今になって思えば運命というほかない。

カミュは不条理というしかない生の条件を押しつけられた人間がどのようにして人間的尊厳を見いだすかを力強く説いている。ごく一部を抄訳してみる。

ここからはカミュの引用になります。

「プルーストの世界は神無き世界だと言えるだろう。それは神について語られていないからではなく、完全に閉じられた世界を目指しつつ、永遠なるものに人間の相貌を与えようという強い願いがあるからだ。プルーストの芸術は死すべき人間の条件に反抗するもっとも並外れた、そしてもっとも意味深い目論見の一つに思われる」

その言葉に私は強く打たれました。と言いますのは、小五の時に父親が死んで、高三の七月に母が急死したものですから、どうしても生と死の問題が眼前にぶら下がっていた。そういうことを考えざるを得ないときに、カミュのその文章が、ぐいぐいと私をプルーストのほうに持って行ったのです。こういう出会いがあって、ちょうど五十年後の命日に手に入れて、一カ月ほどで読むということになったのだと思います。

新訳が必要だと感じていた

高遠　私は就職試験に三回落ちています。出版社を受けましたが全部ダメでした。それで、大学院に行くことにしました。親がいませんから、生活は大変でしたが、何をやってもいいと考えました。

プルーストが好きになったので、原文で読もうと思って原書を買い、これを最初から一個ずつ単語を調べるような感じで読んでいきました。通読した新潮社の版とは別に、一九七三年に、井上究一郎先生が筑摩の世界文学大系で、最終的に全五巻にまとまる、八八年まで十五年かかった個人全訳が出始めていたんです。でも、私は、既に一回通読したし、原書で読み始めていた以上、翻訳でもう一度という気にはならなかった。ただし、私は井上訳もいい訳だと思っています。先日、神保町を歩いているときに、ハードカバーの綺麗な揃いが二千円で売られていたので、買おうかなと思ったくらいです。

それで、ちょっと言いにくいことを付け加えておきますと、実は、井上究一郎先生の全訳を一九七三年の世界文学大系で見たときに、三段組みで読みにくかったことは別にしまして、何か訳のリズムが合わなかったのです。素晴らしい訳だとは思いますが、半過去の処理の仕方などで、井上先生の訳と私とでは僭越《せんえつ》ながら肌合いが合わないという気がしたのです。

井上先生の底本が一九五四年に三巻で出た旧版のプレイヤード版です。八七年の新版のプレイヤード版を使われた鈴木道彦先生の全訳も、素晴らしいとは思うのですが、やはり細かいところで解釈の違いがあって、井上先生の誤訳をそのまま踏襲している箇所も少なくなかった。だから、誰かが新訳をしないとという気持ちは、その頃からありました。

駒井　なるほど、学生時代まで遡る、興味深いお話でした。ここで、プルーストをよく知らない方のために、彼がどういう作家だったのかを、ご説明いただけますでしょうか。

プルーストという人――日本での紹介の足跡

高遠　そうですね。マルセル・プルーストは、一八七一年七月十日の生まれで、一九二二年の十一月十八日に五十一歳で世を去っています。「Proust」と書いてプルーストです。プルーストという姓には、いろんな家系があって、その中の或る家系は、「プルースト」でなく「プルー」と発音するんだそうです。日本で最初にプルーストについて触れたのは、重徳《しげのり》泗《し》水《すい》という人ですが、この方が大正時代に当時のフランスの文壇について書いた文があって、最初は「マルセル・プルー」と書いています。

　最初の翻訳は、プルーストが死んだ翌年です。一九二二年の十一月十八日に死んだのですが、死ぬ直前の一九二二年の十一月の初めに、『ラ・ヌーヴェル・ルヴュ・フランセーズ(La Nouvelle Revue Française)』という、ガリマールという出版社から出ている文学雑誌に、第五篇『囚われの女』に含まれるエピソードの一つを、人名を変えて発表しました。これを『朝日新聞』の特派員だった重徳泗水が、日本に紹介したのですね。それが一九二三年、つまり死んで間もない翌年の、まだ四、五カ月しか経っていないときですが、与謝野晶子と鉄幹が主宰していた『明星』の三月号に載ります。原題は『La regarder dormir（眠る彼女を見つめる）』というのですが、それを「彼女の眠」と訳しています。これをコピーでお配りします。

駒井　三枚ですね。お取りになって、そのまま順にお回しください。

高遠　……はい、こんな訳です。最初のほうに出てくる女性の名前が「ジゼル」となっています。つまり、本当はアルベルチーヌという名前のはずが、「ジゼル」という名前に変わっているんですね。で、数行目の所に「バルベーク湾」とあって、「シリアの地名」という注がありますが、これは重徳泗水さんが「バルベック」は架空の地名だと知らなかったからで、まあ最初の紹介ですから、当然あり得るミスでしょう。これが、初めて日本の読者に触れたプルーストです。

　ご覧になるとわかりますが、悪い訳ではなくて、こういう文章でプルーストが日本に紹介されたと考えますと、非常に感動的だと思います。帰られたら、是非、ゆっくりとご覧ください。それを差し上げただけで、今日はもうお仕舞いにしてもいいぐらいです（笑）。

　翻訳のことを申し上げますと、日本で最初に翻訳された単行本は一九三一年、死後九年目に出た『失ひし時を索めて　第一巻　スワン家の方』でして、翻訳をなさったのが淀野隆三先生と佐藤正彰先生、出版社は武蔵野書院です。実は、この時は全訳の予定があったので第一巻と書いてありますが、第二巻以降は出ませんでした（＊高遠附記　二〇一九年末、淀野隆三日記のオリジナルが明治大学図書館に収蔵された。『失われた時を求めて』最初期の訳者の日記は貴重である）。

一九三四年には、五来達、ごらいたつか、ごらいとおるとお訓《よ》みするのだと思いますが、その方が、――これは仏文の専門の方ではなくて、理工系の方だそうです――、全訳を出し始めます。タイトルは『失はれし時を索めて　第一巻スワン家の方』五来達訳、三笠書房刊。五来さんの訳は、一巻目が出て、それから『花咲く乙女たちのかげに』が出て、それから『ゲルマントのほう』が出て、『ソドムとゴモラ』は戦火で燃えたらしいのでありません。『囚われの女』も『消え去ったアルベルチーヌ』もなくて、最後の『見出された時』があります。

ですから、全訳を試みたのは、井上究一郎先生が初めてではなくて、五来さんが先です。仏文専門ではないのに、今、その本を読むと非常に感動的なのです。プルーストに打ち込んで、「何とか日本の読者に伝えたい」という熱意が、行間のあちこちから伝わってくる素晴らしい訳だと思います。残念ながら戦争で一部が燃えてしまって、非常に惜しむべしという感じです。

エッセイや評伝も次々と翻訳される

高遠　先ほどお話しした、新潮社版グループ全訳は、一九五三年から五五年です。そのあとに、新潮文庫に入りました。入ったのは五八年くらいからだったと思いますが、それも一九七〇年代の初めには絶版だったので、どうしても手に入らなかった。

それで、その次に井上究一郎先生の全訳が、七三年から八八年にかけて出て、その後『プルースト全集』版になり、さらにちくま文庫版にもなりました。

九六年から二〇〇一年にかけては、鈴木道彦先生が、それまで『スワン家の方へ』の他には『囚われの女』しかなかったのですが、それに加えて全訳をなさいました。

その後、二〇一〇年の九月に私の訳が出始めます。そして、ほぼ同じ時期の二〇一〇年の十一月に吉川一義先生の訳が岩波文庫で刊行され始めます。二カ月程度の差なので、注意を喚起しておきたいのですが、岩波文庫にも頁註がありますし、いろいろ図版が入っています。ともすると、「高遠が真似をした」と考える方がいらっしゃると思いますが、出始めは私のほうが二カ月早い。なので、少なくとも私が真似をしたわけではありません（笑）。

プルーストの伝記に類する本は、数種類出ていまして、昔、アンドレ・モロワが書いた『プルーストを求めて』（筑摩叢書他）は素晴らしい本でしたが、伝記ということで言いますと、ジョージ・D・ペインターという人の『マルセル・プルースト——伝記（上・下）』（筑摩書房）というものがありました。それから、『評伝マルセル・プルースト——その生の軌跡』（青山社）というミシェル・エルマンという方の書いたものが一九九九年、そしてジャン＝イヴ・タディエという人の『評伝プルースト（上・下）』が、二〇〇一年に吉川一義先生の訳で筑摩書房から出ています。

『失われた時を求めて』以外では、世界文学全集の一冊として『ジャン・サントゥイユの肖像』（河出書房）というのが井上究一郎先生訳で一九五六年に出ましたし、『プルースト・母との書簡』が七四年に紀伊國屋書店から、『プルースト文芸評論』が鈴木道彦先生の訳で七七年に筑摩書房から出ています。

プルーストはイギリスの評論家ジョン・ラスキンの翻訳をやっているのですが、その『胡麻と百合』のプルースト訳を翻訳した本が、九〇年に筑摩書房から出ました（吉田城訳）。今では、プルーストのエッセイの多くは『プルースト評論選　文学篇』『同・芸術篇』（保苅瑞穂編）となって、ちくま文庫で読むことができます。

それから、プルーストが二十代前半に書いた作品を集めた『楽しみと日々』は、いくつか訳がありますが、今では岩崎力先生の訳で岩波文庫で読めます。

プルーストの執筆生活

高遠　では、話を戻して、お手元の資料にあるフランス語で書かれた箇所の説明に参ります。

一八九六年に、『Les Plaisirs et les Jours』、今言った『楽しみと日々』ですが、十三フラン五十サンチームという当時としては破格の高値で出ます。限定版のような形で、箱入りでマドレーヌ・ルメールという人の水彩画が入り、レイナルド・アーンという作曲家の楽譜まで入って、ページを繰るときに十九世紀末の或る種の贅《ぜい》を感じる豪華な本です。自費出版でした。プルーストが二十五歳のときです。

考えておきたいのは、『楽しみと日々』が、その後、戦後まで出ていないことです。つまり、自費出版として世に出たきりで、それをどこかの出版社が再版することはなかった。だから、その本について、ほとんど誰も知らずに戦後になります。

一九〇四年、プルーストはイギリスの評論家・ジョン・ラスキンの翻訳をします。『La Bible d'Amiens（アミアンの聖書）』です。一九〇六年には『Sésame et les Lys（胡麻と百合）』というもう一冊の翻訳が出て、これが、プルーストが出したものとして知られていた数少ない本でした。

プルーストは英語ができたのでしょうか？　実は、翻訳をしたのは本人ではありませんでした。マリー・ノードリンガーという英語の達者な知人がいて、その人が英語から訳したものをプルーストが直し、自分の翻訳として出したわけです。これはすごい本です。本の厚さの半分ぐらいが、註と解説なのです。それだけプルーストは、ジョン・ラスキンに打ち込んでいて、非常に鋭い人ですから、本文を直すだけではなくて、深い批評精神に満ちた「前書き」と「解説」と「後書き」みたいなものを書く。二冊ともそうでした。めくると半分が註というページがあるような本です。でも、大した評価はされませんでした。

　プルーストは、その後に本の依頼がくるわけでもなかったので、一九〇八年辺りは、いろいろな草稿を書き散らします。資料に「pastiche」とあるのは「模作」ということで、文体を真似て書くのが「模作」ですが、その「パスティーシュ」をいろいろ書いています。そして、雑誌にちょっとしたエッセイとか、印象記とかを発表しながら、時間が過ぎていきます。

　その一九〇八年ころに書いていたものは、後に『Contre Sainte-Beuve（サント＝ブーヴに抗って）』という本にまとめられます。一九五四年のところを見てください。そこで初めて本になる。どういうことかと言うと、彼の死後に、友人や知り合いの編集者や作家たちが、プルーストが残した膨大な草稿や手帳を整理して、これを『失われた時を求めて』には入らないという括《くく》りでまとめ、『Contre Sainte-Beuve』というタイトルで刊行したのです。

「サント＝ブーヴに抗って」とは、どういうことかと言いますと、サント＝ブーヴという人は、作家の評伝や作家論を書くときに、作家がどういう生活をして、どういう環境で育って、どんな物を読んで、どんな物を食べ、どんな人たちと付き合っていたかと、全てを考慮に入れて書くんです。プルーストは、そういうものはダメだと言った。

つまり、作品は作家から独立したもので、作品自体が評価されなくてはということです。この考えは非常に現代的です。今の評論家、批評家には、そういう考えでいる人が多いと思いますが、その考えはそもそも、プルーストにあったと言っても過言ではないと思います。

姿を現す『失われた時を求めて』

高遠　そのエッセイが、一九〇九年ころに、今度は小説として結実していきます。

一九一一年に彼は、自分が住んでいるアパルトマンにテアトロフォンを設置します。プルーストは九歳の時に喘息《ぜんそく》に罹《かか》りまして、生涯、喘息で苦しむのですが、外にあまり出なかったし、とりわけ人の多いところには出たくなかった。でも、オペラなどが好きですから、当時の最新技術で電話線を劇場と繋ぎ、自分の部屋で聴けるようにしたのです。それで感想を書いたりした。つまり、居ながらにしてオペラの劇場の演《だ》し物を聴いていた。

　そんなことをしていたのですが、一九一三年には『スワン家のほうへ』をグラッセという出版社から自費で出します。他のどこも出してくれなかったからです。いろんな出版社に話をしても、返ってくるのは断りの手紙ばかりでした。たとえば、ある出版社からは、「ちゃんとした大人が、眠れるか眠れないかなんてどうでもいいことを、何十ページも書く神経がわからない」とか、とにかくこんな作品はダメだと突き返される。それでも、プルーストは出したかった。それで、自分でお金を出して出版せざるを得なかった。

　最初は千七百五十部で出したのですが、これが結構評判になり、多くの版を重ねることになります。しかし、この一九一三年の翌年に第一次世界大戦が起こり、社長のグラッセが召集されて戦線に行ってしまいます。

　その前に『スワン家のほうへ』を出してほしくて、後のガリマール書店に原稿を持ち込んでいました。出すか出さないかを判定する委員だったのがアンドレ・ジッドです。原稿を読んでいなかった可能性もありますが、「出せません」と突き返している。

　それで、グラッセから出した本が出来上がると、プルーストはもう一度ジッドに送ります。そうすると、原稿とかタイプ原稿ではないので、今度はジッドもさすがに目を通しました。

そこで、彼はやはり優れた批評家だったと思いますが、「素晴らしい作品だ」と気がついて、有名な謝罪の手紙を書きます。「私は、生涯で、また弊社の歴史の中で、最大の過ちを犯した。それは、あなたの作品を拒否したことだ。だから、誠に申し訳ないことだが、二巻目以降は、ぜひうちで出版させていただきたい」というものでした。

しかし、プルーストには、グラッセとの契約がありました。資料の一九一三年のところ、『スワン家のほうへ』にグラッセで一から三と書いてあります。どういうことかと言うと、一巻目の『スワン家のほうへ』の冒頭に、続巻の予告が出ているのですが、それが三巻構成で出ていたわけです。二巻目が『ゲルマントのほう』、三巻目が『見出された時』という構成で、「三巻で出します、今は一巻目です」という予告がされていた。

その二巻目、三巻目が出ないうちに、グラッセは戦争に行ってしまい、ガリマールからは「ぜひうちで」という話が来て、最初は「契約も三巻までしてお金も払ったのに」と、いろいろ悩んで、即答しなかった。でも、よく考えてみると、当然ガリマールから出したほうがいいという判断になり、結局、ガリマールから再版されることになりました。それが、資料の「一九一九年『スワン家のほうへ』」に、「ガリマール」と書いてある新版です。

死後も続々と刊行

高遠　先ほどお配りした、重徳《しげのり》泗水《しすい》の「彼女の眠」の冒頭に、フランス現代文学の才能ある作家であるマルセル・プルーストが死んだこととともに、『スワン家の方へ』の第一冊を出したのは、彼が四十八歳のときという記述があると思います。これ、計算してみますと一九一九年になります。つまり、重徳泗水は『スワン家の方へ』をガリマール版で知っていて、一九一九年というのは頭に入っていたのですが、一九一三年、四十二歳のときにグラッセから出していたことは知らなかったんですね。

そこで、第二巻のＪＦとあるのは、「Jeunes Filles」で、『花咲く乙女たちのかげに』のことで、次にそれが出ます。これがゴンクール賞を取るのですが、その時は三巻構成ではなくて、五巻構成になっています。

その後は巻の構成にもいろいろ異同があって、プルーストが亡くなる年の一九二二年には、『ソドムとゴモラⅡ』が出ます。そのときは八巻構成になっていて、六巻目が『ソドムとゴモラⅢ』、七巻目が『ソドムとゴモラⅣ』、そして最後の八巻目が『見出された時』でした。それで、先ほど申し上げた十一月十八日に彼は世を去りました。

そこから後は死後刊行になります。一九二二年で線が引かれて、二三年、二五年、二七年、その次は時の飛び方に留意してほしいのですが、一九五二年になってJSというのが出ます。これは『Jean Santeuil（ジャン・サントゥイユ）』と言います。プルーストが死んで三十年後に出たのですが、原稿の山があって、それを小説として順番を並び替えて作った本です。三巻本ですが、それで初めて、そういう習作があったことがわかりました。一八九五年ぐらいに書き出して、一九〇〇年ぐらいに放棄した小説ですが、プルーストがどういう形で出したかったのかは分かりません。あくまで研究者や出版社で相談して作ったものです。

次に、七一年に「Pléiade」とあります。プレイヤード版という定評のあるものですが、その版でもう一回出し直されています。つまり、いろいろな発見があって五二年の版のJSでは不正確ということになって、新しいものが出されるんです。先ほど、五四年に、『Contre Sainte-Beuve』が出たと言いました。これも、草稿で残されたものを集めて作った本でした。これもダメだとなって、七一年にプレイヤードが出し直しています。

私が大学に入った七〇年からは、二十三年かけて書簡全集が出されました。あの頃は一年に一冊、あるいは二年に一冊ぐらいのペースで書簡全集が出て、私も毎回買って読んでいましたが、作った人はフィリップ・コルブというアメリカ人です。これが凄い人で、プルーストは書簡に滅多に日付を書かないので、「いつの書簡か」と同定する作業が大変なんです。

そうすると、書かれたのが「どういうコンサートについてだったか」ということからコンサートの日付を突き止めたり、「今日はどんな天気だ」と気象台の記録を調べたりといった具合に同定していって、書簡全集を出していく。最終回の二十一巻なんて、「いったい、どうやって開くのか」みたいな分厚さです。真ん中のページなんてコピーもできない感じ。そういう、プルーストに対する情熱を持った学者の方がとても多いのですね。

　今は岩波文庫の『楽しみと日々』の最後に付録として付いている「つれない男」という作品、フランス語では「L'Indifférent（ランディフェラン）」と言いますが、この小説は一八九六年に『ラ・ヴィ・コンタンポレーヌ（現代生活）』という雑誌があって、そこに発表されたまま、発表後は、誰にも発見されずに埋もれていた。それが八十年近く経った確か一九七八年だったと思いますが、やっと見つかって本になった。誰が出したかと言うと、フィリップ・コルブさんです。彼が草稿とか、いろいろな原稿を探しているうちに見つけたわけですね。

駒井　まるで大学院の講義でも聴いているようでした。細かな流れがとても面白いです。プルーストは、修正の赤字がとても多い作家だったという話もありますね。

今なお続くテキスト・クリティーク

高遠　ええ。修正が多い作家だということは、どこかで聴いて知っていらっしゃる方が多いと思ったので、プルーストの草稿を写真に撮ってみました。これです。皆さんの中には出版関係の方もいらして、私の本を作ってくださった方もいらっしゃいますが、編集者としてこれを見たらちょっと嫌になるんじゃないでしょうか（笑）。

どういうことか説明します。これは今も出ている本で、フランスの八折り判というんでしょうか、全部で八ページ分を刷った校正刷りが出てくるわけですが、その校正刷りにプルーストが修正を施したものの写真です。

パプロールと言いまして、紙を貼り付けていくんです。つまり、最初は、校正刷りの空いている所に修正を加えるのですが、書いてまた足したくなって、空いたところがなくなったら違う紙を貼っていきます。で、その紙がどんどん増えていく。

一九九九年から二〇〇〇年にかけて、私は文部省（当時）在外研究員としてリヨンに住んでいました。ちょうどパリの国立図書館で、マルセル・プルースト展が開かれていることを知って、パリまで見に行きました。大きな高い壁があって、そこにこれが張ってあった。最初の創作手帳みたいなものからあって、そこからパプロールが広がっていく。あの上、あの下、あの横、この横と、広がっていて呆然としてしまいました（笑）。その広がり具合が、プルーストの格闘を表しているわけです。

聞いた話では、ギネスブックで、「世界最長の小説」と引くと、『失われた時を求めて』が出てくるようですが、ただ、原書にまだ誤植が見つかったりしているのです。ですから、同じプレイヤード版でも一九八七年に出たものと、二〇一〇年にその改訂新版が出たときでは、ちょっと違ったりする。つまり、プルーストのテキストは、いまだに生きているのです。既に死んだ過去の作家ですが、テキストは生成し続けていて、生きた命を持っていまも違う姿を見せている。そう考えますと、なかなか例のない人ですよね。「死してなお、変貌を続ける」テキストであり、作家、それがプルーストなんです。

彼の創作の過程について話しますと、最初の創作手帳がまずあって、これはフランス語では「カルネ」と言われるもので、細長い、ちょっとお洒落な手帳なんです。プルーストは、最初にそういうものに書いていたんですね。これが四冊あります。

それでは足りないですから、「カイエ」という違う手帳ですけど、普通の学校で使うような手帳がありまして、そこに書いていきます。開いた右のほうをレクト（recto）、左はヴェルソ（verso）と言うのですが、まずレクトに書きます。で、もうおわかりでしょうが、それでは満足できない。従って、ヴェルソに修正を書き続けることになる。

その「カイエ」が実は、七十五冊あるんです。そこから『失われた時を求めて』のテキストが作られていくわけですが、その七十五冊を清書したものだけでも二十冊ある。今、カイエが刊行されつつあって、一番からではなく重要な部分から、たとえば五十四番目の手帳とか、二十六番目の手帳とかいうものが、今、五冊だったと思いますけど既に出ています。

　これは鈴木道彦先生がお書きですが、このペースで行くと、七十五冊が完結するのは百年後だろうとおっしゃっている。もし全部出るとすればの話です。一年に一冊出ても七十五年かかるのに、実際は三年に一冊ぐらいのペースですので、百年は優にかかるだろうと。プルーストの研究というのは、そんな形で今なお動いているテキストを対象に続いていると言えます。

駒井　もう、面白過ぎて。しかしながら、一編集者としてはプルーストだけは担当したくないという気持ちになりますね（笑）。

マドレーヌが誘う過去

高遠　ここでマドレーヌについても話をしたいと思います。
駒井　マドレーヌは、皆さんご存じですね。プルーストと言えば、何と言っても「プチット・マドレーヌ」ですが、これもありきたりな話ではないですから、よくお聞きください。

高遠　マドレーヌは、皆さん、お好きですか？　向田邦子さんの『父の詫び状』（文春文庫）という名作エッセイがありますよね。その中だったと思いますが、彼女もやはりプルーストを読んでいて、マドレーヌの挿話に触れて、「自分にとってのマドレーヌは、さつま揚げだ」と書いています。向田さんらしいなと思う反面、ちょっと違うんじゃないかなという感じがあります。こんなことを言ったら、向田さんに悪いですけれども。

　なぜ違うかと言うと、プルーストのマドレーヌというのは、あのお菓子が大事なのではないんです。フランス語では、「プチット・マドレーヌ（Petite Madeleine）」と言うのですが、「プチット（petite）」は「小さい」という意味ですね。そのマドレーヌですが、PもMも大文字です。鹿島茂さんもおっしゃっていますが、大文字で書いたのには意味がある。私も意味があると思います。では、どんな意味かという話です。

　最初は、一九〇八年から一九〇九年ぐらいの草稿で、そのことを書いているわけですが、そのときはマドレーヌではありません。「Pain grillé（パン・グリエ）」、つまり「トーストされたパン」です。それを自分がお茶に浸して食べたときに、「あ、そういえば」と、今の『失われた時を求めて』のマドレーヌのように壮大な記憶の蘇りではなく、そう言えば昔、田舎のお祖父さんの家で、朝起きて下に降りて行くと、お祖父さんがそれを食べていて、「お前も食べなさい」と言ってくれた。「そんなことがあった」というのが、最初のお話です。それから、プルーストは修正を重ね、六回修正を繰り返した果てのマドレーヌなのです。それまでは「パン・グリエ」です。「パン・グリエ」は、「biscotte（ビスコット）」、「rusk（ラスク）」と言ってもいいのですが、その挿話についてはこういう話があります。

　ワグナーという作曲家がいますね。プルーストが愛した作曲家ですが、一八五九年ぐらいに書かれた、マチルデ・ヴェーゼンドンクという人に宛てた書簡があって、そこにはそのマチルデさんが、彼（ワグナー）にビスコットを贈ってくれたことが書いてある。ワグナーが『トリスタンとイゾルデ』の第三幕を書きあぐね、天候も非常に悪い中、自分の気持ちが暗く沈んでスランプの底にいた時期です。そのときに、彼はそのマチルデさんが贈ってくれたビスコットをミルクに浸して食べます。それにとても励まされて頑張ろうと思い、第三幕が出来上がります。そういう書簡が、一九〇五年に仏訳される。そんな逸話を読めば、「よし！」という気にもなりますよね。それと同じ構図で、「ビスコット」の挿話は、「パン・グリエ」を浸して食べる形に成長し、エピソードの核ができていきます。

マドレーヌとマグダラのマリア

高遠　その後に修正を経て、最終的に「マドレーヌ」の挿話に至るのですが、そのときの家の住所は、サン・テスプリ（Saint-Esprit）通りです。「聖なる通り」あるいは「聖霊通り」とでも言いましょうか。

それが、マドレーヌをお茶に浸して口にした瞬間に記憶が蘇るあの挿話でして、要は昔のコンブレーの町全体が蘇るわけですね。そのときに、「そういえば、これは、レオニおばさんがくれた」という話に出てくる、レオニおばさんが何処に住んでいたかと言うと、「サン・ジャック通り」に住んでいた。この「サン・ジャック通り」には、実は意味がありまして、マドレーヌの挿話には、フランス語で言いますと、「コキーユ・サン・ジャック（coquille Saint-Jacques）のような」という比喩があります。帆立貝のことです。だから、コキーユ・サン・ジャックは、「サン・ジャック通りに住んでいる」ことと、もう一つ、巡礼のときに帆立貝を持つことにも結びついていくわけです。

まだ、あります。「プチット・マドレーヌ（Petite Madeleine）」が大文字で書かれているのは、「マリー・マドレーヌ」を連想させるからです。「マリー・マドレーヌ」とは「マグダラのマリア」のことです。つまり、マドレーヌというのは、さつま揚げではなくて、やっぱりそういうことと結びつかなければ、意味が出て来ない。そのことによって、どんなことが生じたかと言うと、実は、「どういう形をしているか」という連想で、「ヴァルヴ（valve）」という言葉が出てくるんです。この後は、言わないほうがいいかな。

駒井　大丈夫ですよ。文学的なお話ですから。

高遠　大丈夫でしょうか。多少、卑猥《ひわい》なことになりますけど。これ、私が勝手に言っているわけではなくて、フランスに『プルースト辞典』というのがありまして、そこでマドレーヌを引くと書いてあることなので、私には責任はないですからね（笑）。

　ヴァルヴは、二枚貝の貝のことです。サン・ジャックのような貝の貝殻ということになるわけです。ちょっと自分の翻訳でそこを日本語にしたものを読んでみますと、「母は溝の入った帆立貝の貝殻で型を取ったように見える、プチット・マドレーヌと呼ばれる小ぶりのぽってりしたお菓子を一つ持ってこさせた」とあります。この貝殻がヴァルヴ（valve）」です。

　ところで、この「valve」の「va」を「vu」にするとできる「vulve」という単語があるのですが、これは、実は女性の性器のことなのです。「マグダラのマリア」には、カトリックでは娼婦とされる説があって、要するに宗教的なものと同時に、性的なものも象徴している。さらに、イエスが磔刑《たっけい》に架けられたときや、復活のときに最初に目撃するのが、「マグダラのマリア」です。死んだはずの者が復活する現場に立ち会っているのが、「マリー・マドレーヌ」なのです。

つまり、死んだはずの記憶が、マドレーヌのお菓子を通じて蘇ってくる。その瞬間にあったのが、マドレーヌというお菓子ですが、大文字で始まっているから、「マリー・マドレーヌ」に連想が繋がります。だからなんですよ、「パン・グリエ」から、いろいろ変えていって、最後に「マドレーヌ」に敢えて変えたのは。

プルーストの読みの楽しさは、そういう連想が広がっていくところにあります。

広がるマドレーヌの交響楽

高遠　さらに続けますと、そういうマドレーヌの響き合いがある数ページ前には、眠れないのでキスをして欲しいと言う主人公のわがままを聞いて、お母さんが二階に上っていくシーンがあります。で、部屋で一晩過ごしてくれるわけですが、そのときに本を読んでくれる。これが、『フランソワ・ル・シャンピ（捨て子のフランソワ）』という小説です。十九世紀にジョルジュ・サンドという女性の作家が書いた小説で、捨て子のフランソワが育ての親のお母さんに恋をして、お父さんが死んだ後に二人が結ばれるという話です。で、このお母さんの名前も「マドレーヌ」です。名前としては出ていませんが、『捨て子のフランソワ』を知っている人なら皆が、「あ、マドレーヌ」と思い当たるわけですね。その数ページ後に、大文字の「プチット・マドレーヌ (Petite Madeleine)」があって、「マリー・マドレーヌ」に連なる連想が響きと共に広がっていく。

「マドレーヌ」という名前については、プルーストは、いろんなところで意識をしていたようです。たとえば、第三篇『ゲルマントのほう』で初めて、主人公である語り手はヴィルパルジ夫人という侯爵夫人のサロンを通じて社交界に足を踏み入れることになります。その侯爵夫人の名前は何か。まさかと思われるかもしれませんが、これがまたマドレーヌです。

それから、スワンとオデットの恋については、第一篇目『スワン家のほうへ』の第二部で、ヴェルデュラン夫人という夫人が出てきて、彼女のサロンに出入りしていたスワンがオデットを見初め、二人は恋に落ちるという話になっているのですが、このヴェルデュラン夫人については、最終巻の『見出された時』の中に、ゴンクール兄弟の日記のパスティーシュ（模作）という形で出てくる一文があって——実は作者はプルーストなのですが——そこに、彼女がフロマンタンの『ドミニック』という小説の——日本語に訳されています——女主人公とそっくりだと書いてあります。おわかりでしょうが、この女主人公の名前もマドレーヌです。プルーストのつけた名前が、いろんなところで響き合っている。
従って、プルーストの小説が、個人的な体験を書いたいわゆる私小説とは、全然違うものだとわかっていただけるかと思います。いろんな文学、いろんな作品と名前を通しても響き合っている。それが、プルーストを読む大きな楽しみの一つだと、私は思います。

プルーストを語る本

駒井　素晴らしいお話ですね。深い感銘を受けました。ところで、プルーストを扱った本で、お勧めになるものはありますか。

高遠　はい。まず、光文社から出ているアントワーヌ・コンパニョン、ジュリア・クリステヴァといった人たちが『失われた時を求めて』について語った論考を集めた『プルーストと過ごす夏』。これは、『失われた時を求めて』の入門書として素晴らしい本です。この本については私が『図書新聞』で書いた書評を配布してありますので、お暇な折にご覧ください（＊186頁に掲載）。私の訳文も引用しながら、國分俊宏先生が見事に訳されています。
同じようにお勧めしたい本として、『プルーストによる人生改善法』（白水社）という本があります。これも素晴らしい本で、著者がアラン・ド・ボトンという、スイス生まれでイギリス在住の人です。フランス語にも訳されていて、最初、私はそれで読んで面白いなと思っていたら、日本でも翻訳が出ました。この中で筆者は、コンブレーの町は、実はプルーストのお父さんが生まれたイリエという町がモデルで、今、行くと、「イリエ＝コンブレー」となっているが、そんなふうにこの作品を読んではいけないと書いています。

そういうことは、しばしばあります。私は、シャトー・ディフというマルセイユの沖合にある牢獄のある島に行ったときに、「エドモン・ダンテスの牢獄」とある表示板を見ました。『モンテ・クリスト伯』は小説ですから、現実には存在しません。無理にこじつけているのは、それだけ人気がある小説だということなのでしょう。「イリエ＝コンブレー」もそうで、そういうふうに現実のものに仮託してはいけない、私たちの目でプルーストを見てはいけない、そうではなく、プルーストによって開かれた感受性と知性とを使って、自分たちが生きている世界、自分たちの人生を見直しなさいと言っている。だから、『プルーストによる人生改善法』という名前なのですね。

それは私も実感しておりまして、個人的な話になりますが、私はフェルメールという画家が好きです。もう、フェルメール命と言いたいぐらいでして、腕にフェルメールと彫りたいくらいに思っている（笑）。一九九七年、オランダのデン・ハーグで開かれたフェルメール展にも行きましたし、二〇〇一年のニューヨークでのフェルメール展にも行きました。

また、小津安二郎という監督も好きで、『東京物語』は劇場で五十回以上観ています。DVD、レーザーディスク、ビデオの全集、それからブルーレイも全部買っている。

さらに、数年前に福田逸《はやる》さんと私が聞き役になって『七世竹本住大夫　私が歩んだ90年』（講談社）という本を出した竹本住大夫《すみたゆう》という文楽の太夫がいまして、その師匠が好きになったのも、言ってみれば全てがプルーストを読んだ経験に端を発しています。

プルーストから教わった見方で、自分が生きている世界を見直したときに、たとえばフェルメールなら、「ああ、こういうふうにして見るのか」と思いました。フェルメールを最初に観たのは一九七〇年代で、ドイツのドレスデンから来た『窓辺で手紙を読む女』を観に、国立西洋美術館だったかの展覧会にすぐに行きました。感動で、しばらく動けなくなりました。

小津もそうです。蓮實重彦という素晴らしい方がいて、彼には『監督　小津安二郎』（ちくま学芸文庫）という名著がありますが、あの本に誘われたのではなく、自分で小津を観に行っているときに、画面から発せられる美しさ、深さに打たれて好きになったのです。

竹本住大夫師匠もそうでした。私は住大夫師匠によって文楽の素晴らしさに開眼したものですから、住大夫師匠を追いかけて、全国どこへでも行きました。山口県で公演――、はい行きます。九州で公演——、もちろん行きます、という具合に。幸いにフランスではなかったのですけれど、そういう調子で通いました。

現在の一瞬を大切に生きているからこそ、過去の一瞬と結びつくことができる

高遠　そのすべての根源は、マルセル・プルーストに出会って『失われた時を求めて』を読み、それを繰り返してきたことにあります。七二年から数えると、四十五年ほどかけて読み続けてきたわけですが、その折々に、いろんな芸術、いろんな時間の大切さを教わってきました。

　プルーストは過去のことばかり書いているようですが、そうではなくて、たとえばマドレーヌの挿話に戻りますが、口に入れた瞬間に「ああ、これは」ということで無意識的な記憶が働き、昔のコンブレー全体、つまり、同じ感覚を持った昔のある時点での自分の過去と一気に結びつくわけですよね。それで、世界がもう一回自分に入ってくるということで言いますと、今、この口に入れているマドレーヌと紅茶が混ざった味について、感覚を全開にしていなければ、この繋がりが見えてこない。つまり、現在を一瞬、一瞬、大切に生きているからこそ、過去のそういった瞬間と結びつくことができるわけで、その意味で言えば、決して過去だけの人ではないんです。つまり、プルーストが教えてくれることの一つは、たとえば

自然を見て、花が咲いていたら花の美しさをまず見ろということです。

ですから、読者としては、そういうことをやっぱりせざるを得なくなります。だから、いろんな瞬間、いろんなものが大切になるので、これは人がどうこう言ったからいいということではなくて、自分自身で自分の人生の中で出会うものを発見して行くということです。だから、人生そのものが発見の旅になる。そういう小説はあまりないように思います。そうじゃなければ、四十四、五年も付き合って、いまだに面白いと思うはずがありません。

それと同時に、申し上げたいのですが、駒井さんが最初に、「この作品を全部読んだことがある人？」と聞きましたね。中にはまだ読んだことがない方もいらっしゃいます。それで、全然構わないと思います。読書は義務ではありません。好きならば、たまたまであっても読めばいい。プルーストを読んで「プルーストを読みました」と言っても仕方がありません。

ところが、そういう話は実際にあるのです。いわゆるプロの作家ではないですが、作家的な文章も書いているイブ・シモンというフランス人がいます。彼は歌手ですが、名刺に「何とか勲章をもらった」と書くのと同時に、「プルーストを全巻読んだ」と書いたら、と冗談めかして言っています。しかしそんな必要はさらさらない。プルーストを読むのは、個人的な体験として読めばいいのであって、人に向けて、「読んだよ、全巻」なんてことを言う人は、はた迷惑なだけだし、プルーストを読むことが、自分の人生の生き方、見方、考え方と繋がる瞬間があれば、それで十分です。

日本文学とのつきあい

駒井　日本文学の話はいかがですか。先ほど文楽の話が出ましたが。

高遠　ええ。私、昔から日本の古典が大好きでして、先ほども言いましたが、実は高三の七月に私の母が急死しています。「行ってきます」と出かけて、「ただいま」と帰って来たら、倒れていてそのまま死んでしまった。死んだ後に、一人で遺品を整理していましたら、小さな手帳が出てきました。開いてみたら、和歌というか短歌が書いてあった。母が、私たちの成長について、折に触れて短歌を作っていたとは、全然知りませんでした。内緒でこっそり作っていたんですね。たぶん、深夜の寝静まったときとかに。

　それを見たときに、私は打たれました。と言うのは、貧乏な家庭だったものですから、本というものは、母の持っているわずかな本しかなかった。そこには、戦前の岩波書店から出ていた『鏡花全集』の端本とか、ゾラの『ナナ』の古い翻訳本があったりもした。それで、中学校のときに、「お母さん、何、読めばいい」と言ったら、「源氏を読みなさい」と言われた。原文じゃなくて「与謝野源氏」でしたけれども。

そんなふうに昔から本が好きで、日本文学や古典は、ほぼ全てが母に結びつく思い出なんです。私は、旧仮名を使います。ツイッターとかブログ、Facebookをやっていますが、すべて旧仮名で書きます。そうすると、「お前、右翼？」などと言う人もいるのですが、そうではなくて、母への追慕というか、そういうものです。

母は、学校に出す書類も旧仮名で書いていました。小学校のときに、「これ、持って行きなさい」と言われて、書類を見ると「何とかでせう」と書いてある。「何これ？」と言ったら、「これが日本語の書き方だよ」と言われた。「はあ、そうなんだ」と思っていろんな古い本を見ると、確かにそう書いてある。というわけで、子どもの頃から旧仮名を使っています。

修士論文は、「マルセル・プルースト研究序説」というものを書いたのですが、これも旧仮名、旧漢字でした。先生方は吃驚《びっくり》して、おかしな奴だと思ったのではないでしょうか。でも、今でも旧仮名を使うと、私は気持ちが楽になるのです。

大学院の修士論文を書きながら、読んだ全集がありまして、『荷風全集』二十九巻は、全巻読みました。だいたい長いものが好きです。『千一夜物語』の岩波版の二十六冊とか、講談社文庫の『ダルタニャン物語』全十一冊とかが好きでした。芥川龍之介全集も全部読んでいます。それから、原民喜ですとか、石川淳も全部読んでいます。吉田健一も大好きです。ちょっとだけ、好きな作家の名前を挙げます。堀辰雄、中村真一郎、石川淳——。それから、ご存じないかもしれませんが、市河晴子。渋沢栄一の孫娘で、いいエッセイを書くんです。

　随筆も好きで、とりわけ江戸の随筆が大好きです。『東西遊記』とか、『鶉衣《うずらごろも》』とか。それから、上島《うえじま》鬼貫《おにつら》の作品……薄《すすき》田《だ》泣菫《きゅうきん》も大好きです。泣菫については、「ウェッジ文庫」で『独楽園』という本が出たときに、解説を書きました。全集も持っていますし、単行本も全部集めました。それから、岩本《いわもと》素《そ》白《はく》、素白については『ちくま』というPR雑誌に書いた原稿があるので、そこにお配りしました。『新古今』も好きです。それから、吉田秀和、中原中也、三好達治、檀一雄。意外かもしれませんけど、山田風太郎もほとんど読んでいます。柴田錬三郎も、眠狂四郎のシリーズ全巻を何回か読んでいます。

　もう一冊だけ、もし古本屋にあったら、ぜひお買いになることを薦めたいのは、吉田健一の『書架記』（中央公論社）という本です。読書随筆ですが、栃折《とちおり》久美子さんの装訂で、マルセル・プルーストについて書かれた章もあります。中公文庫に入っていますが、できればオリジナル版をお勧めします。

　外国文学では、ボードレール、セヴィニエ夫人、バルザック、ジョン・ラスキン、スティーヴンソンが好きでした。それから、各種仏訳の『千一夜物語』。これはプルーストも大変愛したもので、申し上げたように、吉田健一が『書架記』の中で、マルドリュス版の『千一夜物語』について書いています。素晴らしい文章ですので、お読みいただければと思います。

駒井　どうやら時間が来たようです。大変残念ですが、この辺りでお開きとさせていただきます。熱いプルースト講義で、今日は本当に勉強になりました。ありがとうございました。

（二〇一七年五月二十九日）

書評　『プルーストと過ごす夏』國分俊宏訳　光文社

高遠弘美（明治大学教授）

二〇一三年のアントワーヌ・コンパニョン著『モンテーニュと過ごす夏』（邦訳は『寝るまえ5分のモンテーニュ』）を皮切りに、「〜と過ごす夏」シリーズは今のところ四冊出ているが、本書はその二冊目。二〇一四年にフランスで出版された。もともとラジオで放送された対話形式の番組（聞き手はジャーナリストのローラ・エル・マキ）だったものを質問を受けた八人の文学者が放送をもとにそれぞれきちんとした文章に仕立て上げて本にした。

プレイヤード新版の監修者ジャン＝イヴ・タディエを筆頭に、アントワーヌ・コンパニョン、ジュリア・クリステヴァ、ニコラ・グリマルディ、ミシェル・エルマン、ジェローム・プリウール、アドリアン・グーツ、ラファエル・アントーヴェンまで、いずれもプルーストに関する重要な仕事を公にしている人たちで、グリマルディとタディエとクリステヴァ以外は戦後生まれ。とくに、グーツは一九六六年、アントーヴェンは一九七五年生まれの、若い世代を代表する学者・批評家である。

その八人が、『失われた時を求めて』から、自身の好きな箇所をいくつか引きながら、「時間」（コンパニョン）、「登場人物」（タディエ）、「プルーストと社交界」（プリウール）、「愛」（グリマルディ）、「想像界」（クリステヴァ）、「場所」（エルマン）、「プルーストと哲学者たち」（アントーヴェン）、「プルーストと芸術」（グーツ）というように、さまざまな切り口でプルーストの魅力を語った一冊が本書である。

先日、さるカルチャーセンターで担当しているプルースト講座で、読んだばかりのこの翻訳を紹介したのだが、引用したいところがあまりに多く迷ったほどだった。各々渾身の力をこめて世に問うた専門的なプルースト論とは違い、肩の力を抜いた一般向けの読み物になっていて、これからプルーストを読もうという人も、すでにプルーストを読んだ人も楽しめる構成と内容になっている。世にはプルーストを読み始めながら、なぜか途中でやめてしまった人たちもいて、プルースト訳者の一人としては何とも残念な気がしてならないのだけれど、そういう方々も本書を読めば、ふたたびプルーストを繙《ひもと》く気になるのではないかという気がする。

たとえばコンパニョンは書く、「プルーストは読みやすい作家ではない。その文は一つ一つが長く、描かれる社交界の夜会はいつ終わるともしれない。恐ろしくなる。だが、本を恐れるのは当然なのだ。なぜなら、本というものは、私たちを変えてしまうものなのだから。プルーストの作品のような小説に飛び込み、それを本当に読んだなら、その最後まで行き着いたなら、人は違う自分になってそこから出てくる」。

私はここで大きく頷《うなず》いた。そう、ただ読みやすいだけが作品の美質ではない。むしろ、それを読むことによって自身が変わる小説に相対することこそ読書の醍醐味ではないのかと。

タディエからはこんな言葉を引いてみたい。「プルースト以前にもホモセクシャルの作家たちはもちろんいた。だが、彼ほどの勇気を持っていたものは一人としていなかった。背が低く、ひ弱で、病気がちで、そしてすでにほかのいろんな理由で批判され続けてきた彼、プルーストが、広い意味でのマイノリティたちの代弁者を務めたのである。病人や、ユダヤ人や、同性愛者たち、そして、ある意味では、常に無理解にさらされている偉大な芸術家というマイノリティの」。

こうしたタディエの指摘はプルーストを読む、あるいは読もうとしている人たちを根柢から勇気づけるのではなかろうか。プルーストの現代性はこういうところにもある。それは、マイノリティを排除しない社会を目指すことでもあって、ヘイトスピーチが横行し、マイノリティが中傷の対象になる現代の日本その他に見られる悲しい現実に抗する力を養うことにもなるだろう。

この調子で感銘を受けたところを引いていけば限りがない。それほど本書には珠玉の言葉が鏤《ちりば》められている。むろん、プルーストにページを割いている『反抗的人間』のことを忘れて、カミュはプルーストを名指しで引用したことはないと言い切るアントーヴェンのような勇み足の例がないわけではない。しかし、そのアントーヴェンにしても、「『見いだされた時』は、石でできた夢ではなく、永遠に気まぐれでうつろいやすい、存在と知の一致なのである。死に対する特効薬は、一瞬という時間の永遠性の中にこそある」といった的確無比な言葉を書きつけるのだ。

ほとんど一ページごとに私は感動を覚えつつ読み終えたのだが、それは訳者のしなやかで精確な日本語によるところが大きい。原書ですでに読んでいたのに、今回はそのとき以上に心揺さぶられた。こういう間口の広いプルースト論集が美しい日本語で読めるのはまさしく幸いというほかない。國分氏の訳業に魅せられた私は、氏の他の訳書も可能な限り買って、いまはそれを繙読《はんどく》しているところである。

（たかとお・ひろみ）

『図書新聞』第三二九六号（二〇一七年三月二十五日）に掲載

『失われた時を求めて』を読んだ人に、さらにお勧めの4冊

1

『楽しみと日々』
マルセル・プルースト　岩崎力訳
岩波文庫
プルーストには、20代前半に書いた短編小説や、詩や散文があることをご存じだろうか。訳者の岩崎力さんが解説で書いている通り、プルーストは生涯をかけて一冊の書物を書いたとよく言われる。その一冊とは『失われた時を求めて』であるが、若き日に書かれた短編小説を読むことは、読者にとっては印象的な得難い体験になる。

2

『失われた時を求めて――スワン家のほうへ（フランスコミック版）』
マルセル・プルースト　ステファヌ・ウエ画　中条省平訳
祥伝社
帯に「フランスの大学・高校でも採用」とあり、フランスでも10万部を超すベストセラーになった作品。フランスの漫画家が作品化したものを、フランス文学者の中条省平さんが翻訳した。本書から入門することも、この伝説的な作品への第一歩になるはず。丁寧な原注と訳注がついているので、それを頼りに読み進むことができる。

3

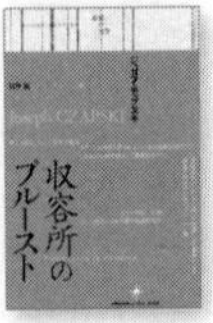

『収容所のプルースト』
ジョゼフ・チャプスキ　岩津航訳
共和国
訳者の高遠弘美さんが第3巻の読書ガイドで触れている書物。著者はポーランド人の画家・文筆家。ソ連の捕虜となった著者を含むポーランド人の将校たちが、極寒の収容所で、極限状態の中、死の恐怖から逃れるために、自分の知っていることを順番に講義することに。著者は記憶を頼りにプルーストについての感動的な講義を行う。

4

『プルーストを読む――『失われた時を求めて』の世界』
鈴木道彦
集英社新書
『失われた時を求めて』の個人全訳をした訳者として、プルーストの魅力を縦横に語る。まず冒頭部分で明かされる、サルトルとボーヴォワールがプルーストの大ファンであったという記述に驚かされる。長大な作品に挑戦しようという読者には、最適の入門書である。最終章の「読書について」はプルーストを読むための必須の心得。

ドイツ文学の扉

ドイツ文学への入り口（駒井）

ドイツの古典文学といえば、まず、ゲーテの名前が挙がります。ちょっと硬い感じは否めませんね。『若きウェルテェルの悩み』と言われても、書いた文豪のイメージはけっして若くはない。「文豪」などという呼び方自体が、文学嫌いを増やしているような気もしてきます。ゲーテだって、それこそトルストイだって、晩年の功成り名を遂げた大作家の姿ばかりが浮かんではきますが、もちろん彼らにだって、若い時があったのですから。

トーマス・マンの『ゲーテとトルストイ』（山崎章《しょう》甫《ほ》・高橋重臣訳、岩波文庫）という講演集があります。これはとても素敵な本です。

本書でこれからご紹介する岸美光《よしはる》さんとのお話の中でも、この本に触れています。ゲーテにどうしても会いたいと願った少年たちが、『ゲーテとの対話』を書いたエッカーマンに、会わせてくれるようにと懇願します。願いが叶い、ゲーテの自宅の庭で、オーデコロンの香りがする文豪に対面すると、老ゲーテは少年に「しっかり勉強しなさい」と言います。

この少年が成長して、中学の教師になるのですが、ある日、ドイツ語の堪能なロシアの青年貴族がその教師を訪ねてきます。教育について学びたいので、授業を参観させてくれないかというのが彼のお願いでした。この青年貴族こそ、若きトルストイだったのです。なんとも魅力的なエピソードから始まるこの『ゲーテとトルストイ』ですが、誰に勧めても、読んでくれません。ある日、はっと気づきました。著者であるトーマス・マンも、ノーベル文学賞を受けた文豪ですから、少々敷居が高いのだな、と。しかも「闘う文豪」などとも呼ばれています。第二次世界大戦中はナチスの支配から逃れ、アメリカに亡命。「全ヨーロッパに告ぐ」というメッセージを書いたりしましたから、なおさらなのかもしれません。さらに、マンの『魔の山』は、難解をもって鳴る小説です。最後まで読み通しても、登場人物たちの観念的な会話がよく理解できない。私もその一人でした。

古典新訳文庫では、浅井晶子さんの新訳で、トーマス・マンの『トニオ・クレーガー』が刊行されています。この作品は三島由紀夫が愛した作品としても知られているので、読んだことのある方もいるのではないでしょうか。

では、『ヴェネツィアに死す』は？　これも、映画化もされたので読んだ方はいると思います。しかし、岸さんによって『ヴェネツィアに死す』に加え「エロス三部作」と名付けられた『だまされた女／すげかえられた首』の二作を読んだ時、私は、まさに青天の霹靂《へきれき》ともいうべき衝撃を受けました。『魔の山』の影響で、謹厳で観念的な作風が持ち味の作家だとばかり思っていたトーマス・マンが、このような人間のエロスの根源に迫る作品を書いていたことは大きな驚きでした。

いずれも、衝撃的で素晴らしい作品です。日本文学ではついぞこのような作品は読んだことがありませんでしたので、ある種の渇きが癒される思いがしました。その魅力をたっぷりと岸さんに語っていただきましたので、どうぞお楽しみください。

さて、ドイツ文学からはもう一人。こちらも日本では名高いショーペンハウアー。ニーチエ、ワーグナー、トーマス・マンをはじめ、哲学・芸術・文学の分野で大きな影響を及ぼしたと言われる哲学者です。たとえば『意志と表象としての世界』。挑戦したことのある人は数多《あまた》あれど、読み終わった人はついぞ聞いたことがないという、典型的な「哲学書」です。実は、この本を耽読《たんどく》した文学者がいます。ロシアのトルストイです。先に述べたように、トルストイはドイツ語が堪能でしたので、この本から強い影響を受けています。

ドイツ文学者の鈴木芳子さんには、古典新訳文庫ではまず『読書について』の新訳からお願いをいたしました。「読書とは他人の頭で考えることである」。いかにも皮肉な物言いが、ショーペンハウアーらしいですね。『読書について』は大変な好評を博しました。

そして本書では、次作『幸福について』の新訳についてお話をうかがっています。ショーペンハウアーというと、なんだか日本では、「皮肉屋でいて、本当はよい人」のようなイメージがあるのではないでしょうか。個人的には、財産管理が大変うまかったという話には、人間臭さを感じました。

この『幸福について』は、ショーペンハウアーが六十三歳の時に刊行された『余録と補遺』という著作に収められています。『意志と表象としての世界』とは違い、一般向けに書かれた内容だという鈴木さんのお話を聞いて、なるほどと思いました。しかも、対談のなかで、当時の六十三歳は、今の八十代か九十代と聞いて、びっくり。晩年の作品とは言いますが、まさに最晩年に書かれたのです。そして、この『余録と補遺』は、たちまちドイツでベストセラーになったと言います。

時代を超えて読み継がれる古典には、その当時のベストセラーである作品も珍しくありませんが、こういう内容の本が古典として残っているのは、さすがドイツだなとも思います。しかもこの『幸福について』は、現代のドイツでも最も人気があるというのです。

ショーペンハウアーの人となり、母親との関係や女性関係などについての鈴木さんのお話は、哲学者の重層的な魅力を余すところなく伝えています。

この二十一世紀、幸福について考えるのは、とても意味あることだと思います。さあ、ショーペンハウアーの真の魅力に迫ってみましょう。

第5夜

トーマス・マン『ヴェネツィアに死す』『だまされた女／すげかえられた首』

Thomas Mann / DER TOD IN VENEDIG, DIE BETROGENE / DIE VERTAUSCHTEN KÖPFE

岸 美光×駒井 稔

謹厳な作家が描くエロスの世界・三部作

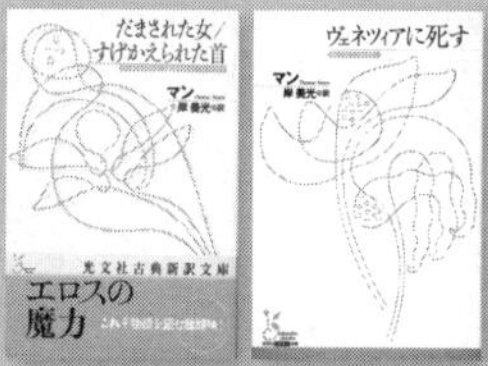

トーマス・マン（1875-1955）
ドイツのリューベックで富裕な商家に生まれる。ヴァーグナーやニーチェ、19世紀フランス小説などの影響を受ける。1901年長編小説『ブデンブローク家の人々』を発表。1929年ノーベル文学賞受賞。1933年ドイツを離れ、以後亡命生活の中で反ナチスの活動を続けた。作品に『魔の山』『ヴァイマルのロッテ』「ヨゼフ四部作」『ファウストゥス博士』など。

『ヴェネツィアに死す』
功成り名遂げたドイツの文豪が、夏を迎えるヴェネツィアで美しい少年を見初め、死への道をたどり始める。

『だまされた女／すげかえられた首』
第一次世界大戦後のデュッセルドルフ、初老の未亡人がアメリカ人の青年を恋し、その不安と喜びの果てに……。（「だまされた女」）／インドの伝説の村。華奢で聡明な青年と単純な肉体派の若者、そして花の盛りを迎える娘。三人が織り成す愛欲の悲喜劇。（「すげかえられた首」）

岸美光　1948年埼玉県生まれ。翻訳業。元東京都立大学教授。ドイツ文学専攻。訳書にケストナー（リスト編）『大きなケストナーの本』（共訳）、トーマス・マン『詐欺師フェーリクス・クルルの告白』。

「エロス三部作」を選んだ理由

駒井　皆さん、お集まりいただきましてありがとうございます。今日は、岸美光さんをお招きして、古典新訳文庫で訳していただいたトーマス・マンの作品を中心に、ドイツ文学についてのお話をうかがっていきたいと思います。岸さんには一冊目で『ヴェネツィアに死す』、二冊目で「だまされた女」と「すげかえられた首」、三冊目で『詐欺師フェーリクス・クルルの告白』の上・下巻と、いずれ劣らぬトーマス・マンの傑作を翻訳していただきました。
　ドイツ文学の翻訳者にお願いするのがなかなか難しい中で、初めて岸さんの翻訳を拝読したときは、その素晴らしさに驚きまして、是非、この会にも出ていただきたいと思っておりました。今日はその願いが叶ったわけです。では、岸さん、お願いいたします。

岸　ご紹介に与りました岸です。今日は突然の梅雨明け宣言が出て、『ヴェネツィアに死す』で言うと、シロッコ（＊初夏にアフリカから地中海を越えてイタリアに吹く暑い南風）の吹き荒れるヴェネツィアはこんなではないかという暑さになりました。こんな日にお運びいただいてありがとうございます。

駒井　お気遣い、ありがとうございます。さて、トーマス・マンの作品は、ドイツ文学の中でも、我々が何としてでも古典新訳文庫のラインナップに入れたかったものでした。その意味では、岸さんの四冊が揃ったことは大変な喜びですが、ただ、トーマス・マンと言うと、『トニオ・クレーゲル』や『ヴェネツィアに死す』、それから『魔の山』というイメージが強いなかで、岸さんのご提案は、『ヴェネツィアに死す』から始まってはいたものの、あとはあまり知られていない「だまされた女」と「すげかえられた首」でした。これには驚きました。原稿を読んで、こんなに面白い作品があると初めて知った次第です。

岸さんが、この三作品を指して「エロス三部作」と命名なさったことに、「なるほど」と納得しました。謹厳実直な小説家というトーマス・マンのイメージが少し変わって、そのことが、私にとっては大きなショックでもありました。

今回、この三作品を読み返してみて、新訳のお手本のような翻訳をしていただいたとあらためて思っています。そんな「エロス三部作」を、数あるトーマス・マンの作品の中からお選びになった動機から、まずお聞かせ願えればと思います。

岸　編集部の方に初めてお目にかかったのは、光文社の古典新訳文庫の試みが始まって一年も経たない頃でした。毎月、二冊か三冊か出していられることは存じ上げていたし、「トーマス・マンを訳してみないか」というお話をいただいて、大変有難くも思いました。そのとき、編集部の方から提案されたのは、『詐欺師フェーリクス・クルルの告白』を訳すのはどうだろうかということでした。

私は、学生の頃から『クルル』はとても好きな作品だったので、「それは有難い」と思い、「喜んでやらせてください」と申し上げました。でも、編集の方から、「そちらから何か提案はありませんか?」とも聞かれまして、私が申し上げたのは、『欺かれた女』という題名で以前翻訳の出ていた「だまされた女」と、「すげかえられた首」でした。

この二編の短編には、どうも編集部の方はピンとこなかったようで、「あまり知られていないのかな」と思い、後に「ヴェネツィア」という表記に変えた「『ベニスに死す』はどうですか?」と申し上げました。「だまされた女」にしても「すげかえられた首」にしても、人間の体の中に吹き荒れる性愛の力によって翻弄される運命を扱っていますし、その点では、『ベニスに死す』のアッシェンバッハも同じですから、三つ合わせて「エロス三部作」という形にして、一冊にまとめてはどうでしょうかと、そのときに思いつき、咄嗟《とっさ》に言ったのです。

編集部の方は「面白そうですね」と直ちに快諾してくださった。ということで、当初は三つ一緒に出す予定でした。それが、進行の都合によって、先に『ヴェネツィアに死す』が単独で出て、後から女性編の二つが一冊にまとまって出るという格好になりました。

いずれにしても、『ヴェネツィアに死す』はマンの比較的早い時期のものですけれど、「だまされた女」と「すげかえられた首」は、マンが長編小説をいくつも書いて、その経験を踏まえ、書いてきた材料を生かすような形で、長編と長編の間の短編の腕試しと言うか、長編の疲れを短編で癒すと言いますか、その二つの側面を含んでまとめた作品なので、そういう充実感、それに、もの書きとして既に身についた手腕を試して楽しむ余裕といった側面もあるかと思い、それも面白いのではと考えていましたので、それで挙げてみたということです。

「エロス三部作」の面白さ——心と体に吹き荒れる力

駒井　「エロス三部作」の面白さを、作品の概要と共に、少しご説明いただけますか?

岸　今も、簡単に触れましたが、人間の体の中に吹き荒れる自然の力、暴力的なまでのその力、それに理性の力で抵抗しつつも抵抗しきる術がなく、最終的には吹き荒らされていく。だけれども、どこかで人間としての誇りを、また立ち上がらせようとする。その姿の面白さということかと思います。

駒井　なるほど。トーマス・マンは非常に謹厳な、ナチスと戦ったというようなイメージが強くて、我々には、性を題材にして書くというイメージがなかっただけに、逆に新鮮でした。普通の読者には、とくに後の二作品があまり知られていないと思いますが、その魅力を具体的に説明するとどうなりますか。たとえば、「すげかえられた首」。この作品の魅力は、どの辺りにあるのでしょう？

岸　文庫の解説は、私が書かせてもらいましたが、その冒頭の数行を読み上げてみます。それが、ご質問の答えになるかと思います。自分が書いたものを読むのは気恥ずかしいのですが（笑）。

> 若い女と初老の女。盛りの時に向かって登りつめようとする体と、老いの訪れの中でもう一度開こうとする体。それぞれの年齢にある女の、誘惑と情熱の二つの物語である。誘惑が情熱を呼んだのか、本人さえ気づかない情熱が、むしろ誘惑を呼んだのか、人智をもって測り知れない混乱が心と体に吹き荒れ、それに翻弄されながら、かえってそこに見えない力の祝福を感じる人たちの物語である。

二編の基本的なプロット、小説の力は全てここに籠もっていると思います。

駒井　さっき、控室でお話ししましたけども、トーマス・マンの男性の描き方は、なかなか面白いという話がありましたね。「だまされた女」で言うと、五十歳のご婦人が、アメリカ人の青年に最初に惹《ひ》かれるのには、彼の腕の逞《たくま》しさが重要になっていましたよね？

岸　そうですね。

駒井　で、「すげかえられた首」の体格の良いほうの青年についても、男性の腕とか胸というものが、非常に上手く書かれた小説だと思うんですけども。

岸　人物の造形の仕方ですね。有体《ありてい》に言うと、「だまされた女」で主人公になっている女性は、ギムナジウムに通う息子と、二十代の終わり近くの娘がいて、自分は五十幾つかな、女性としては終わりつつあると感じている、いわゆる閉経期にいるわけですね。時代は、第一次大戦が終わり、第二次大戦がまだ始まっていない、その間のことで、夫は軍人で早くに亡くなっていて、子どもたちを育て上げるという母としての務めもほぼ終わりかけている。そこに女としての終わりが来るかもしれない、と彼女は考えているわけです。

　で、そういう年齢に自分が達して、毎月来るものがなかなか来ない状況の中で、一人の非常にキラキラと光って見える若者が、突然、家に毎週やってくるようになる。で、その腕に目が行くという、この視線の発し方と捉え方は、すごく分かりやすい話ではないかと思います。

　それから、「すげかえられた首」であれば、シーターという若い女性から見られた、ナンダという肉体派の若者とシュリーダマンという知性派の青年、この二人の人物の造形が生き生きと鮮やかに描かれていて、いずれにしても、小説の中でこの女性たちの目を通して青年たちを描いたのはトーマス・マンですから、そこにはトーマス・マンが男性を見る目が働いているのではないか。そこにはトーマス・マンのエロス的な視線があるのではないかというのが、駒井さんの指摘なさりたいポイントですね？

駒井　まあ、そういうことです。ここまで書ける小説家は、なかなか他にいないなと思いますし。

岸　駒井さんが、マンにはこういう作品もあるのかということで、「だまされた女」や「すげかえられた首」に驚かれたというお話ですが、それは、『魔の山』が観念的な議論の多い小説で、ほとんど議論ばかりで成り立っているので、それと照らし合わせたときの驚きであったかと思うんです。

トーマス・マンにおけるエロティックな世界

岸　ただ、自然の暴力的な力、これが人間の体の中に宿っていることについてのマンの関心と視線は、『魔の山』でももちろんそうですし、『ブデンブローク家の人々』のときから、『ヴァイマルのロッテ』、それから「ヨゼフ四部作」、そして『ファウストゥス博士』でも一貫していて、それぞれ少しずつトピックを変えながら、小説のテクストに表れている。『ブデンブローク家の人々』であれば、ある局面で四代目の少年が捉われる死の力として出てくるし、『魔の山』のハンス・カストルプは、あまりエロティックな世界と縁がない人間のように見えるけれども、それはその時代の、性というものを、英国で言えばヴィクトリア朝的なモラルで抑圧する文化的傾向の中にあって、表面的には性的なものがないかのように装いながらも、その力に侵され続けているという側面を、いろんな形で示し続けているわけです。

さらに、『ヴァイマルのロッテ』のゲーテに目を向ければ、この人はいろんな人間の欲望や関心を一気に吸収して、いわば非常にネガティブなブラックホールのように、どんなエネルギーも吸収してしまう性愛的な力を内部に持っている人間として出てくる。このように様々に形を変えながら出てきているということです。

短編小説では、こういう多面的な展開ではなく、人間の運命がどういう局面で一瞬にして変わるかという、そこに向かって物語を集中させる。だからトピックは常に一つに絞られ、一点に向かって人間がどのように引き込まれ、どの瞬間に究極的な場面を迎えるかが語られる。このテクニックを示すのが、短編作家の非常に大切なところです。長編作家としてのトーマス・マンは、こういう短編作家としての技倆《ぎりょう》も実現している側面がある。

そういう点で、「だまされた女」と「すげかえられた首」は、既に自分の力を証明したトーマス・マンがあらためて実現した、もう一つの優れた成果だと言えます。

哲学的な議論を会話で展開させる力量

岸　一点つけ加えて言っておきますと、『魔の山』で丁々発止繰り広げられる議論、それに関連したものが、「だまされた女」や「すげかえられた首」にないかと言うと、そんなことはありません。とくに「だまされた女」では、初老にして性に目覚めた女性と、それに批判的な理知的な娘との間で、老いることを巡って、延々と切実な議論が繰り返される。この議論の紡ぎ方は、やっぱりトーマス・マンです。プロットの進行を止めてでも、議論を続ける。その議論がテキストを作っていくというところは、『魔の山』と同じなのです。

　これについては、評論家の加藤周一が、トーマス・マンは、哲学的な議論を作中人物の会話の形で展開させていく技法と技術を開拓した作家だという意味のことを言っています。それは短編小説でも生かされていると思います。会話、あるいは議論があることによって、問題が切実に分かるようになっている。『ヴェネツィアに死す』は、その会話が、語り手の議論として述べられているということです。「すげかえられた首」でもこれは同じです。

駒井　なるほど、そうなんですね。

岸　シュリーダマンとナンダはお互いの立場でものを言い、シーターはシーターの立場から、この二人の青年の構図の中に取り込まれた自分が何を見ているかを、彼女なりの言葉で語り続けるわけですよね。これがテキストの多くのページを満たしている。そういう点では、トーマス・マン風というか、間違いなくマンの力量を示した短編小説ということです。

駒井　確かにご指摘いただいたように、「だまされた女」は、娘のアンナと交わす会話が、非常に深いですね。最後のシーンでも、この主人公が亡くなっていくところで、娘と交わす会話がある。

岸　短編であるから、圧縮されたその会話の中によけい血が通っている感じがしますね。とくに「だまされた女」の娘と母親の会話には、何と言うか、訳していてとても切実な気持ちが湧きました。

駒井　よく分かります。決して重い感じではないですけど、かなり高度なことを話し合っている。

岸　一般的な読者が見たら、「こんなことを話す親子がいるか」と思うくらい、遠慮がないですよね。

駒井　それは本当に魅力的だと思います。それから「すげかえられた首」、これはインドの民話に材を取った小説ですけど、二人の青年とシーターという女性の関係が変わっていくというときに、彼女の独白のような部分があるじゃないですか。あそこも、トーマス・マンの作風のなせる技ですね。

岸　ええ。ただ、会話の質が、「だまされた女」と「すげかえられた首」とでは違う点が一つあって、「だまされた女」の母と娘の会話は、非常に切実で、アイロニーなしに繰り広げられている。だけれど、「すげかえられた首」の青年二人の会話、それから、二人に愛されるシーターという娘の独白やこの青年たちとの会話。これには、アイロニーのベールが被《かぶ》せられています。語り手の立場から、この三人を距離を置いて見ようということです。だから、彼らの会話の言葉は、少しずつ屈折させられていて、ちょっと戯画化されたというか、滑稽《こっけい》な感じに読み取れるように作られている。アイロニーのベールがかけられたことによって、その言葉が発せられながら、同時にその言葉自体が言葉の真実味を崩していく側面があるわけです。そのベールのあるなしが、この二作品を分けていると思います。

　作中人物が自分の立場なり考えなりを語る言葉にアイロニーのベールを被せて、その真実性を語らせながら、同時に奪い取っていくというやり方は、『魔の山』と共通している。『魔の山』も、セテムブリーニが何を語ろうと、ナフタが何を語ろうと、語り手が、ナフタやセテムブリーニの言葉にアイロニーを被せ、その真実味を絶えず奪い取る方向でテキストが作られている。

駒井　二作は作風が違うと私などは単純に思ってきたんですが、そういう相違があるわけですね。

岸　だから、端的に言うと、「だまされた女」は非常に真実味のある話。「すげかえられた首」は滑稽譚みたいになっている話だということです。

日本での、かつてのトーマス・マンの受け取られ方

駒井　お話をうかがっていると、トーマス・マンの深みと魅力がよく分かってきます。トーマス・マンは二十世紀のドイツを代表する作家と言われています。私は、この「エロス三部作」を読むまで、トーマス・マンをステレオタイプなイメージでしか捉えていなかったので、日本、あるいは世界では、どんな風に読まれ、どんな小説家として受容されてきたのか、ちょっと教えていただけますか？

岸　マンから影響を受けた、あるいはマンに心酔した日本人の作家と言うと、北杜夫や、三

島由紀夫などが出てくるでしょうし、北の『楡《にれ》家《け》の人びと』や、三島由紀夫の非常に観念的なテキストの作り方など、そういうところに影響があらわれていると思います。

トーマス・マンの日本における受容というのは、私は七十歳を超えたところですけれども、私が学生だった二十歳の頃には、マンの主要なテキストはほぼ日本語に訳されていました。で、その翻訳は、戦前からずっと行われていますし、主要なものは戦前に既に訳が出ていて、評価はドイツの第一級の大作家ということだったと思います。トーマス・マンは、一九三三年にナチが政権をとると、ほぼ同時にドイツを離れ、途中、多少転々としますけれど、結局、アメリカで亡命生活を送ることになります。アメリカからナチに対抗するためのプロパガンダを放送で流し、ナチズムを批判する文章を書き、社会と政治の時局的な問題についても、数多く発言している。

戦後の日本では、そういうトーマス・マンを、民主主義者として、ナチに対抗した人物の中心的な存在として理解し、その側面を強調して紹介し、作品を翻訳するという流れがあったと思います。これは、その当時として貴重なことで、そういう意味のある作家としてマンは受け入れられていた。それは、作品の読み方にも深く関わっていて、たとえば『魔の山』についても、ハンス・カストルプが、セテムブリーニという啓蒙主義者と、ナフタという反動的な神秘主義者、この二人の間に挟まれて、彼個人の持っていた保守的な性格から、啓蒙主義的な思想を理解して、自分自身の人間性を作り替えていくといった、教養小説的な読み方が支配的だった時期もあったと思います。

駒井　対ナチスドイツとか、そういうイメージだけに捉われていた時期があるわけですね。

岸　そうです。昭和四十年代前半くらいまでは、トーマス・マンは圧倒的にそういう小説家でした。

日記、エッセイ、講演、評論

岸　トーマス・マンは、日記を書き続けていました。若い頃からずーっと書き続けて、その全部が残っているわけではなく、途中で廃棄してしまったものもあれば、廃棄を免れて生き残ったものもあります。マンが亡くなったときに、マンの家族、とくに長女と奥さんが、公開禁止に準ずる処置を講じて、死後何十年だったかは発表しないことにした。

その封印が解かれた後、テキストの書物化が始まった。それで、日本語にも随時翻訳されていきました。すでに二十年以上はかかっているのかな、今では全てが翻訳されて、紀伊國屋書店から出ています。

日記には生活のあらゆる局面について何かしら書くことになりますから、丹念に辿っていくと、マンにはこんなところがあったのか、こういうパッションを持っていたのか、家族の中ではこんなことがあったのか、こんな生活上の困難を抱えていたのかということが、あれこれ読み取れて、凄く面白い。それから、この日記の翻訳は、細かいデータについての注釈がとても丹念に良心的に作られ、膨大な分量になっていて、ハードカバーで一冊一冊が重たくて、三キロぐらいはありそうなのです（笑）。図書館には入っている所も多いと思うので、興味のある方は、この頃のマンはどうだったのかと探りながら読まれたら面白いと思います。

駒井　たくさんの長編と、ご説明いただいたような短編を書きながら、一方では日記も残し、他にエッセイや講演集もあるというのも、凄いですね。

岸　そうですね、この点は、私、光文社からの指定で、翻訳の一冊一冊の後ろに、マンの年譜を付けています。そのマンの年譜は、それぞれ、自分が訳したものに関係するところを拾いながら、マンの生年から没年までの間の主だった足跡を取り上げて作っているんですけれども、その中に、今、駒井さんが触れられたエッセイや講演も入れてあります。

マンのエッセイは、どれも重厚長大なもので、マン風の語り口ではあるけれども、それぞれの問題をよく捉えた上で展開されています。新潮社から以前、『トーマス・マン全集』が出ていましたけれども、その中に、上下二段組みで、ぶ厚い一冊になるくらいの講演集がありました。中に、ゲーテに関するものが三、四編あって、「市民時代の代表者としてのゲーテ」など、読み応えがあって凄く面白い。また、ドイツ文学の名だたる作家の他に、フロイトについての「フロイトと未来」という講演もあります。だから、何と言うか、ドイツ文化の総覧みたいな、そういう幅広い範囲で論じられています。

駒井　いかにも小説家の講演だなと思ったのは、「ゲーテとトルストイ」という講演の冒頭で紹介されるエピソードです。『ゲーテとの対話』を書いたエッカーマンと同じ所に住んでいた少年が、彼に頼んでゲーテに会わせてもらい、その少年が中学の教師になって教えているところに現れたのが、青年貴族のトルストイだったというエピソードです。そういう話をはじめとして、やはり小説家の講演なんですよね。エピソードの取り込み方の上手さと、その後の展開の深さが、どの講演にもある。

岸　そういう評論を書くことと、小説のテキストを作ることは、裏表の関係で、どちらもトーマス・マンにとってはなくてはならない仕事だったんだろうと思います。

　たとえば、さっきゲーテについての評論があると言いましたけれども、トーマス・マンが細心の注意を払って造形する、ゲーテの精神的な深さと恐ろしさといったものは、『ヴァイマルのロッテ』に反映されています。

他にもトーマス・マンは、第一次世界大戦のさ中に、『魔の山』の執筆を中断して、『非政治的人間の考察』という、長大な評論を書き続けます。これは、ドイツ人の国民性に潜む反文明的な傾向、ドイツ人であることへの独特なこだわり方、こういうものに批判の目を向けながら、それは最初からトーマス・マンの中にあったものではなくて、西側、とくにフランスの作家たちからの批判や揺さぶりを受けて、マンの中で何か意識が変わって出てきたものですが、ドイツの文化の特質とはどういうものなのかとあらためて問い直していく。それを大きな評論として——その中には様々な作家についての論及もあります——書き続けていって、その仕事が『魔の山』のその後の展開に繋がっていくことになる。ですから、この『非政治的人間の考察』は、読んでいてとても面白くスリリングです。

原文と訳文を繋ぐ文章構造の話

岸　私は、訳文が長いと編集部から言われるのですが、それはトーマス・マンのテキストが非常に長い文の構造を持っているからです。この長い文の構造は、その構造を持つのが必然的だと、無意識のうちにでも思う書き手がいるから生まれてくるわけで、それを日本語に移すにあたって、私はなるべく間で切りたくない。一つのセンテンスには、始まってから終わるまでの間に、最後を見据えた或る意味の流れが当然あるわけですよね。ここから始まって、こういう意味の繋ぎがあって、ここで終わるという。

長い文には、要するに複文構造が幾重にも張り巡らされている。一つの名詞を出すと、そこに関係代名詞が来て、関係文がその名詞を説明するというように。だけれど、関係文が付くにあたっても、これはどういう意味で付いているかということは、局面、局面で違うわけです。つまり、この名詞を細かく説明するのは、これから起こる事態に対して何らかの条件づけを行うのか、あるいは理由づけを行うのかという具合にいろいろですが、そこには必ずしも理由づけの言葉などがあるわけではなく、関係文の構造自体の中にそれは含まれているわけです。その関係文の中にまた関係文が入ってきたりして、文は二重三重に張り巡らされていく。そして最後には落ち着くところに落ち着く。

我々の年代は、関係代名詞の文が出てくると、これを日本語に置き換えて名詞の前に持ってきて後ろから訳し上げろとか、反対にそれはイカンとか、いろいろ悩まされてきた。でも、どんなに複雑な構造を持った文でも、頭から始まって流れていくことには変わりがありません。ドイツ人がそれを聞きながら、前に戻って聞き直すことはないわけですね。文として書かれていれば、意味がハッキリしない場合は、また頭から読み直すことはあるでしょうが、頭から流れていくことには違いがない。その流れの中に、たとえば関係文があったら、それは小説ですから、詳しく説明をしていたり、理由づけをしていたり、条件づけをしていたり、逆接を付けていたりということで、その意味をくみ取りながら流れていかないといけない。そして、ちゃんと収束する日本語にしないといけないということで、私は訳す際の基本的な心構えとして、長いセンテンスであっても、一文で書かれたものは日本語でもとりあえず一文で訳してみることを、課題にしています。うまくいく時もあれば、いかない時もある。途中で切るかどうかは前後の流れやリズムなどで判断しています。

　これは、言われてみれば確かにそんな風にやっているなと後で気がついたことで、いつ頃からそんな長い文を書くことになったのかと考えるうちにふと思い出したのは、トーマス・マンからは離れますが、中学生の終わりの頃になって、初めて古文を学び始めた時のことです。「祇園精舎の鐘の声」など、いくつかの典型的な古文を知ることになったのですが、これまで知っていたのとは全然違う明確にリズムを刻む日本語がそこにあるわけです。そのことに非常に衝撃を受けた記憶が今でも鮮明に残っている。

　高校生になってからは、古文に触れるのが最大の喜びみたいな時期がありました。『徒然草』などを読んでいた二年生の頃から、三年生になると教科書に『源氏物語』が載る。そこで、あらためて日本語の響きが変わっていると如実に感じました。江戸から遡って鎌倉期までの文章には、現代日本語とまだ一繋がりの印象がある。だけれど『源氏物語』からは、それとは違うレベルで日本語の響きが動いている印象を受けて、その響きに喜びを感じながら文の流れに乗る、その心地よさのようなものを当時知りました。

　大学生になって、『日本古典全書』の池田亀鑑《きかん》校註の本で『源氏物語』全篇を読みました。十代の終わり頃ですから、さすがにすらすらと読めるわけではなく、どうしても分からないところは現代日本語に起こしてみたわけです。そうすると、流れ続けてなかなか終わりが来ない文が多いものですから、その頃から、私の文も長くなったんじゃないかと思います(笑)。あまり苦痛ではなかったですけど。

「ペリオーデ」――長大な複文構造をいくつも含む文の技巧

駒井　新訳の本質的な問題に触れるお話だと思います。翻訳は最終的に日本語の問題ですし、岸さんの訳文は編集部でも日本語として素晴らしいと言っていたんですけど、高校生でそんなに古文に惹かれていたとは、初めてお聞きしました。古典新訳文庫で長い文章がダメだと申し上げたことはないと思いますが、読みやすさという点で、ある程度この辺でとお願いしたことはありますね。

岸　いや、私もそれは気にはしていまして、古典新訳文庫のキャッチ・フレーズはなんでしたっけ。

駒井　「いま、息をしている言葉で。」です。

岸　そうそう。そこにもやっぱり、センテンスは短くて分かりやすい方がいいという前提を感じて、その方針に沿えるだろうかという心配は、これまでの四冊にも常にありました。しかし、テキストが与える条件に合わせて行こうという方針で基本的にはやらせてもらえたし、やってもきました。

今の問題に関して一つ思い出したことを申し上げますと、長大な複文構造を幾重にも含む文には、ドイツ語の名称が与えられていて、これは「ペリオーデ」と言います。これは、ドイツ語に独特のものではなく、大もとはギリシャ語の「ペリオドス」という言葉にあるんです。初めから、最後を見据えて、長く技巧的に張り渡されたセンテンスです。ある事柄を述べるにあたって、その事柄についての必要な情報、各条件の関係、そういうものを文の構造の中に反映させながら、意味がキチンと完結するようなセンテンスを組み立てること。これが一つの極意として語り継がれている。

古い時代には、まず、誰でも読める活字の本がありません。だから、弁論のための必要な要請として語られた。つまり、耳で聞くわけですね、長く張り渡された複文構造の文を。それは、聞く方も、その耳を持っていたということです。人の弁論を聞いているわけですから、元に戻って聞き直すことはできない。で、一貫した流れを聞いて、理解がスーッと届いていくように、目指した目的地に行き着くための複雑な構造が組み立てられていた。それが文章で必要なものとして語られた「ペリオドス」です。

これはアリストテレスの『弁論術』の中で語られていて、ローマ時代にもキケロが『弁論家について』の中で、完全文の要請ということで触れています。この「ペリオドス」がドイツ語に入り、「ペリオーデ」になったわけですが、ドイツ語の文には、マンに限らず、これが多いのです。

たとえばカントの『実践理性批判』の「思い返すたびに賛嘆と畏敬の念を覚えるのは、星瞬く天空とわが内なる道徳律」という有名な言葉を含む結尾の部分も、長い「ペリオーデ」をいくつも重ねながら語られている。で、その文は行きつ戻りつしないで、ちゃんと頭から読めるようになっている。私が感動したのは、ベートーヴェンの『ハイリゲンシュタットの遺書』です。この作曲家は言葉の達者な人ではないと言われていますが、必要な組み立てを試みながら文を書いていて、わりと普通に読める。

ですから「ペリオーデ」を張り渡すのは、トーマス・マンに特有なことではありません。ただ、トーマス・マンはそれをとても自覚的に鍛えていったと思います。たとえば「すげかえられた首」では沐浴するシーターの体がペリオーデを駆使して語られています。蔓草《つるくさ》のイメージで描かれる若い娘の肢体を蔓草のように絡まり伸びる文体で書こうという書き手の野心が透けて見えますが、加えてマンにはこの時、哲学や社会科学の文章で多用されるペリオーデという籠に、若々しい女体のエロスを盛ってやろうというパロディの意識が働いていたと、私は思います。このようにペリオーデに対するマンの偏愛は、それ自体が遊びに転化するほどに徹底していました。

さて『魔の山』では、セテムブリーニが自分の師匠としてペトラルカの名前を挙げています。で、ペトラルカの大昔の師匠としてキケロがいて、そこから多くのものを汲み取って発言する。そのペトラルカに学んだセテムブリーニがここで弁舌を揮《ふる》う。そういう長い歴史の積み重ねの上に『魔の山』がある。

駒井　いや、素晴らしい説明をいただいて有難うございます。岸さんの訳文には、古文の体験からドイツ語の「ペリオーデ」の技巧に至るまでが、非常に上手に生かされていたから、編集部も納得して、オビの文章に「超絶技巧の新訳」と書くことになったのだと思います。

岸　……たいへん面映ゆい……。

ロマン・ピカレスクとしての『フェーリクス・クルルの告白』

駒井　ところで、『フェーリクス・クルルの告白』という作品、私は岸さんの訳で読むまで知らなかったのですが、おっしゃったような「ペリオーデ」風の訳文が素晴らしいし、作品的にもいろいろな試みを含みながらどんどん先に進んでいって息つく暇がありません。これについても、お話しいただけますか。

岸　『クルル』は、『ヴェネツィアに死す』を書き終えてほどなく構想しているんです。『ヴェネツィアに死す』は重い深刻なトーンを持っていたので、それに対する喜劇編みたいなことで、気晴らしをしようというくらいの気持ちで書き始めたんじゃないかと思います。

　詐欺師の物語です。ドイツ語では「ホッホシュタープラー」と言って「高等詐欺師」ですね。社会のアッパーな階層に対して詐欺を働く人間です。それに向かって成長を遂げていくと思えば、裏返しにされた教養小説みたいなところがありますが、クルルは生まれついての詐欺師ですから、テクニックは習得しても、改めて成長する必要はない。このことの裏には、マン自身が、物書きは一種の詐欺師じゃないか、極端に言うとそういう考えを持っていたということがあります。

先ほど触れた『非政治的人間の考察』の中で、作家とはどんなメンタリティを持った人間かと、繰り返し考えるくだりがありますが、マンは、作家が一種の三百代言《さんびゃくだいげん》で、信用のおけない弁護士気質の持ち主だと言っている。つまり、依頼者の依頼次第では、黒を白と言いくるめる、その力量とテクニックを持っていることが大事なのであって、必要とあらばこれが真実だと断定的にでも言えることが弁護士＝作家にとっては大事だと。

つまり、この世の中にはいろんな立場や考え、条件を持った人間がいるわけですよね。だから、ある事柄について、この人はこういうことが正しいと思ったり、あるいは社会の通念として、これはこうだと決まっていたとしても、実際にはそこに納得できない別の情熱や考えを持つ人間がいる。そういう考えでも、とにかく全身全霊をあげて引き受けてみる、ということに宿る真実性と言うか、社会的に正当かどうかとは別に、このパッション自体の真実性と切実さを味わうことができ、しかも言語化できること、それが物書きにとっての必要な能力だ、と繰り返し語っています。

クルルは、そういう人間の、いわばパロディです。必要に応じて誰にでもなれますし、ということは自分自身というものがありません。だから、こういう人間になる必要があれば、この瞬間からそういう人間としてやっていける、そのためのテクニックの習得を続けていく。それで世界を漫遊しようという、そういうお話です。

これはトーマス・マンにとって、いわばディズニーランドです。その都度、楽しい場面を考え出して、クルルが勝負をかけるプロットとエピソードを繋いでいく。

悪漢小説、ロマン・ピカレスクという小説のジャンルがあります。十六世紀中頃にスペインに発生し、短期間で終わったものですが、作者不詳の『ラサリーリョ・デ・トルメスの生涯』をもって始まり、最後に『ドン・キホーテ』が出てくるのです。悪漢、悪者、これが各地を放浪し、転々としながら、キリスト教精神にもとる悪さを重ねる。そのエピソードを語って読み手を喜ばせるというものですが、『クルル』にはこれの現代ドイツ語版を作ろうみたいなところがあったと思います。

そういう意味では、トーマス・マンが、遊びとして始めたようなところがあって、それほど深刻な重大なものではないので、わりと早くにこれを途中で打ち切ってしまい、『魔の山』を書き始めている。で、草稿が机の引き出しに置かれたままでしたが、破棄はしなかった。

先ほどから話題に出ている『ヴァイマルのロッテ』を書いていたか終わったかの時期には、一度引き出しから取り出されています。最終的には、トーマス・マンの本当の晩年に一応のけじめがつけられ、クルルがポルトガルのリスボンに移り、リスボンから船で南米に渡ろうとするところで終わっています。ですから未完なんです。本当は世界漫遊をして、もう一回ヨーロッパに帰ってこないといけない。帰ってきて自分の生涯はこうだったと回想録を書いているというのが、この小説の基本の枠組みですから。

極端に言うと、クルルの人生は、全てが作り物なのかもしれません。妄想癖の強いクルルという男が、「俺はそういう人間で、そういう世界漫遊をして、今、これを書いているんだ」というフリをしているのかもしれないけれど、それは分からない。読み手としては、一応クルルがそういう風に過ごしてきたと思って読みますけれども、まぁ、そういう嘘の入れ子構造みたいなものがあるわけです。

こういう一種の喜劇的な場面を演じ続けるという傾向は、マンの他の作品の中にもないわけではなくて、たとえば『魔の山』のハンス・カストルプが、セテムブリーニやナフタに対してあたかもクルルのような態度をとるということがあります。カストルプが、己の分際もわきまえず、知識量の違いを無視して、セテムブリーニをおちゃらかしてみようとか、ナフタの言うことをセテムブリーニの請け売りで否定してみようとか、その度に失敗するわけですけれども、そういう反応の仕方は、クルルとよく似ています。マンの描く青年の主人公は、クルルのような側面を必ず何ほどか与えられている。「ヨゼフ四部作」のヨゼフも、そういう側面を持っているし、さすがに『ファウストゥス博士』のレーヴァーキューンにはないかもしれないけれど、副人物の中にはそういう人間が出てきます。

駒井　『魔の山』のハンス・カストルプにそういった傾向があると言われると、なるほどと思います。

岸　トーマス・マンは、基本的に、アイロニーの人ですから、そのアイロニーをどこかで結晶させないといられないんです。これが作中人物として一番強く結晶したのが、クルルかもしれないですね。他の人たちは、少しずつそういう傾向を与えられて作品の中に生きているということです。

『フェーリクス・クルルの告白』の中に、こういう文があります。

> 欲望を道徳で撃退するやり方を、私は退ける。欲望は、私の場合、理解不可能なものには思えなかった。むしろ私は、あのローマ人と共に、およそ人間に関することで、自

分に無縁なものはないということができる。

そうクルルは語っているわけです。人間の持つ、分かりやすい欲望だけを考えたらいけない。どんな欲望であっても、自分に無縁なものはない。自分の中にも、その欲望が何がしかはあって、自分はそのことに共感すると言っている。

トーマス・マンが親近感を持っていた世界の受け止め方とは？

岸 「人間に関することなら、何一つ自分には無縁とは思えない」。この言葉に、クルルという主人公のメンタリティが凝縮されているんです。だから、自分はどんな人間にでも成り代わってみせる。そんなことが可能だということは、私が他の何者でもない私自身であるような、そういう私がないということです。だから何にでもなれるという一種の無限感ですね、簡単に言えば、子どもが「俺は何にだってなれる」と言うような全能感、ちょっと能天気な感じがしないでもないですけど、クルルはその結晶なんですよね。

トーマス・マンは、『クルル』では喜劇的にやりましたが、『ヴァイマルのロッテ』の中では、ゲーテという人間をそういう存在として造形しています。先ほどのクルルの言葉とパラレルな、「およそ犯罪というものは、どういう犯罪であっても、自分に無縁なものはない」という言葉を作中のゲーテに言わせている。

　こんな言葉を見たら「あらゆるものになり得る可能性なんて馬鹿げている。そんなことは、人間の分際であるわけがない」というのが、普通に思うことですよね。だけれども、この全能感みたいなものの神話的な形象としては、何者にも姿を変える海の神様プロテウスがいるし、先ほどはセテムブリーニやペトラルカの名前が出てきましたが、そのペトラルカの生きていた時代はルネッサンスのごく初期の頃です。

　そうすると、その時代の哲学の中に、「新プラトン主義」というものがあるんです。新プラトン主義とは、話のついでに言いますと、まず、宇宙全体を一つの生命として感じる。で、大宇宙があって、それに照応する人間という小宇宙がある。マクロなコスモスに対するミクロなコスモスがあるというように二つは照応関係にある。唯一の存在である神がいて、そこから世界が順番に、物質の世界まで段階を下りるように降りてくる。その階梯《かいてい》にはいくつかあって、これは哲学者ごとに挙げる名前が変わってきます。

　イタリアのルネッサンス期の哲学者、ピーコ・デッラ・ミランドラという人が、このような世界観の中で或る決定的なことを言っています。神様はその存在の分け前を与えながらいろんなものを作った。それで人間を最後に作ったので、与えるものがなくなった。そこで、「じゃあ、お前にはこれにもなれるし、あれにもなれる、あらゆる存在の可能性を与えてやろう」ということで、人間は世界のあらゆる可能性を内に秘めて、この宇宙に生み出された。だから、自分が生きている道筋において何になるかということを、人間は自由意志で決定していけばいいという、そういう考え方をミランドラは語っている。

　こういう風な文章を読むと、そこにプロテウスという言葉も出てきて、これはあらゆるものに姿を変える海神、海の神様ですね。加えて、あらゆるものになり得る可能性を秘めた人間。そして『魔の山』があってとなると、ある繋がりが見えてきます。それが、トーマス・マンが親近感を持っていた世界と人間についての受け止め方なんじゃないかと思います。

翻訳と註釈に見る、先人の苦労、そして恵み

岸　よく、作家は実際の体験から小説を作るのかどうかということが話題になることがありますが、マンは実際の体験からというよりは、過去のテキストの中から何を取り出していかに一つの作品を織りあげるかということに、物書きとしての力を傾注しました。だから、膨大な先行文献が一冊の書物の中に入り込んでいるという、翻訳者泣かせのところがある。な

かなか理解しきれる人ではありません。

私が『クルル』を訳す時に使った、一九七四年に出た、S・フィッシャー社の『トーマス・マン全集』は、まったくそういう註釈を入れていませんでしたが、その後、同社は「批判的校訂版」というものを出版し始め、私は、この数年出版状況を見ていないので、全部が終わったかどうか分かりませんが、たぶんまだ終わっていないと思います。

「批判的校訂版」は、テキストを文字化するにあたって、たとえば、手書きの草稿が残っていれば、それとこれまでの印刷された文章を全部突き合わせて、この部分に関しては草稿にはこういう記述があって、これがカットされ、ここは生かされたとか、この時の版には、こう書かれていたけれど、こっちの版では省略されているとか、そういったことを比較対照しながら、テキストをもう一回作り直すわけです。そのテキストの中に、人や事柄、あるいは物の名前などが出てくれば、それがどういうものであるかを調べあげ、それもまた註として付けていく。トーマス・マンの手紙や日記の中に、該当する項目があるということであれば、さらにまた註として付けていく。だから、新しいトーマス・マンの「批判的校訂版」は、本文一冊と、本文に関する註釈一冊の二冊構成で、膨大な分量に膨《ふく》れ上がってくるわけです。

私が「だまされた女」と「すげかえられた首」を訳したときには、まだそのテキストの

「批判的校訂版」がなく、訳した当時のことを思い返すと、たとえば「すげかえられた首」の中に、「アルタ・ロート」という言葉が出てきて、その時に困りました。アルタは「alta」という綴りです。「ロート」は「赤」ということです。朱色の顔料を指しているんです。それを木の皮になすりつけて売り歩くという。このアルタの正体がサッパリ分からないんですよね。どの辞典を引いても出てこないし、最初から何を引いても出てこないだろうという感じがあったので、先行する翻訳ではどうしているかと見てみたら、「アルタ朱」とか、そのままカタカナにしている。これが何かという肝心なことがよく分からないわけです。

でも、インド、ヒンドゥー教の世界のことだとはわかっていて、とはいえ何を調べたらいいか分からないままでいました。そんなときに、ヒンドゥー教から仏教に入って、何らかの形で日本の仏教関連の用語に入ってきたものがいろいろあるわけですけれども、主にその点に焦点を当てて簡便な辞典を編んでくれた人がいて、ごく小さい本ですが、たまたま本屋の棚でそれを見つけたんです。

それを一ページ目から読んでいきましたら、真ん中の「a」と「k」を取れば「alta」になる「alakta」という言葉があった。なんと、それは赤い色の顔料でした。ヒンドゥー教の人たちが踊りを踊るときに、踵《かかと》とか足の指に付けて、その赤い足裏を見せながら踊るために塗る顔料だと分かりまして、そこからは、昔の同僚でサンスクリットを齧《かじ》った人に、「こんなことがあるんだけど、わかる？」という問いを出しましたら、いろいろ調べて、サンスクリットの専門の人にも聞いてくれて、「決定的なことは言えないけれども、そういう繋がりを考えてもいいのではないか」という、そのくらいのことは判明しました。

だから、決定的なことは分からなかったのですが、分からないことを調べて分からないときは、ありのままに、「こういうことまでは突き止めたけれども、その先は不明」という註を書いておく、「すげかえられた首」では、そういうふうに処理しました。

それから、最後の所に、「くきら」という名前の鳥が出てくるんです。再会した二人が愛を交わす場面で、朝日の中で鳥が鳴く。それが「くきら」です。フランス料理の「コキーユ（コキール）」みたいな名前で、先行の訳では「貝殻鳥」とありました。ホタテ貝の貝殻を使って、その上にホワイトソースで和《あ》えた物を乗せオーブンで焼くという料理から連想したのかもしれません。でも、「貝殻鳥」と言っても、そんな鳥がどこにいるのという話で、よく分からない。これはじつはホトトギスだったのですが、調べあげるのに結構時間がかかりました。仏典や漢籍に詳しい人ならドイツ語原文の「kokil」という綴《つづ》りからすぐに「くきら」（梵語のkokila）に繋がったと思います。くやしい!!

こんなことを言いましたのは、「批判的校訂版」が完成されると、こういう苦労がほぼなくなるんじゃないかと言いたいからです。「批判的校訂版」を作るにあたって校訂者は、トーマス・マンが残していった書物だとか、原稿だとか、日記帳だとか、そういうものを漁れるだけ漁って、註を作っているわけですね。で、私が困った「アルタ」にしても、「くきら」にしても、どこかに手がかりがあるに違いなくて、編集者がそこに行きあたって、それを大事だと思えば、ちゃんと註に載せるわけですから、こういう具体的な作業をする手間が相当削減される。

ただし、校訂者の手間は膨大です。つまり、後代の読み手ほど恵まれています。逆に言うと、日本では戦前に、あるいは戦中戦後に翻訳を手掛けた人たち、私から見れば先輩の人たちは、どれだけの御苦労を重ねてきただろうかと思うわけです。

駒井　だから新訳が必要になるのでしょうね。ありがとうございます。最後は、専門的なお話も豊富にあって、大変興味深くうかがうことができました。

（二〇一八年六月二十九日）

『ヴェネツィアに死す』『だまされた女／すげかえられた首』を
読んだ人に、さらにお勧めの4冊

1

『ブッデンブローク家の人々』
トーマス・マン　川村二郎訳
河出書房新社　世界文学全集47

2

『ファウストゥス博士』
トーマス・マン　円子修平訳
新潮社　新潮世界文学35

長編作家としてのマンの実力が遺憾なく発揮された傑作。マンの仕事の出発点と到達点。難しいだろうなどと思う必要はない。ゆっくりじっくり読み進めていけば、やがて作品の世界に自然に引き込まれていく。自らの一族の歴史を背景に書かれた『ブッデンブローク家の人々』は、20代に書かれた長編。ベストセラーになり、後のノーベル賞受賞のきっかけとなった。『ファウストゥス博士』は、音楽家の人生を「ファウスト伝説」を下敷きにして書かれた作品。1947年に刊行された。川村二郎訳、円子修平訳ともに、現在では古書、あるいは図書館で読める。

3

『変身／掟の前で　他2編』
フランツ・カフカ　丘沢静也訳
光文社古典新訳文庫

マンと同時代の作家による、およそマンとはかけ離れた作風の作品。ドイツ語で書かれた「文学以後の文学」とも称される。カフカが家族の物語を虫の視点で描いた「変身」。もっともカフカ的な「掟の前で」。ひと晩で書きあげ、初めてカフカが独自の表現法を発見した「判決」。そしてサルが「アカデミーで報告する」。傑作4編。

4

『ツァラトゥストラ（上・下）』
フリードリヒ・ニーチェ　丘沢静也訳
光文社古典新訳文庫

マンとその同世代の人々に強い衝撃を与えた思索家ニーチェの書物の中からぜひこれを。「人類への最大の贈り物」「ドイツ語で書かれた最も深い作品」とニーチェが自負する永遠の問題作。訳者の丘沢さんは言う。「『ツァラトゥストラ』は、くそまじめな論文ではない。《論文なんて、私は書かない》というニーチェは、遊んでいるのだ」

第6夜

Arthur Schopenhauer / APHORISMEN ZUR LEBENSWEISHEIT

ショーペンハウアー『幸福について』

鈴木芳子×駒井 稔

天才哲学者の晩年のエッセイは
なぜベストセラーになったのか?

アルトゥール・ショーペンハウアー(1788-1860)
ダンツィヒ生まれ。ゲッティンゲン大学で自然科学・歴史・哲学を学び、プラトンとカント、インド哲学を研究する。1820年ベルリン大学講師となったが、当時人気絶頂のヘーゲル教授に圧倒され辞任し、在野の学者となる。主著である『意志と表象としての世界』(1819-1844)を敷衍《ふえん》したエッセイ『余録と補遺』(1851)がベストセラーになり、彼の思想全体も一躍注目を集めた。フランクフルトにて没。

『幸福について』
「人は幸福になるために生きている」という考えは、人間生来の迷妄であると断じる幸福論。自分を他人と比較し、他人の評価をたえず気にすることが不幸の元凶であり、名誉、地位、財産、他人の評価などに惑わされず、自分自身が本来そなえているものを育《はぐく》むことが幸せへの第一の鍵であると説く。生の苦悩に満ちた現実世界で、できるかぎり快適に、心おだやかに生きる技術を論じている。

鈴木芳子 1987年早稲田大学大学院文学研究科修士課程修了。ドイツ文学者・翻訳家。『ベビュカン』にて独日翻訳賞マックス・ダウテンダイ・フェーダー・東京ドイツ文化センター賞受賞。訳書にショーペンハウアー『読書について』、フォイヒトヴァンガー『宮廷画家ゴヤ』、ヒュルゼンベック編著『ダダ大全』、ローゼンクランツ『醜の美学』ほか多数。

世界は私の表象である――「表象」とは？

駒井　今日は雪が心配な中、大勢の方に来ていただいてありがとうございます。古典新訳文庫では、創刊以来、哲学にも力を入れてきました。今日来ていただいた鈴木芳子さんには、二〇一三年にショーペンハウアーの『読書について』という本を新訳していただき、これは、もうたいへんな評判になり、読書界の注目を集めました。今日、お話をうかがう『幸福について』は、その第二弾になります。

　最初に言っておきますと、ショーペンハウアーが最晩年に書いた『余録と補遺』という名のエッセイ風の本がありますが、これは彼の主著である『意志と表象としての世界』を敷衍《ふえん》した形で書かれていて、この『幸福について』はその中の最大の章になるわけですね？

鈴木　はい、そうです。

駒井　高度に発展した先進国の中にあって、日本も物質的には裕福になったけれども、「幸福」という問題は、或る種、切実なテーマであり続けています。そこで、ショーペンハウアーがこの問題をどう考えたかということをお話しいただき、我々が考える手がかりを見つけたいと思います。まず、『幸福について』の魅力を、『意志と表象としての世界』に触れながらお話しいただければと思います。

鈴木　私にとってショーペンハウアーの最大の魅力は、その明晰な知性と明快な文章にあります。世界と物事の本質を見据え、明確に書くことができた知性と圧倒的な生命力、これに驚かされます。

『意志と表象としての世界』は、二十六歳くらいで構想が芽生え、ほぼ五年の歳月をかけて書かれています。ショーペンハウアーによれば、世界は「意志」と「表象」の二つの側面から成り立っています。その一つが、「世界は私の表象である」。つまり、世界は私の思い描いたイメージであり、印象であるということです。

すなわち、百人いれば百様の世界があります。同じ映画を友達と一緒に見ても、それぞれ違う感想を持ち、同じ出来事に遭遇しても、人によって受ける印象が違うということは、誰でも体験していますね。

一人の人間が同じものを見ても、以前とは違う印象を受けることがあります。たとえば、子供のころ通った小学校のグラウンドを二十歳になって久々に訪れたとします。そうすると、「あれ？　グラウンドってこんなに小さかったっけ？」「鉄棒ってこんなに低かったっけ？」とちょっとびっくりします。これはグラウンドが小さくなったわけでも、鉄棒が低くなったわけでもありません。私たちが体験を経て、多くを見聞し、経験を積んだことによって、同じものから受ける印象が変わったためですね。これは抽象的な物事についても同様です。

「生き延びる意志」としての世界

鈴木　たとえば、夏目漱石の『三四郎』という作品の中に、「pity's akin to love」、直訳すると「同情は愛に似ている」という言葉が出てきます。これを『三四郎』の登場人物である与次郎が「可哀想《かわいそう》だた惚《ほ》れたってことよ」と訳します。そうすると、あの広田先生が「下劣の極だ」と言うのです。

これを初めて読んだとき、私は十二歳でした。そして、同い年の文学好きの女の子と二人で、「うまい訳だよね」とうなずき合いました。でも、もう少し年齢が上がると、この「pity」には、慈愛、慈悲というたいへん深く広い意味があることを知ります。すると、与次郎の「可哀想」というのは、「pity」という概念のごくごく一部しか表していないことに気づきます。

それからまた、もう少し年齢が上がりますと、今度は広田先生にも目が行きます。そして、「可哀想だた惚れたってことよ」という訳には、与次郎という人間が的確に表れており、「下劣の極だ」という言葉には、広田先生という人間が的確に表れていて、この二人にふさわしい言葉をふりわけた漱石の力量に感嘆します。

広田先生は大変なインテリです。表面的には、与次郎が先生の腰巾着《こしぎんちゃく》に見えますが、実は広田先生、実際的な能力がありません。下宿探しも引っ越しも、全部与次郎にまかせっぱなしです。与次郎は愛嬌があって、処世術に長《た》けている。そうすると、この二人の掛け合いが、セルバンテスのドン・キホーテとサンチョ・パンサの掛け合いに見えてくる。一人は知的に優れているけれど概念・観念の世界に生きていて、もう一人は愛嬌があって要領よく実社会を生き抜いている。

こういうことが全部、「可哀想だた惚れたってことよ」と「下劣の極だ」という二行を手掛かりに伝わってきます。私は、年齢と経験を重ねることによって、同じ物事でも全く違う側面から捉えるようになったと言えるでしょう。ショーペンハウアーの「世界は私の表象である」というのは、そうしたことを指しています。

ショーペンハウアーのもう一つの「意志としての世界」についてですが、彼の言う「Wille」は「意志」が定訳とされています。しかし、実は一言で日本語にするのが難しい概念で、敢えて言うなら、生き延びる力のことです。ニーチェが言うところのデモーニッシュでディオニュソス的な力。のちにフロイトがエスやリビドーなどと名付けた、人間の理性では解明しきれない、私たちを前へ前へと駆り立てる暗い衝動。こうした本能的な力を、彼は「意志」と呼びました。

「意志」は人間だけではなく、あらゆる動植物にそなわっています。私たちは花だけを楽しみたいと思って雑草を抜きますが、すぐまた次の雑草が生えてくる。つまり、花だけを楽しみたいという人間のエゴイズムと、何が何でも伸びようとする植物の生存本能との戦いですね。ショーペンハウアーは、こういった生き延びる「意志」というものに着目しました。

ショーペンハウアーの「意志」は、知性・理性とセットになっています。生き延びようとする意志だけでは、生存競争、弱肉強食の世界になってしまいます。けれども、私たち人間に他の動物よりも際立ってそなわっているもの、これが知性、精神的能力であり、私たちは理性を思慮深く働かせて荒ぶる意志をコントロールしていかねばなりません。

『野火』に見る「生存本能」「理性と倫理観」、そして「エロス」

鈴木　そして、弱肉強食の歯止めになるのが倫理規範です。ひとつの例として、大岡昇平の『野火』という小説を取り上げたいと思います。この作品は、作者のフィリピンでの戦争体験を基に書かれ、終戦からまだ六、七年しか経ってない昭和二十七（一九五二）年二月に刊行されました。外国語にも翻訳されていて、しばしば飢餓状態におけるカニバリズム——人間が人間を食べること——に焦点を合わせて論じられますが、ここではショーペンハウアーの、①生存本能、暗い衝動、生き延びようとする力、そして、②理性と倫理観、さらに、③次の世代へつなぐエロス、この三つの観点から、簡略にお話しします。

『野火』の主人公は、三十代のインテリ、田村一等兵です。肺病病みの彼は、軍隊から放り出されます。絶望と孤独の中、すさまじい飢餓に苦しみながら熱帯の島の中をただただ歩きます。あちこちに兵士の死体が転がっていて、その臀部《でんぶ》が切り取られている。初めは犬かカラスの仕業《しわざ》だと思うのですが、ふと、これは人間の仕業であることに気づきます。

もう少し歩くと、熱病で瀕死の将校がいる。うわ言を言っています。彼は田村一等兵を一瞬、澄んだ目でみつめ、「何だ、お前まだいたのかい。可哀想《かわいそう》に。俺《おれ》が死んだら、ここを食べてもいいよ」と言って、自分の上腕部を叩きます。その後、将校は死んでいきます。食べてもいいよと許しが出ているので、田村一等兵は、将校の亡骸を窪地に引きずって行きます。しかし、将校の上腕部を剣で切り取ろうとする彼の右手を、彼の左手が止めるのです。そのとき、「汝《なんじ》の右手のなすことを、左手をして知らしむる勿《なか》れ」という声が聞こえてきます。彼は食べるのをやめて、また歩き始めます。すると、今度は、熱帯の大きな芍薬《しやくやく》に似た花が語りかけてくるのです。「あたし、食べてもいいわよ」と。さらに天上から、おびただしい数の同じ花が光りながら落ちてきます。これを幻覚とみることもできますが、私は、この花は女性性の象徴、エロスの象徴であると考えています。田村一等兵が将校を食べるのを思いとどまったときに、彼には人間としての倫理規範があった。そして、彼を生かし、次の世代へつなごうとするエロスの花が光とともに降ってきた。たとえそれが幻想であってもね。

ショーペンハウアーの哲学を語るに当たって、この、①生存本能、②理性と倫理観、③次の世代へつなぐエロス、この三つは欠かせないものだと思います。

今なら八、九十代にあたるショーペンハウアーが若い人に宛てて書いたもの

鈴木 『幸福について』の原題は「Aphorismen zur Lebensweisheit」。「生きる知恵・箴言集」というのが、元々のタイトルです。これは『Parerga und Paralipomena』、邦訳では『余録と補遺』という作品に収録されています。晩年のショーペンハウアーが六年の歳月をかけて、それまでの著書で書き切れなかったことを書き記したものです。私たちの日常生活に照らして、彼が自分の哲学をわかりやすく解説した書とも言えるでしょう。
先ほど言った三十歳で書き上げた主著『意志と表象としての世界』は、哲学の専門家向け

の本で、こちらの『余録と補遺』は、一般の読者、とくに若い世代に向けて書かれたものです。刊行されたとき、彼は六十三歳になっていました。ショーペンハウアーは生まれたのが一七八八年、亡くなったのは一八六〇年という十九世紀の哲学者です。この当時のドイツ人の平均寿命は、だいたい三十五、六歳。当時の六十代は、今なら後期高齢者。現代なら、八十代、九十代の哲学者が、一般の若い世代に向けて書いた本と考えることができるでしょう。

ショーペンハウアーはこれを持って三つの出版社を回り、どこからも出版のＯＫが出なかったのですが、翌年、お弟子さんの尽力でベルリンのハイン書店から出版されます。そうしたら、「面白い、文章がいい」と一般の読者から大きな反響がありました。ハンブルクの雑誌が書評を掲載し、ベストセラーになり、翌年にはイギリスでも好評を博します。この本がきっかけとなって、彼の若いときの著書も見直され、晩年は名声に包まれます。はるばる外国から第一級の知識人が訪ねてくると、彼は英・独・仏・伊・西の五カ国語を巧みにあやつり、生き生きした話術で相手を魅了したそうです。

『余録と補遺』は、「読書について」「知性について」「女について」など、いろいろなテーマに分かれていますが、この「幸福について」は、現代のドイツでも一番人気があります。日本だと岩波文庫にあたるレクラム文庫からも出ていますし、他の出版社からもハードカバーで出ています。その他にKindle版もあって、たいへん親しまれています。

「絶頂」は、文字通り長続きしない

駒井　うかがっていると、一般向けに書かれたというところが、大きいようですね。『意志と表象としての世界』は、カント哲学の素養がないとなかなか分からないと言われていますから。

鈴木　そうですね。

駒井　そういう意味で、われわれがショーペンハウアーに近づくために恰好の作品だなと思います。今の『野火』のお話はすごく面白かった。鈴木さんは「解説」でも、ショーペンハウアーは、私たちは幸福になるために生存しているというのは迷妄であって、生にまつわる出来事は、苦悩なくして語り得ないという視点に立って、この現実世界で快適に生きる技術を語っているとお書きになっている。

『幸福について』というタイトルで、こういう風に語る例は少ないですよね。「幸福」がつくタイトルの本はたくさんありますけど、こうすれば幸福になることができると、ストレートかつ軽薄に言うものが多い。その点で、この本はすごく深いし、ショーペンハウアーらしい逆説に満ちてもいる。

鈴木　はい。ショーペンハウアーは、人間の本質は欲望にあると考えました。私たちは常に何かを欲している。お腹が空くと食欲が湧く。疲れると休息したい。眠い時には眠りたい。食欲、性欲、金銭欲……etc.　欲望といっても、ネガティブなものばかりではありません。知識欲、あるいは、スポーツをするお子さんのもっと上手になりたいという願望や向上心、明日への希望のようなポジティブなものもあります。

このように、欲望をどういう側面から捉えるかという問題もありますが、ショーペンハウアーは、私たちは何かが満たされると、また次の欲望にうつると言っています。

たとえばサッカー好きの少年を思い浮かべてください。レギュラーになることがまず一番目の目標ですね。レギュラーになったら、次は地区予選を勝ち抜きたい。次はさらに大きな大会を、全国大会をめざします。

私たちは小さな目標を目前に置いて、それがかなえられると、次の目標に進む。つまり、私たちの欲望には限りがないわけです。一時的に欲望が満たされても、私たちは生ある限り、つねに何らかの欲望を追いかけている。欲望を抑えると、心穏やかに暮らせる。大きな幸福感、幸せの絶頂は、長くは続かない。必ず落下が訪れる。絶頂に幸福の物差しを置いたら、なかなか幸せになれない。

幸福の九十パーセントは、健康を基盤としている

鈴木　ところで、これはアリストテレス以来の考え方ですが、生きるということは動きの中にある、つまり、私たちは絶えず変化しています。現状維持という言葉がありますが、客観的に見て、厳密な現状維持はとても難しい。不慮の出来事というものがたくさんありますし、その度ごとに、私たちも対応し変化せざるをえない。

　ショーペンハウアーによると、私たちが時の営みの中で確実に持っているものは、現在と現在の意識だけです。過去は追憶の中にある。未来は、不安や希望と共に、私たちのビジョンの中にある。そして現在は絶え間なく過去へ移って行く。

　過去の栄光にすがるなとよく言われますが、昔の絶頂だったときに幸せの基準を置くと、なかなか心の平穏は得られません。この『幸福について』には、現実社会において私たちが毎日を快適に過ごすための、心穏やかに生きる技術が書き留めてあると、そういう風に受けとめてください。

駒井　私たちの幸福の九十パーセントは、もっぱら健康を基盤としているという、とても哲

学者が言うとは思えない言葉も出てきますね。このあたりも今、解説していただいた考え方から出てくるのでしょうか?

鈴木　はい、そうです。ショーペンハウアーは、私たちを直接的に幸せにするのは、晴れやかな気分であると考えました。また「客観的にいかなる事態なのか」ではなく、私たちが「事態をどう把握したのか」によって、私たちは幸福になったり、不幸になったりすると言っています。体調が悪いと、気持ちが沈み、判断力も鈍ります。晴れやかな心、物事を正しく把握し、適格に判断する力、揺るぎない決意などは、健康あってのものですし、年齢を重ねると、健康はますます幸福の大事な要素となってきます。私も実感しています(笑)。

人生には三つの財宝がある

駒井　一流の人間には、ごく当たり前のことをきちんと言えるという資質があると思いますが、ショーペンハウアーは、人生の三つの財宝ということで、具体的には、第一はその人は何者であるか。第二はその人は何を持っているか。第三はその人はいかなるイメージ、つまり、表象を他者に与えるかという、この三つの財宝を挙げています。これについてお話しいただけますか。

鈴木　第一の、その人は何者であるか。これについては、その人の人柄と気質、精神的能力、知的能力、身体能力、あるいは美、徳、モラル、それらを磨くことを挙げています。どんな状態にあっても、その人の身にそなわっているもの。その中で幸福の要素として特に重きを置いているのが、健康状態と気質です。陽気な人は、生まれながら快活だから、幸福であると言っています。美は華々しい特性ですが、移ろいやすく、ハッと目が覚めるような美男美女でも経年変化します（笑）。

それから、身体能力。これも輝かしい特性です。でも、優れたスポーツ選手でも、四十代になると翳《かげ》りが見えてくる。これは生命体として仕方のないことです。彼は知性、精神的能力、それにモラル、これらが一番長持ちすると言っています。そして最晩年までまずまずの健康状態を保ち、学問や芸術に対する興味を失わないことが、幸福への道であることを示唆しました。

ショーペンハウアーは、音楽がとても好きでした。自分でもフルートを演奏しました。ロッシーニとモーツァルトをこよなく愛し、ロッシーニは全曲、自分で演奏できるように自身で編曲までしていました。最晩年まで、足繁くコンサートに通いました。この感動する力。日本でも、人生は「かきくけこ」——感動・興味・工夫・健康・恋が大切だと言われますが、ショーペンハウアーの場合、「恋」は苦しみだったので、「行為」に置き換えるとよいかもしれません。人間は何かを為さざるを得ない。何もせずにぼんやりしていると退屈してしまう。彼は、人間を一番幸せにするのは、実際に自分で何かを為す、クリエイティブな活動であると考えており、クリエイティブな精神、芸術家の創造力をこのうえなく高く評価していました。

　生命体というのは、自分の生存のための何かに時間を費やす。野生の動物を見ていると、退屈している時間はありませんよね。休息か、獲物を捕えることに時間を費やします。人間においては、生存のための時間が過ぎると、精神的能力や知的能力、それに感受性の豊かでない人は退屈してしまいます。それを中国の儒教の経典の『大学』では、「小人閑居《かんきょ》して不善をなす」と言っています。器の小さい人は、暇になるとロクなことをしない。

　ショーペンハウアーも、精神的能力に乏しく、モラルを育《はぐく》む気のない人は、大酒飲みになったり、ギャンブルに手を出して借金地獄に陥ったりする。自分で自分を不幸にしてしまうと言っています。

　その二。何を持っているか。これは所有物、ズバリ財産のことです。財産がどのくらいあれば幸福になれるのかということですが、彼によると、財産の絶対量ではなく、その人の満足度の問題です。あまり物欲がない、穏やかで温和な性格だと、物や富がたくさんなくても、穏やかな気持ちで幸せに暮らせる。でも、これが強欲で、性悪で、疑い深い人だと、どんなに富があっても幸せになれないと言っています。

その三。その人が、他者の表象、印象において何者であるか。つまり、自分は他人に対してどういう印象を与えているかということです。世間の人は、これに左右され過ぎている、他人は自分をどう評価し、どう見ているのかが気になって仕方ない。その心が、不幸を招く。他人の評価を気にし始めたら、不幸の始まり。他人と自分を比較し始めたら、不幸の始まり。

でも、じっくり考えてみると、先ほど挙げた第一の財宝、つまり、「私自身にとって私は何者なのか」ということが一番大事である。それは、「私」に常にそなわっているものであり、孤独のなかで「私」に寄り添い、いかなる事情があっても「私」から奪うことができない最高の財宝である。このように言っております。

駒井　何か身につまされるものがありますね。語り口にユーモアはあるのでしょうか?

鈴木　ええ。人間は褒められることが何よりも嬉しい。よって自画自賛、自分で自分を褒める境地に達した者が一番幸せだ。他人の評価を気にしてはいけません。こういう風にも言っています（笑）。

駒井　なるほど。何か、身近なおじさんのような気がしてきますね。読ませていただいて、所々にそういう面白い感じがあることは、伝わってきましたが。

実業界が肌に合わず、学究の道を志す

駒井　話の角度を変えます。ショーペンハウアーは、裕福な家の出で、財産をたくさん持っていた。財産管理もうまかったらしいですが、これは今で言う財テクみたいなことでしょうか？

鈴木　そうです。

駒井　さらに、ショーペンハウアーの母親は有名な作家だったそうで、その作家であったお母さんと確執があったとか、これも有名な話ですけどヘーゲルをライバル視していたとか、彼自身は女性問題を除くと満たされていたとか、何かこう、男性としては切ない話もあるのですが、そういう人生の歩みで『意志と表象としての世界』を書いたのが三十歳、それから三十年以上経ってからこの本を出していますよね。ですから、この本の彼の言葉には、年齢の重みとか、苦《にが》みとか、ユーモアもそうですが、一味違うものがいろいろ加わっている感じがする。彼は、どんな経歴の人だったのでしょう？

鈴木　ショーペンハウアーは、おっしゃったように、大変裕福な家庭の出です。お父さんは、有能な貿易商でした。お母さんのヨハナさんは、市参事会員、当時の市民階級の一番のアッパークラスの出です。市参事会員の暮らしぶりは、トーマス・マンの『ブッデンブローク家の人々』に詳しく描かれています。

　ショーペンハウアーは長男で、男の子は彼一人。下に九歳年下の妹がいる二人兄妹です。お父さんは、息子に自分のビジネスを継いで欲しかった。当時の国際的なビジネスはフランス語で行われていましたから、九歳の息子をパリ見物に連れ出し、二年間、ル・アーブルの友人宅に預けます。そして彼はフランス語がペラペラになって戻ってきます。

　そのあと、彼はハンブルクの有名な塾の先生の所に通いますが、父のビジネスを継ぐのではなく、学者になりたいと思うようになります。するとお父さんが「学者になるなら、このまま一人でハンブルクに残りなさい。もし、私の事業を継ぐと約束してくれるなら、お母さんと一緒に二年間のヨーロッパ旅行に連れて行ってあげよう」と言います。当時はよほどの財力がなければ、このような大規模な長旅はできません。十五歳の少年はこのヨーロッパ旅行の誘惑に負けて、父に事業を継ぎますと約束し、両親と一緒に旅立ちます。このときにも、英語を身に付けさせるために、六カ月間、ロンドンの寄宿舎に預けられています。

お母さんも教育熱心で、彼に旅日記をつけることを勧めます。彼は、ただの観光旅行に終わらせず、社会問題にも目をやり、どの国にも貧しい人がいて生活に苦しんでいることをつぶさに観察しています。

このヨーロッパ旅行の体験が、後の彼の哲学に大きな影響を与えます。後日、金持ちが退屈しきっているのをみて、困苦と退屈は人間の苦悩の二大源泉であると述べています。

こうして二年にわたるヨーロッパ旅行を終えて帰国しますが、この後、お父さんはめっきり老け込み急死してしまいます。ショーペンハウアーは、お父さんのお友達（市参事会員）のところで実務の見習いをしていたのですが、どうしてもビジネスの世界に馴染めず、隠れて本を読んでいました。

しばらく鬱々《うつうつ》としていますが、やはり学問がしたい。当時の大学は、ラテン語とギリシャ語ができないと入れない。大学に入学するには、十一歳くらいからラテン語の勉強をするのが普通でしたが、彼は十九歳になっていて遅れがありました。通っていたギムナジウムの校長先生がラテン語の大家で、この校長先生にマンツーマンで毎日二時間の猛特訓をしてもらいます。二十一歳で大学に入ります。初めは医学部でしたが、やっぱり哲学だと転部しています。

プライドが高く、ベルリン大学の講師を辞す

鈴木　流行作家だったお母さんのヨハナに話を移します。才気あふれる彼女は、亡くなった夫の会社をたたんで、ゲーテが活躍していたワイマールに移り、サロンを開きます。ゲーテも要人を伴ってしばしば彼女のサロンを訪れました。ゲーテの若き妻クリスティアーネは、普通の市民階級のお嬢さんでした。ワイマールの社交界では、出自を理由に彼女とはお付き合いしないというのが暗黙の了解事項になっていました。そのクリスティアーネを最初にお茶会に呼んだのがヨハナでした。すると、他の女性たちがしぶしぶ見習うようになります。

それから、ワイマールにナポレオン軍が侵攻し、フランス兵の群れが乱暴狼藉《ろうぜき》の限りをつくしたとき、ヨハナの家は略奪を免れ、ヨハナは被害にあった人たちへの援助を惜しみませんでした。これで彼女は一躍名を上げています。

彼女の作品はブロックハウスから二十四巻本で出ています。ショーペンハウアーによれば「うんざりするほど有名」で、彼はどこへ行っても、「あのヨハナさんの息子さん」と言われてうんざりしていたようです。彼の才気はお母さんゆずりですね。

彼は三十二歳でベルリン大学の講師になりました。そのときにベルリン大学の教授をして

いたのが、五十歳のヘーゲルです。ヘーゲルとショーペンハウアーの哲学は、拠《よ》って立つ基盤が違います。ヘーゲルの哲学は、理性の哲学です。現実的なものは理性的である、理性的なものは現実的であるというのがヘーゲル哲学の基盤でした。ショーペンハウアーは、申し上げたように、理性の下でうごめくもの、理性では解明しきれない、人間の暗い衝動という部分にスポットライトを当てています。

ヘーゲルは当時、人気絶頂で、彼の哲学がプロイセンを中心に全ドイツを風靡《ふうび》し、教室は二百人を超える聴講生でぎゅうぎゅう詰めでした。ショーペンハウアーは、ヘーゲルの聴講生を奪ってやるという野心に燃えていたのですが、彼の講義に聴講届を出したのは、たったの八名です。惨敗した結果、プライドが高い彼は大学を辞めてしまいます。親譲りの財産があるので、お金には困りません。

先ほど財テクの話が出ましたが、ショーペンハウアーは財産管理がとても上手です。三十代でイタリア旅行をしていたときに、財産の三分の一を預けていた銀行が倒産したという報《しら》せを受け取ります。そのころは飛行機などないので、イタリアからドイツに帰るには馬車で何日もかかります。そこで当時二十一、二歳だった妹のアデーレに手紙で、「まずこうしなさい。次はこうしなさい」と適切な指示を出します。兄をとても尊敬していたアデーレは指示にテキパキと従います。それと並行して、銀行の支配人にも矢継ぎ早に手紙を出します。そして危機に陥っていた自分の資産を全部取り戻します。

アデーレは、少女時代、ゲーテにも可愛がってもらっています。ワイマールの宮廷でゲーテの戯曲『タウリス島のイフィゲーニエ』が上演されたときには主役を演じ、ゲーテからお褒めの言葉を頂戴しています。ゲーテの息子アウグストのお嫁さんのオッティーリエは、アデーレの親友でした。頭の良いのがアデーレ、美人なのがオッティーリエで、男の人が群がったそうです。

駒井　羨《うらや》ましい話です（笑）。ビジネスの才能は、お父さんの血を感じさせますね。現実的にも優れた判断のできる人だったというのが新鮮でした。

森鷗外、トルストイ、カフカも、ショーペンハウアーに心酔していた

駒井　次はショーペンハウアーの影響関係についてうかがいたいのですが、デカンショ節と言っても今ではなかなか通じないかもしれないけれども、デカルト、カント、ショーペンハウアーは、旧制高校では三大哲学者の扱いを受けていました。日本の文学者とか哲学者で影響を受けた人は誰でしょうか？

鈴木　森鷗外が好んで読んだそうです。軍医で作家だった彼は、ご存知のように翻訳家としても活躍し、ゲーテの『ファウスト』、アンデルセンの『即興詩人』、ほかにもシュニッツラーなどを訳しています。彼は自分の墓には、鷗外ではなく、本名の森林太郎とだけ彫ってほしいと言い残しましたが、これはショーペンハウアーがお弟子さんに、自分の墓にはアルトゥール・ショーペンハウアーとのみ刻んでほしいと頼んだことが影響しているのではないかと言われています。

駒井　ああ、そうなんですか。森鷗外は官僚としてすごく偉くなりましたよね。その反動で本名にしてくれと言ったと思っていましたが、ショーペンハウアーの影響があったのですね。

鈴木　それから鷗外には、『高瀬舟』という、安楽死の問題との関連でよく取り上げられる有名な作品がありますね。『高瀬舟』に出てくる兄弟はとても貧しく、使い走りなどをしてその日暮らしをしています。体の弱い弟は「兄の重荷になる」と自殺を試みますが、死にきれずに苦しんでいる。そこへやって来たお兄さんが苦しむ弟を楽にしてあげる。自殺幇助《ほうじょ》ですね。お兄さんは弟殺しの罪で島送りになります。

　でも、そのときのお兄さんの顔がとても晴れやかなのです。島送りになる人間には、お上《かみ》からわずかなお金が与えられますが、彼はこんな大金はふところにしたことがない、これを島でするしごとの元手《もとで》にしたいなどと言います。
この作品は、ショーペンハウアーの「どの国にも貧しい人がいて、貧苦に喘《あえ》いでいる」という少年時代のドキュメント、そして寡欲《かよく》、財産と欲望とのバランスの問題を扱っているのではないかと思いました。『高瀬舟』は、短いながらも多様な読み方ができる重厚な作品で、鷗外の力量に驚嘆しています。

駒井　鷗外が読んでいたという話は、示唆的で感慨深いですね。目を世界に転じますと、ショーペンハウアーの哲学は、文学者ではロシアのトルストイとか、それからカフカなどに影響を与えたと言われています。その辺りのことについてもお願いします。

鈴木　トルストイは、ショーペンハウアーを尊敬していました。『戦争と平和』の執筆中、人間を取り巻く強大な必然と、かよわい人間の自由の問題を追究しているときに、ショーペンハウアーの著作に出会い、自分が考えていたことと、この哲学者が考えていたことの類似に感激しています。トルストイは詩人で親友のフェート（後に『意志と表象としての世界』をロシア語に翻訳する）宛ての手紙の中で、「私はショーペンハウアーを最も天才的な人物だと確信しております。これは信じられないほどはっきりと美しく照らし出された世界です」と述べ、『戦争と平和』を書きあげます。

カフカは、「言葉の芸術家」としてのショーペンハウアーに心酔していました。カフカの選び抜かれた言葉で構築された文章には、そこはかとないユーモアが漂い、この点でショーペンハウアーに通じるものがあります。

カフカがショーペンハウアーの著作の何に感動したかというと、文体だと思います。私にとってのショーペンハウアーは、いわば実に力強く美しい刀です。ですから、翻訳を光文社から依頼されたときは、「この見事な刀、いただいてよろしいのですね?!」と胸が高鳴りました（笑）。柄を握っただけで喜びに震える。切れ味抜群、「寄り添うごとく刺ししかば、相手は声もなく倒れ伏す」という伝家の宝刀。めったなことでは抜きませんし、抜けませんが（笑）、心の中にいつも持っております。これで生きる勇気と心の平静が得られます。

日本とアメリカは大衆の文化、ヨーロッパは知識人の文化

駒井　今日はダイナミックな面白いお話が続いていますが、ここで少し話題を変えます。

新訳をなさる時に、言葉の新たな広がりや、既訳に対してはどうお考えになったのですか。

鈴木　ショーペンハウアーがこの本を一般の読者向きに書いたことを念頭に置き、楽しく読める本を、と考えました。既訳と比べてどうかと申しますと、人と比べると不幸になるとい

うのがショーペンハウアーの哲理なので、比べないことにしております（笑）。

駒井　いや、敢えて比べてくださいというわけでは……。でも、「意志」にしても、「表象」にしてもそうですが、語彙の奥にある言葉のニュアンスを活かしながらお訳しになったということですよね？

鈴木　あ、そうです。

駒井　そういうふうに心を砕いていただいたせいか、非常に読みやすいと感じます。我々も既訳について何か言うつもりはないですが、時代が下るにつれて、いろいろな工夫がされていることは事実です。そのために読みやすくなっていることはあるでしょうが、ただ、それだけではない。言葉の裏にあるものを引き出していただいたおかげで、彼のユーモアなどが分かって、「あ、そういう人だったのか」という感じがありました。

　この本のなかには、セネカとかアリストテレスとか、それ以外にもギリシャやローマから続いてきた西洋哲学の、彼の時代に近いホッブズなども含めて、たくさんの引用が入っていますよね。たぶん、こういう本を読むヨーロッパの人たちには、西洋思想の伝統が共有されているでしょうから、当然のことなのかもしれませんが、その辺が我々日本人とは大きく違う感じがします。この夥《おびただ》しい数の引用を本文中に入れ込んで何気なく例として挙げる方法が、本当に一般読者に向けて語られているのだろうかという印象をぬぐい去ることができません。

鈴木　私の若き日に、三十歳のフランス人の先生がフランス語の授業中に、「日本とアメリカは大衆の文化、ヨーロッパは知識人の文化である。ヨーロッパのインテリは、文化をリードする責任感の下に行動している」と語っていました。私はこの言葉を重く受けとめました。

ショーペンハウアーは、主にギムナジウムに行くような知識人を相手にしているとはいえ、譬《たと》えが巧みで、多くの人を惹きつけます。イマジネーションに翼があります。

たとえば、「人間はちっぽけな自尊心が何よりも大切で、少しでも傷つくと、うっかり前足を踏まれた仔犬のようにキャンキャン鳴き叫ぶ」、あるいは、媚《こ》びへつらう人間について「どんなに性悪でも、尻尾を振らない犬はいない」と述べています（笑）。

実際に彼は、アートマンという名の黒いプードルを飼っていました。アートマンは「生命の息吹」という意味のサンスクリット語です。ゲーテの『ファウスト』に、メフィストフェレスが黒いプードルに化けて現れます。それで彼も黒いプードルを飼っていたのではないかと私は思っています。

当時の犬の寿命は十年ぐらいだったので、その犬が死亡すると、また、よく似た黒いプードルを飼い、やはりアートマンと名付けました。フランクフルトの町では、いつも同じ時間帯に犬をお供に散歩をしているので、名物になっていたそうです。
　それから、彼は独り言を言う癖がありました。『幸福について』の中でも、「独り言を言う癖のある人は、人と喋っているときにも独り言を言ってしまうかもしれないから気をつけた方がいい」と書いてありますが、おそらく彼は自分のことを念頭に置いているのでしょう(笑)。

「インスタ映え」から「ショウジョウバエ」が

駒井　なるほど。ドイツを含めたヨーロッパには、アメリカや日本と比べると、或る種の知的な階層差がありますでしょう。この本は、その上の階層に向けて書かれ、そこだけで共有されているということなのでしょうか?

鈴木　いいえ、そこには文化全体をリードしなければという知識人としての責任感があります。『読書について』の中でも、学識者、ほんらい言葉をまもるべきインテリ層が、ドイツ語の衰退に手を貸していると批判しています。単語の綴りを勝手に省略してはいかん、ドイツ語とフランス語をごた混ぜにせずに、ドイツ語はドイツ語、フランス語はフランス語としてきちんと正しく使いなさいと言っています。彼が現代の日本にいたら、おそらく「食べれるのような『ら』抜き言葉はいかがなものか？　それから『インスタ』ではなく『インスタグラム』と言いなさい。日本には夕映えという美しい日本語がある。『インスタ映え』なんて、夕映えという美しい日本語に対して失礼じゃないか。インスタ映えと言ってショウジョウバエのごとく群がるとは、嘆かわしい」と言うのではないでしょうか。

駒井　今日の鈴木さんにはショーペンハウアーが憑《ひょう》依《い》していますね。「インスタ映え」から「ショウジョウバエ」が出てくるとは（笑）。

鈴木　言葉を大切にしないと、文化が衰退し、人間の思考力が衰える。思考を惜しむ人間はダメになっていくというのが彼の一貫した考えです。自分の頭で考えることの大切さをくり返し説いています。

駒井　まぁ、本当にその通りで、身につまされますね（笑）。

生涯を独身で貫いた

駒井　次の質問です。この本の最後の章に「年齢による違いについて」という題がついています。この章にある「年齢による違い」というところが、今の時代にピッタリだと思いました。人間は官能的な楽しみ、つまり性欲が失われると自由になり、理性的になれるとあって、「老い」をマイナスと捉えていません。それに、先ほどプードルを連れた散歩の話が出ましたが、彼は、なかなか格好いい人だったようですね。

鈴木　ショーペンハウアーは中肉中背で、骨格がしっかりしていて、瞳は青く、並外《なみはず》れて理知的な光をたたえていたと言われています。服装は年老いてもきちんとしていて、流行にはまったく左右されず、彼の青年時代のモードそのままだったそうです。しかもグルメで健啖《けんたん》家《か》でした。高級レストランで食事をして、しばしば二人前をたいらげたそうです。とても健康な方でした。

ただ、恋愛だけはままならなかった。二十一歳の大学生のときに、カロリーネ・ヤーゲマンという有名な女優さんに恋をしていますが、彼女は十一歳年上で公爵の愛人でした。まず彼女を舞台で見て感激して、次にお母さんのサロンで会ってまた感激しています。でも、カロリーネ・ヤーゲマンは友人に、「ショーペンハウアーさんは、頭はよいのですけれど……」とコッソリ言っていたそうです。

イタリアを旅行していた三十一歳のときに、身分が高く豊かな暮らしをしている女性と親しくなります。ちょうどそのころ、イギリスの詩人バイロンがイタリアに滞在していて、ゲーテが「バイロンに会ってくるといいよ」と言ってわざわざ紹介状を書いてくれました。さて、ショーペンハウアーがその女性と散歩しているときに、馬に乗ったバイロンが颯爽《さっそう》と通り過ぎます。すると彼女が、「今の見た?! バイロンよ!」と大歓声をあげ、そのあと一日中バイロンの強烈な印象から逃れることができませんでした。

ショーペンハウアーは、彼女の心がバイロンに傾くことを怖れ、ついにバイロンに会わずじまいでした。バイロンは彼と同い年です。すでに『チャイルド・ハロルドの巡礼』や『マンフレッド』などの作品で名声を得ていました。そのうえ女性遍歴でも有名でした。女の人は、こういう男性に弱いのです。ショーペンハウアーのショックたるや、いかばかりだったかと思います。もう、ダブルパンチどころか、四つくらいはパンチをくらった感じでしょう(笑)。この女性との恋愛も、妹のアデーレの期待に反して、実りませんでした。

彼はみずからバイロンに会う機会を棒にふったわけで、後年、この嫉妬に狂って判断を誤ったことを、後悔しています。しかし、こうした苦い体験も、彼の哲学的思索の対象となりました。たとえば、概念的なものと、直観的かつ明白なものの違いについて述べています。

馬で走り去るバイロンの後ろ姿のように、直観的で明白なものは、私たちの意志に直接働きかけ、強烈な印象を与え、一瞬で私たちの心を鷲《わし》づかみにする。これに対して、抽象的なもの、概念は意志に間接的にしか働きかけないので、概念をしみじみと受け取るには、心の安らぎと時間が必要である。女性はこの直観的で直接的なものの印象に圧倒されやすく、男性で理性の勝った人物でも、これに動揺しない人はめったにいないと述べています。

その後、ベルリンに住んでいた三十代のときに、メドンという十九歳の歌い手さんと恋仲になっています。だけど、彼女ともうまくいかない。彼はかなり嫉妬深かったようです。歌い手さんなので、ファンからプレゼントがある。そうすると、もう妬《ねた》ましくて彼はそのたびに理性を失う（笑）。たぶん、彼の最大の弱点は嫉妬心だと思います。

しかし、この嫉妬というネガティブな感情についても、哲学的思索をめぐらしています。彼によれば、嫉妬は人間の生存本能、意志と結びついています。意志は生き延びることをなによりも重視し、他者よりも秀でることで、おのれの繁栄をはかろうとするので、他者のすぐれた特性に対する嫉妬が生まれると考えました。ちゃんと自分の哲学に着地させます。

駒井　バイロンと会っていたというのは面白い話ですね。会ったと言っても、後ろ姿ですから直接ではないですが（笑）。彼は、どの恋も実らずに生涯独身を貫き、高齢になって、「年齢による違いについて」を書いて、性欲などから解放されて自由になる。

そういう意味で、今の日本のある程度の年齢の人が読めば、この『幸福について』の最後の章にしみじみと納得がいくような気がします。

鈴木　私もしみじみ納得しながら訳しました。人は年齢を重ねると、若いときとは、時間の過ぎる速度やものの見かたが変わってきますね。ショーペンハウアーは、五十歳になると五歳の時の十倍のスピードで時間が過ぎると言っています。

彼は、人生を刺繍《ししゅう》した布にたとえて、人生の前半は布の表であり、後半は布の裏である。裏は美しくはないけれど、物事のつながりがよく分かると言っています。ショーペンハウアーは、性欲がとても強く、そのために壮絶な苦しみを味わいます。でも、それが彼の生の哲学を生み出したと私は思っています。強い生存本能と、並外れて高い知性と、たくまざるユーモア、この三つが結合して生まれたのが彼の哲学だと感じております。

ショーペンハウアーの「前置き」の付いたセクハラについて

駒井　鈴木さんにとって、翻訳とはどういうお仕事か、ここまでにも語っていただきましたけど、とくに今回、この作品の翻訳をなさって、どういうお仕事だという感じがしましたか？

鈴木　私は子どもの頃から、文章の美しい、内容の濃い作家が好きです。そういうものの翻訳を頼まれると、すごく嬉しい。ショーペンハウアーは、文章の美しさと内容の濃さにおいて、私をとても満足させてくれました。訳すこと自体が喜びであったと、そのように申し上げたいと思います。

駒井　ありがとうございます。もう一度、しっかり読みたいなという気持ちになってきました。

ところで、『自殺について』とか、『知性について』とか、この『幸福について』もそうですが、日本でエッセイとして読まれる哲学者って、他にあまりいないと思います。たとえば、『余録と補遺』が一つの本にして出版されたことはないのでしょうか？

鈴木　白水社の全集がありますが、『余録と補遺』だけを抜き出しているわけではありません。

駒井　そうなのですか。もう一つ、ショーペンハウアーは、女性蔑視とまでは言いませんが、男性は体力と精神力の点で女性より勝っているとか、ちょっと気になるところがありませんか？

鈴木　そうそう。女性は十八歳から二十八歳までが一番いいとか。これだけでも衝撃的で、いまならセクハラ、パワハラ、モラハラ、マタハラのオンパレードで、セパ両軍、シンフォニー付きと言われそう（笑）ですが、まず十九世紀の社会背景と女性たちの立場についてお話ししたいと思います。

当時は、平均寿命が三十代で、現在とは比較にならないほど短命でした。一般的に女性は家庭のなかで生き、娘時代は父親の保護・監督下におかれ、結婚後は持参金があっても基本的に夫の庇護下《ひごか》におかれます。十六歳で適齢期に入ります。十六、七歳の若い女性が三十代半ば過ぎの男性と結婚するというのは、ごく普通のことでした。ゲーテのお父さんとお母さんがそうでしたし、ショーペンハウアーのお母さんも十八歳の時に三十七歳のフローリスさんと結婚しています。結婚する時点で親子ほど年齢が違います。

それから、乳幼児の死亡率がひじょうに高い。十人産んで二人しか育て上げることができなかったというケースは稀ではなく、出産で命を落とす女性も少なくありませんでした。そうすると、若くて健康な女性に無事出産してもらい、生まれた子どもを健やかに成人させ、財産を継がせること、これが結婚生活の重大な課題となります。

ですから、この十八歳から二十八歳までの女性がいいという文言は、十九世紀の中・上流階級の資産のある男性が、子孫の繁栄を視野に入れながら、結婚の対象となる女性を思い浮かべたときに、という長い前置きを付けて受けとめてください。

いま読むと物議をかもす発言ですが、彼の思想の出発点である生きんとする意志、そして次の世代へ命をつなぐエロスの観点からとらえていただけると嬉しいですね。

哲学の翻訳が抱える困難な課題

駒井　もう一つ。ショーペンハウアーが語ることに、仏教というか東洋的な感じがするところがあると感じるのですが、これについてはいかがでしょうか。

鈴木　彼は、ワイマールにいた頃、つまり二十五歳くらいのとき、ヘルダーの弟子で東洋学者のフリードリヒ・マイヤーを通じてインド哲学を知りました。インド哲学は、ヨーロッパでは当時ほとんど知られておらず、彼は西洋の伝統思想の中にはじめて仏教的思想を取り入れた人と言ってもよいのではないかと思います。

　彼は東洋の思想や叡智《えいち》によって、西洋近代合理主義の限界を乗り越えようとしました。理性中心主義の西洋哲学に行きづまりを感じて、東洋哲学に活路を見出そうとする姿勢は、二十世紀初頭の文学者・芸術家に数多く見られますが、彼はその先駆けです。

駒井　ドイツではショーペンハウアーはどう受け取られているのですか？　若い人に人気はあるのでしょうか？

鈴木　二十世紀初頭には、盛んにショーペンハウアーやニーチェが読まれました。フランスですと、日本の高校に当たるリセでも哲学を学ぶので、哲学に対する受けとめ方が日本とは違って、もっとずっと身近です。日本では、哲学は日常生活とはかけ離れた所にあって、文学部の哲学科の人が暗い顔をして学ぶものというイメージがありますが、もっと身近なものとして、ショーペンハウアーを懐刀《ふところがたな》にして頂きたい（笑）。

駒井　日本の場合、哲学の翻訳語が、二字熟語というか、漢字で概念を表すという翻訳になってしまいますよね。元々は日常語に近い言葉だったりするのに、そこが、翻訳で読むときに苦しいところですね。

鈴木　ハイデガーなども、ほとんどが講義録なので、耳で聞いて分かる言葉で書かれているはずだと思います。でも、哲学用語の抽象的で広範な事柄を一つの言葉におさめようとしても、なかなか適切な日本語が見つからず、日本語の限界との格闘技になってきます。

　私たち日本人の外国文学・哲学の翻訳の歴史は、こうした苦闘の歴史ではないかと思います。『意志と表象としての世界』も、明治四十三年に初めて出た邦訳のタイトルは『意志と現識としての世界』でした。「現識」もしくは「表象」の原語は「Vorstellung」。「Vor」というのは「前に」、「世界は私の〈Vorstellung〉である」というのは、世界は私の目の前にあらわれたもの、私がイメージするもの、私が思い浮かべたものであるという意味です。

駒井　その辺の翻訳はまだいろいろ、新しい試みがなされていかなければならないですね。

鈴木　日本語にする難しさは、どんなに一生懸命やっても、薄いベールがかかってしまうことにあります。この一枚のベールをいかに突破するかということが、翻訳の大きな課題ですね。

駒井　ということで、内容の濃い一時間半でした。今日はここまでにいたします。

（二〇一九年一月三十一日）

『幸福について』を読んだ人に、さらにお勧めの4冊

1

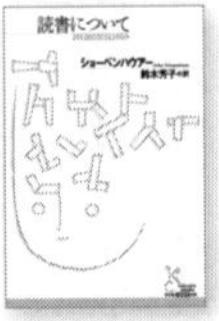

『読書について』
ショーペンハウアー　鈴木芳子訳
光文社古典新訳文庫
「読書は自分で考えることの代わりにしかならない。自分の思索の手綱を他人にゆだねることだ」「多読に走ると、自分の頭で考える力が失われてゆく」……。読書の達人であり、一流の文章家でもあった哲学者ショーペンハウアーが放つアフォリズム。率直さゆえに辛辣に響く言葉の奥には、深い人生哲学がある。

2

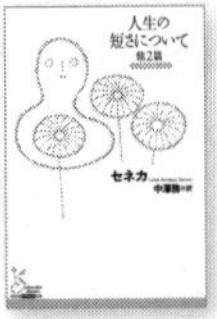

『人生の短さについて　他2篇』
セネカ　中澤務訳
光文社古典新訳文庫
古代ローマの哲人・セネカの言葉が時代を超えて、現代を生きる我々の胸に迫る。酒色に溺れて時間を浪費すれば人生はとても短いが、きちんと過ごせば長くなると説く表題作。逆境にある息子の不運を嘆き悲しむ母親を、自らなぐさめ励ます「母ヘルウィアへのなぐさめ」など。セネカから学ぶ“人生の処方箋”。

3

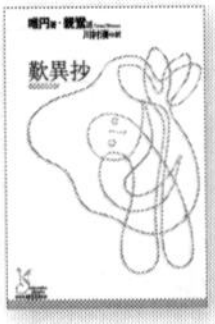

『歎異抄』
唯円・著　親鸞・述　川村湊訳
光文社古典新訳文庫
「アミダ如来はんにいただいた信心を、おれのもんやいう顔で取り返そういうのんは、ホンマにアホらしいことやで」。天災や飢饉に見舞われ、戦乱の続く鎌倉時代初期。今日の混乱にも通じる無常の世にあって、唯円は師が確信した「他力」の真意を庶民に伝えることに専心した。関西弁で話したであろう親鸞の肉声が生き生きと蘇る。

4

『自省録』
マルクス・アウレーリウス　神谷美恵子訳
岩波文庫
この書物は、いろいろな人物に愛読され、話題にされてきたローマ時代の哲学書として、わが国でもよく知られている。マルクス・アウレーリウスはローマ皇帝でありながら、ストア派の哲人として生きた稀有な人物。皇帝として多忙な人生を送りながらも、内省を繰り返した人の内面の記録。精神科医であった神谷美恵子さんの翻訳。

英米文学の扉

英米文学への入り口（駒井）

ロンドンの出版社を仕事で訪れた時のことです。通された部屋は、重厚な調度品が置かれたいかにもイギリス的な雰囲気の漂う場所でした。しかしながら、にこやかに現れた女性の版権担当者に自己紹介をしている時から気になっていたのは、ゴーッ、ゴーッと凄まじい音を立て続ける天井の空調装置でした。しばらくイギリスで評判になっている新刊の話をしているうちに、空調の音に負けまいと知らぬうちに大声を出している自分に気づいて、笑いそうになりました。相手の女性も私の困惑ぶりに笑いを堪《こら》えながらこう言いました。

「うるさいでしょう、この部屋は。私たちはここを『嵐が丘』と呼んでいるの」

実に気の利いたジョークに笑い出しながらも、私を静かな驚きで満たしたのは、自然に出てきた『嵐が丘』という表現でした。思えば彼女は、自国の文学作品の名を挙げただけなのですから、当たり前と言えば当たり前なのです。たとえて言えば、私たちが冬の旅の途中でトンネルを抜けた時に雪景色を見ると、川端康成の『雪国』を想起するようなものでしょう。

しかし、当然ながら『嵐が丘』は、イギリス十九世紀を代表する小説ですから、私たち日本人にとっては古典中の古典。イギリスを代表する偉大な小説の一つだと知っています。不幸なことに、そうなればなるほど手の届かない存在になり、現在では残念ながら、『嵐が丘』は名のみ知られる古典になってしまった感さえあります。それは『嵐が丘』にとどまりません。人口に膾炙《かいしゃ》した作品でありながら、実際にはあまり読まれることのない英語圏の古典作品はたくさんあると思います。

さて、本章で取り上げた三作は、いずれ劣らぬ古典の名作ばかりです。

イギリス文学からは二作。気鋭の英文学者・唐戸《からと》信嘉《のぶよし》さんが翻訳を手がけた、ダニエル・デフォー『ロビンソン・クルーソー』と、長年のキャリアを誇るプロの翻訳家の黒原敏行さんが見事に新訳した、オルダス・ハクスリー『すばらしい新世界』です。

『ロビンソン・クルーソー』は、子どものころから縮約版で楽しんで読んだ方も多いのではないかと思います。しかし、これは単なる子ども向けの冒険譚ではありません。驚くなかれ、世界の百カ国以上の言語に翻訳されてきたのが何よりの証です。当時のイギリス社会の抱えていた問題や、主人公の心理や行動には、意外なほどの現代性があります。

この作品は、デフォーが五十九歳の時に執筆されましたが、十八世紀の初頭に書かれた初めてのイギリス近代小説であることを唐戸さんから教えられました。そしてデフォー自身が、ロビンソン・クルーソーのような変わり者であったというお話など、この作品を楽しむヒントをたくさんいただきました。

『すばらしい新世界』は、世界中がネットでつながり、二十一世紀型のデジタル文化が目に見える形で出現した現代において、いわゆる「ディストピア小説」と呼ばれるジャンルがなぜ隆盛を誇るのかが理解できる作品です。

この作品が、ジョージ・オーウェルの『一九八四年』と比較されることが多いのは、よく知られていますが、『一九八四年』がソ連のスターリニズム批判をテーマにした小説だとすれば、黒原さんは、『すばらしい新世界』は、比喩的に言えば、アメリカをモデルにしたディストピア小説ではないかと言うのです。

そしてこの『一九八四年』と『すばらしい新世界』の二作品こそ、このジャンルにおける東西両横綱であると評価します。さらにはこの『すばらしい新世界』の流れを継承するディストピア小説が現在も続々と刊行されていることに、この作品の持つ先見性と革新性を見ています。飲むと気分がよくなる薬「ソーマ」のエピソードなどを読むと、二十一世紀のいま、これ以上ないくらいリアルな小説として読めるのではないでしょうか。

アメリカの作家、メルヴィルを知らない人はいないでしょう。では『白鯨』という作品を最後まで読んだ人は？　何を隠そう、わたしもかつて挫折した一人でした。世に名高い古典作品を読むことができないと自分を責めてしまうのは仕方がないこととはいえ、ここで取り上げる二作を読むと、自罰的に過ぎることがお分かりになるはずです。

『書記バートルビー／漂流船』の訳者で、「日本メルヴィル学会」の会長である牧野有通《ありみち》さんのお話を聞いて、なるほど、メルヴィルってそういう作家なんだ、と納得するのは聞き手の私だけではないはずです。こういう導きがあって読むメルヴィルは、非常に現代的かつ魅力的だということが分かります。まさに目から鱗《うろこ》です。「書記バートルビー」の主人公の持つ不可思議な魅力は、まさにカフカ的な不条理小説に登場する人物のようにも思えます。

一方、「漂流船」は、メルヴィルが奴隷制に対して批判的であったことから生まれた作品であるという牧野さんのお話を聞いて、非常に驚くと同時に納得がいきました。

さあ、前置きはここまでにします。それでは魅力的な英米文学への旅に出かけましょう。

第7夜

Daniel Defoe / ROBINSON CRUSOE

デフォー『ロビンソン・クルーソー』

唐戸信嘉×駒井 稔

百カ国以上で訳された「イギリス最初の小説」の持つ魅力

ダニエル・デフォー（1660-1731）
イギリスの小説家、ジャーナリスト。ロンドンでカルバン派の家庭に生まれたため、非国教徒の学院で学んだ。卒業後は有能な商人として手広く商売をするが、大口の投資に失敗し32歳で破産。その後は著述家・ジャーナリストとして活躍しながら、政治家の密偵も務める。1719年に『ロビンソン・クルーソー』を刊行。これは英国文学初の小説のひとつとされ、後世に多大な影響を与えた。

『ロビンソン・クルーソー』
船に乗るたびに災難に見舞われるロビンソン。無人島に漂着し、さすがに悪運が尽きたかと観念したが、逆境にも負けず、敵や獣の侵入しない住居を建て、野生のヤギを家畜にし、大麦や米の栽培、土器を作り、パンを焼くなど、不屈の精神で生き抜こうと様々な試みをする。結果として28年も暮らすことになるのだが……。創意工夫と不屈の精神で生き抜いた男の波瀾の生涯を描いた傑作。

唐戸信嘉　1980年生まれ。立教大学大学院文学研究科博士課程修了。博士（文学）。茨城キリスト教大学准教授。イギリス文学専攻。共著書に『鳥と人間をめぐる思考』など。訳書に、本書のほかにディケンズ『オリバー・ツイスト』がある。

サバイバル物語『ロビンソン・クルーソー』を選んだ理由《わけ》

駒井　今夜はデフォーの『ロビンソン・クルーソー』です。告白すると私は子どもの頃に縮約版では読んでいるのですが、完訳の『ロビンソン・クルーソー』を読んだのは今回が初めてでした。素晴らしい訳で、こういう小説だったのかと非常に面白く読むことができました。今日はその翻訳をしていただいた唐戸《からと》信嘉《のぶよし》さんにいろいろお話をうかがいたいと思います。

唐戸　唐戸です。よろしくお願いいたします。

駒井　『ロビンソン・クルーソー』には、肩にオウムを乗せ、召使いにフライデーがいるというイメージをお持ちの方が多いと思います。でも実際は、岩波文庫版で上下巻二冊分という長い物語なんですね。唐戸さんは、『ロビンソン・クルーソー』がイギリスで初めての小説だとお書きになっていますが、そのことも含めて、『ロビンソン・クルーソー』にはどんな面白さがあるのかというところから始めていただけるでしょうか。

　唐戸さんは、最初は吉田健一訳、次に増田義郎訳というように、この小説に早い時期から親しんでおられますが、まずそんなに惹かれた理由からお願いいします。

唐戸　冒険小説がとても好きで、中学生ぐらいのときにはジュール・ヴェルヌとか、ウェルズなどを読んでいました。最初にこの作品に触れたのは、僕も絵本のようなものでだったと思います。それで「こういう話なのか」とわかったような気になっていたわけですけど、吉田健一訳でオリジナルを読んで夢中になりました。

駒井　その後に増田訳、さらに原書でも読んでおられますが、大学生ぐらいのときですか？

唐戸　大学生になっていたと思います。増田義郎さんは、一度講演を聴いたことがあって、南米に関する該博な知識に圧倒されました。その増田さんが『ロビンソン・クルーソー』を訳されているというので、気になって本屋で探すと、日本語がとても読みやすく、改めて読み直すことになりました。

駒井　なるほど。増田訳は確かに読みやすいですが、『ロビンソン・クルーソー』には今のお二人以外に平井正穂《まさお》訳もある。最近ですと武田将明さん。他にもまだまだあります。

　これだけ繰り返し訳されてきた『ロビンソン・クルーソー』に、また新訳でチャレンジしたいと思った最大の理由は何だったのですか。

唐戸　もう何年か前ですけれど、ルイス・ダートネルという科学者の、今は河出文庫に入っている、『この世界が消えたあとの科学文明のつくりかた』という本が注目を集めました。サバイバルもののノンフィクションで、我々は科学文明の時代を生きているが、日常生活で世話になっている道具の構造や原理をどれだけ知っているか。文明が崩壊したら自分で作ることができないのではという疑問から書かれた本です。

それを非常に面白く読んだのですが、読みながら『ロビンソン・クルーソー』のことが常に念頭にありました。ダートネルの本をきっかけに、今一度『ロビンソン・クルーソー』の現代性を再認識したのです。

駒井　困難な状況の中で、主人公が生き残っていくために戦うという『ロビンソン・クルーソー』は、まさにサバイバルの物語ですが、そういう物語がお好きなんですね。

訳文の工夫――日本の山岳小説や、聖書的語り口も意識

駒井　他に好きだった作品は？

唐戸　『十五少年漂流記』の他に、ゴールディングの『蠅の王』とか。

駒井　島の中でいろいろ起こる話が好きなんですね。

唐戸　そうです。地図などが付いていれば、なおいい（笑）。

駒井　『十五少年漂流記』や『蠅の王』は、『ロビンソン・クルーソー』の影響があるということでしょうか。やっぱりそういうところがお好きだと。

唐戸　そうですね。それで訳文のことですが、増田訳は、とても良い訳だと思って読んだの

で、それがわかっていながら新訳するのは、かなり勇気の要ることだと自分でも思っているんです。でも訳文の調子が、原文を読んで受けた印象とはちょっと違うという思いもありました。原文はもう少しハードボイルドな感じでスピード感がある。そしてそれなりの硬さもある。無人島での孤独な思索はときに難解で、理屈っぽく、哲学的です。そこの感じが他の翻訳では柔らか過ぎたり、もしくは硬過ぎたりという印象があったので、自分が訳したら違うだろうなと思ったのです。

駒井 そのハードボイルドな感じ、「ちょっと違う感じ」を、具体的にはどんなところにお感じになったのでしょうか。『ロビンソン・クルーソー』は、島に一人取り残されて、道具を自分で作り、サバイバルして、二十八年後に船で助けられイギリスに戻るというお話ですが、最後のほうにフライデーという同伴者が出てくるものの、ほとんどは一人で暮らしていくわけですよね。そのどの辺りが、ハードボイルドな原文と違うとお考えになったのですか。

唐戸 一人であれこれ悩むわけですが、同時に理性が彼を鼓舞し、勇敢に状況に立ち向かうところです。ちょっと脱線しますけど、僕は日本の山岳小説も好きなんです。ああいうものは、ただ山を登っているだけですから、登場人物がほとんど出てこない。一人で何をした、こう思ったというだけですが、そうした物語が頭の中にありました。淡々としていながら、強い意志で前へ進むという感じが、両者には共通している。子どもの頃は『ロビンソン・クルーソー』の後半が面白かったんですが、大人になると、前半の一人でああだこうだと考えるところに魅力を感じるようになりました。

あと、この物語全体に散見される、聖書的語り口も意識しました。その感じを上手く訳したいと思ったのです。僕の訳では「というのも～である」という言い方がたくさん出てきます。これなども、結論や結果を先に言って、その後に理由を説明する聖書的文体を再現しようとしたものです。

駒井　なるほど。日本の山岳小説とは、たとえばどういう作家のものですか？

唐戸　新田次郎の小説は学生時代、ずいぶん熱心に読みました。

駒井　一人で自然と戦っていく、そういう深みのあるテーマがお好きなんですね。加えて宗教的な部分もある。そういう部分の訳し方が、今までのものとは違うわけですね。

『ロビンソン・クルーソー』には恋愛がない

駒井　ところで、唐戸さんの「解説」に、この作品は百カ国以上で訳されたとあります。三十カ国なら聞くことがあっても、百カ国とは初めてでした。意外なところではどの辺が？

唐戸　イヌイット語とか、マオリ語とか。ヨーロッパだけでなくアジアでも、ほとんどの言語に訳されていて、中国では『ロビンソン・クルーソー』は相当人気があるらしいです。調べてみると翻訳の数が結構ある。

駒井　世界中でそれだけ読まれ、しかも日本ではこんなに翻訳の種類がある。ちょっと珍しい作品だと思いますが、この小説の普遍的な魅力というのは、一体何なのでしょう。

唐戸　サバイバルの主題でしょうか。文学研究などでは、よくジョイスの意見が引き合いに出され、クルーソーは典型的なイギリス人だと言われます。アングロサクソン人らしい、腕っ節が強くて勇敢で、大胆なことも平気でやってみせる。自分の身の回りのことはだいたい自分でできる。海外に出かけていくことにも動じないし、経済的な感覚も強いと。そんなクルーソーは、近代における典型的な英雄像に近いのではないでしょうか。

　ちなみに、『ロビンソン・クルーソー』には恋愛がありません。そこも隠れたイギリスらしさです。イギリスの文学史は『ベーオウルフ』（作者不詳の最古の伝承叙事詩）から始まるとされていますが、これにも恋愛の要素がないんです。イアン・フレミングの『００７』シリーズにはあるけれど、あれはフランスのロマンの影響をこうむった現代の物語なので入っているわけで、それ以前のイギリスの小説は恋愛の要素に乏しいし、それが元来のイギリスらしさかなと思います。

駒井　でも、イギリス人が恋愛しないというわけではないでしょう。小説にはあまり現れないということでしょうか。だとしたら、それは何故なんですか？

唐戸　もちろん恋愛はしますが、物語ではすぐお金の話になるわけです。結婚となると「持参金がいくらで」という話にすぐなる。これはドライと言えばドライですけど、二十世紀初めまでのイギリスの小説にはそうした傾向が強い。背後に心と心の情熱的なドラマがあったとしても、書かないかサラッとすませてしまう。経済的な部分を好んで描くのがすごくイギリスらしいと思っているんですけど。

駒井　ディケンズなんかにも、そういうところがありますね。

デフォーの生涯

駒井　『ロビンソン・クルーソー』は十八世紀の初頭に書かれた小説で、もう三百年前の小説になりますけど、唐戸さんはイギリスの小説の胞子と言うか、一番最初に現れた小説らしい小説だとお書きになっている。デフォーは十七世紀から十八世紀にかけての人ですけど、この人は、新聞記事を書いたりして、ジャーナリスティックなところがあるんですよね。小説は五十代の終わりになってからで、『ロビンソン・クルーソー』は五十九歳で書いている。これも驚きですが、五十代の終わりになるまで、小説以外のものを書いているわけです。

そこで、デフォーとは一体どういう人間なのかということと、それから僕が昔読んだものに、ペストを扱った作品があって、ロンドンがペストに襲われたときのことが克明に書いてあるんですが、これは一種のルポルタージュ風の恐ろしい読み物でして、読むとちょっと戦《せん》慄《りつ》を覚える。僕は最初に読んだときに、「デフォーとは、あのデフォーのことだよな」と思ったぐらいに、中身はどのぐらい死んでいるとか、統計をきちんとジャーナリスティックに入れているので、それがとても印象的でした。そういう意味で、『ロビンソン・クルーソー』はよく知られているのに、デフォーについては知られていないところがありますね。

唐戸　デフォーは一六六〇年に生まれています。親は商人ですが、商人の生まれというのは、イギリスの文人では珍しいことではなく、チョーサーなどは葡萄酒商人の倅《せがれ》です。デフォーは、クリップルゲートというロンドンの中心街で生まれました。裕福というわけではないですけど、さりとて貧しいわけでもない家に生まれています。

今、駒井さんからお話があった、『疫病の年の記録（A Journal of the Plague Year）』という作品は、彼が五歳のときにロンドンを襲ったペストを書いたものです。伝記によると、デフォーは住所こそロンドンでしたが、当時は疫病から逃れるため地方へ避難していた。後年、そのときロンドンにとどまった親戚から話を聞くなどして調査をし、それを再構成して『疫病の年の記録』を書いている。

ジャーナリズムっぽい作品で、どういう順序でどこからどこに疫病が広がって、どこでどれぐらい亡くなり、ロンドン市はどんな手段をとって、亡くなった人をどう埋葬したかといったことを、ルポルタージュ風に書いていています。

彼は家が非国教徒です。国教徒だと何の問題もないですけど、同じプロテスタントでも英国国教会ではなく両親がカルバン派の信者だった。だから彼もカルバン派ですが、そのため大学に行くことができなくて、非国教徒のための小さな私学で学んでいます。でも、そのときに、ニュートンの科学的な考え方を信奉する教師に習ったおかげで、ジャーナリズムに関心を持ったのだろうと言われています。「科学的な考え方」と「明快な散文」はこの時代には同じもので、科学的な考え方をする人は明快な散文を書く力を重視したのです。

著書『事業計画案』で、先験的な提言

唐戸　この時代の特徴は、宗教的な対立が激しかったことです。カトリックか、それともプロテスタントか、プロテスタントの中でも何派なのかといったことが、社会的に重要な意味を持つ時代でした。当時のイギリスの政治も、カトリックか、プロテスタントか、同じプロテスタントでも非国教徒に寛容なのかというようなことが、かなり大きな要素となっていた。デフォーは自分が非国教徒であることを強く意識していました。それがたぶん、彼がジャーナリズムに走った理由でもあるわけです。つまり政治的なことに対して率先して発言して生きていこうという動機があった。

でも、彼の本業は商人で、いろんなものを売って生計を立てていた。「香水になるから儲かる」と考え、たくさんのジャコウネコを飼っていたというエピソードもあります。山師的なところもあり、失敗も多い。記録が残っているだけでも八回訴えられています。で、九二年には破産している。経済的にトラブル続きだったわけですが、九四年にはレンガ工場の経営で成功したという記録があって、生計を立て直すことができたらしい。

それでも、一生を通じて彼はいろいろな金銭トラブルに見舞われます。破産で負った借金も大きく、五十九歳で初めて小説を書いた背景には、その売上げを何かの足しにしようとしたのではないかという気がします。

駒井　著述そのものを開始したのはいつ頃なのですか。

唐戸　三十代からいろいろ書いていますが、政治経済に関する提言とか意見が多いんです。で、『事業計画案（An Essay Upon Projects）』という硬い本を出しています。これは「今の社会システムは、こういうところが良くないから、こう直したらいいんじゃないか」という提言が載っていて、今ではそのほとんどが実現されています。

たとえば、「銀行をもっと発展させるべきだ」「商人に融資していろいろな商売をどんどんやらせるべきだ」、それから「物流のシステムを整えるために、国道をもっと直さないといけない」とか「舗装道路も造らなければいけない」とも言っています。それから「保険」の重要性を説いたりもしています。保険というのはこの時代のイギリスで始まった商売ですけども、もともと船を持っている船長さんとかが、船は一人で買えるほど安いものではない上に、嵐に遭ったりして失ってしまうことがあったものですから、そのために作られた。世界で最初の保険会社「ロイズ」の設立もこのころです。

それから「女性の教育を進めるべきだ」とも言っています。イギリスで女性が大学に入学できるようになるのは十九世紀の半ばですから、かなり早い時期にこういうことを提言している。さらに「債務者監獄の廃止」。十九世紀の前半ぐらいまでは、借金を返せない人は監獄に入れられていたので、これも良くないと。このようにほとんどが実現よりも五十年から百年ぐらい、ものによっては二百年ぐらい早い時期に提案がなされています。

監獄、晒し台、執筆、スパイ――波瀾万丈のその末に

唐戸　今も言いましたが、債務者監獄という、借金を負った人が入る監獄がロンドンにありました。ディケンズの小説にも出てきますが、デフォーも借金が返せずここに入っています。

それと、これは有名な事件ですが、デフォーは自分が非国教徒であるにもかかわらず、非国教徒を差別するような、「こういうやつらは、社会からいなくなってしまえばいい」という文章を書いたんです。何故書いたかというと、相手の立場に立って、普段、世間の大多数の人は、こういうふうに自分たちを差別していると訴えるために、敢えてその人たちに成り代わり、その非情さを伝えようとしたというんですけど、やり方が風変わりだったので、理解されなかった。だから、デフォーを応援していた人たちは、「何で急にそんなこと言うんだ」と怒った。デフォーを快く思っていなかった人たちは、「逮捕してしまえ」と言って、逮捕状が出たのです。実際に逮捕されて、晒し台の刑に遭うことになった。

どういう刑かと言うと、「晒し台に上げられた者は一般市民が好きにして構わない」という刑です。だから、だいたい殺されちゃう。でも、デフォーは酷い目に遭わずに、何ごとも

なく刑を終えたと記録に残っています。こういう記録をみると、デフォーという人は、ロンドンの人々から本当に嫌われていたわけではないことがわかります。いろいろ騒ぎは起こすが、根は悪い人ではない。そう思われていた。

結婚に関してはごく真面目で、若いときに結婚し、その奥さんとの間に子どもが大勢いました。長老教会派という、かなり厳格な教義を信じていたこともあると思いますが、家庭生活はごく真面目な人です。政治や商売には、たいへんな冒険家でしたけども。

監獄に入ってもうダメかなというときに、有名な政治家のロバート・ハーリーという人に助けられます。その時は互いにまだ面識はなかった。ハーリーは、デフォーが新聞とか雑誌などによくコメントを寄せていたので、政治に詳しく、筆が立つから、目をかけてやれば自分の手先として使えると考えたわけです。この人の影響下でデフォーは『レヴュー』という、政治的な意見を述べる媒体を発行し、九年間も一人で執筆することになるんです。

この時代にジャーナリズムが花開くのは、出版物にかけられていた制限が解けて、比較的自由になったからでした。さまざまな新聞が発刊されて、その一つをデフォーが書いていたわけです。

それからデフォーというと、外すわけにはいかない出来事があります。今イングランドとスコットランドは同じイギリスという国家になっていますが、それが統合したのは一七〇七年なんですね。この政策を進めたのがロバート・ハーリーだったのですが、その手先になったデフォーが、スコットランドのエディンバラに潜入して世論操作などの事前の工作活動を一人でやってのけ、人々の意見を統合に賛成するほうに上手く導いたと言われています。だから、デフォーのもう一つの顔はスパイなんです。

私掠船乗りだったロビンソン・クルーソーのモデル

唐戸　五十九歳になって初めて小説を書くわけですが、当時は海外に多くの船が行っている時代で、大冒険をしてきた船長などが帰ってくると、その旅行記を出してかなり売れていた。だから、デフォーの最初の発想はたぶん、「そういうものを書いて金儲けしよう」だったと思うんです。

しかし、彼の凄いところは、「フィクションで書いたってかまわないだろう」と考えたことです。もともとはノンフィクションという体裁で出版されましたので、最初、読者はそこに書かれていることが真実だと信じた。早い段階でデフォーが書いたフィクションだとバレたらしいですけど。

『ロビンソン・クルーソー』のモデルの一人とされているのは、アレグザンダー・セルカークというスコットランド人です。彼が住んでいたと言われる田舎の一軒家に、現在、彼の銅像が建っています。

その当時はイギリスから私掠船《しりやくせん》という船が南米などに行っていたんですけど、これは「イギリス国以外の国の船を見つけたら襲ってもよい」という、国家公認の海賊船です。こういう船に乗って、荒稼ぎをする若者がいたんですね。セルカークも、ウィリアム・ダンピアという有名な船長の船に乗って出かけたのですが、ファン・フェルナンデス諸島というところで諍《いさか》いがあって降りざるを得なくなり、そこで四年四カ月の間、無人島生活をするんです。

このエピソードが、のちに彼を発見してイギリスに連れ帰った船長の航海記に出てくる。デフォーはそれを読み、それが執筆の一つのきっかけになったと言われています。

ちなみに、今、世界地図を広げて南太平洋を見ると、チリの沖合いにロビンソン・クルーソー島という島がありますが、これはロビンソン・クルーソーがいたわけではなく、セルカークがいたところです。

駒井　ありがとうございます。つまり『ロビンソン・クルーソー』には、自分でコツコツ何かを作ってという実直なイメージがあるけれども、デフォーがそうだったように、その当時の若者はかなり進取の気性に富んでいて、さっきの私掠船のように、国家のお墨付きを得て海賊をするような生き方が、『ロビンソン・クルーソー』の時代には普通にあったと。

唐戸　そうですね。今だとちょっと信じられないですけども。

駒井　要するにロビンソン・クルーソーが、特別な人間であったわけではない。僕らが日本人として小説を読んでいると、ロビンソン・クルーソーは非常に変わった男で、父親の説得も聞かずに海に出て、あっちこっちを彷徨《さまよ》い、言葉を選ばずに言ってしまえば、金銭的な欲の強い男だった。唐戸さんの「解説」には「古い共同体が終わりを迎えつつあった時代に、主人公が放浪するのはむしろ当然である」という言葉がありますが、この「古い」というのは、要するに封建的な時代のことですよね。

唐戸　そうです。中世的な、自分の生まれた故郷に根ざした生き方が一般的だった時代です。それがいつどこで崩れたかというのは、なかなか難しい問題ですが、少なくともこの時代、とくにロンドンに住んでいたデフォーにはもう過去のものでした。

近代人の複雑さ

駒井　近代人であるロビンソン・クルーソーが、ヤギを家畜にしたり、丸太から板を切り出したり、パンを焼いたりと、全てを自分でコントロールするのは、イギリス人の近代人としての自立を象徴的に示しているという見方がありますが、それについてはどう思われますか。

唐戸　その通りだと思います。狩猟が好きで、日曜大工も好きで、とにかく自分で何でもやる。そうした地に足のついた自助精神は、近代になって広くイギリス的美徳と見なされるようになります。

駒井　そうなのですね。忠実な召使いになるフライデーとか、ブラジルで面倒をみてくれる船長とか、多くの人が正直で、遺産を渡しても誰も裏切らない。私はこの小説を読んで、正直で人を裏切らない人が多いのが非常に印象的でした。もちろん海賊とか、船が反乱を起こすということはありますが、これはどう解釈すればよいでしょうか。

唐戸　デフォーの他の作品には、『モール・フランダース』や『ロクサーナ』もありますけど、これは出てくる人がみんな悪党みたいな感じですので、なぜ最初のこの作品がこういう感じになったかというのは、なかなか難しいところだとは思いますけれども。

ただ、デフォーは、山っ気はありますが、道徳的な考え方はしっかりしていると思うんです。だからそういうところは出ていると思いますね、厳格なプロテスタントという……。

駒井　スパイをやっていたという話を聞くと、なんか複雑な人ですね。

イギリス最初の近代小説と呼ばれたのはなぜ？

駒井　よく言われることに食人の問題があります。野蛮人が、戦って捕虜にした人間を食べてしまうとか、読むと結構恐ろしい。で、怒るわけです、ロビンソン・クルーソーは。

　野蛮人なら、戦いに勝って捕虜にした人間を食べて当然と考える視点があって、その辺は当時のヨーロッパ人が見た野蛮人という感じの描写が続く。その中でフライデーは、食べられそうになる仲間を救い、スペインからイギリスに帰るときの山越えなどでは、みんなを楽しませたり、何か不思議なエピソードがあって、この辺が近代的なのかなと思ったりするわけです。この小説が、イギリスで最初の小説と言われているのは何故でしょうか？

唐戸　小説の定義にもよるのですが、散文で書かれたフィクションで、個人としての主人公を中心に展開される物語という点では、『ロビンソン・クルーソー』がやはりその第一号となるようです。

　しかし、人間の心理、とりわけ恋愛心理への関心を小説の定義の一部とした場合は、ちょっと話が違ってくる。たとえば、同時期に出たサミュエル・リチャードソンの『パミラ』という作品などは、心理小説です。道徳的に厳格な女の子が、自分の雇い主と結婚することになる話ですけど、最初は、彼女はその人が嫌いなんです。ですが、その男性とのやり取りの中で、結局二人は仲良くなり最後は結婚する。そのような結末に至るまでの心理的なドラマが『パミラ』の中心にはある。

それと比べると『ロビンソン・クルーソー』は、だいぶ毛色の異なる作品です。漱石の「心理小説としての醍醐味はほとんどない」という批判は正しいと思いますが、『ロビンソン・クルーソー』は心理小説ではない部分に力点を置いている。

駒井　漱石の『文学評論』では、最後がデフォーに割かれていまして、スティーヴンソンと比較して、かなり長い「ダニエル・デフォーと小説の組立」という論文を書いています。簡単に言うと「機能的でジャーナリスティックな文章だ」ということです。そういう意味で、デフォー、あるいは十八世紀の小説は、直接的で文学的な修辞に乏しいと言っています。

でも、漱石はほとんど全部読んでいますね。「始まりが、〝私は○○年に生まれた〟とみな同じだ」と批判していますが、デフォーに興味があったんだなと思います。スウィフトについても言及していますが、デフォーのほうに感情がいろいろ動いている感じがします。

唐戸　そう思います。

デフォーは十七世紀、十八世紀の万能プレイヤーだった

駒井　さっき、宗教のお話がありました。非国教徒と言っても、カトリックではなくて同じプロテスタントだというわけですが、フライデーが来ると、聖書を読み聞かせ、自分なりに解釈していくシーンは、ロビンソン・クルーソーの意外な一面を見せられたような気がしました。これを書いたのが五十九歳のデフォーだったというのは、この小説が近代の小説であることの一つの証左のような気がするのですが、どうでしょう?

唐戸　『ロビンソン・クルーソー』はビクトリア朝時代、十九世紀のイギリスでかなり読まれたわけですが、十九世紀というのは性的なものに関する禁忌が一番強かった時代で、ちょっとでも性的なシーンが出てくると、厳しく検閲されたわけです。しかし、さっきもお話ししたとおり、この小説には恋愛がないので問題なく読まれた。

十九世紀には、宗教的な部分がこの作品の読みどころであると思われていました。前半の部分で宗教的なことを考え、かなり道徳的に厳しく清貧な暮らしを説いていますが、その辺が十九世紀を通してこの作品の人気が衰えなかったことの理由ではないかとは思います。

駒井　なるほど、そうなのですか。この小説は不思議なところがある本で、経済史学者の大塚久雄さんが『社会科学における人間』（岩波新書）という本で取り上げています。ベンジャミン・フランクリンが一番衝撃を受けた作品はデフォーの『事業計画案』——大塚さんは『企画論』と訳しています——だったと書いてあって、驚きました。彼には十七世紀とか十八世紀の万能選手みたいなところがあったんでしょうか。

唐戸　そうですね。デフォー自身に、ロビンソン・クルーソーのような変わったところがあって、この作品には作者の伝記的な部分が強く出ていると言われています。信心深いキリスト教徒、山師的な冒険者、社会改良家、いろいろな顔がデフォーにはあり、それらが全部『ロビンソン・クルーソー』に入っている。

たとえば、デフォーは恋愛を否定しています。「結婚は子どもを作るためにすることで、男女の機微が云々というのは大嫌いだ」と。そういう考えは作品によく表れている。道徳的教訓を折りこみ、さらに冒険物語の要素も入れて、という風に、いろいろな側面がうまく合わさって、結果的に大衆に支持される作品に仕上がった。

駒井　この小説が、三百年の時空を超えて百カ国語以上に訳されて、同時代の小説がほとんど消えている中で、これだけ面白く読まれた理由というのは、何だったのでしょう。

唐戸　魅力の中心が一つではないという気がするんです。宗教的なことであったり、冒険であったり、イギリス人の禁欲的な生活スタイルだったり。イギリスで人気が衰えることがなかったのは、そのあたりの配合のバランスの良さにあったと思います。ただし、解説でも書いた通り、クルーソーは冒険者ですが、スーパーマンではない。内省的で、孤独で、試行錯誤する人間で、私たちと同じ近代人であるところが、三百年にわたって人々に支持されている理由だと僕は思っています。

日本の文学者たちにはどう受容されてきたか

駒井　実は昨日『マルクス＝エンゲルス全集』からコピーしてきたのですが、マルクスはロビンソン・クルーソー本人を、『資本論』の第一篇、第一章「商品」の第四節で、わざわざ登場させています。じゃあ日本ではどうだったかと言うと、その受容史がまた面白い。明治になってから、たくさんの海外小説が訳されましたけど、この小説は幕末にもう訳されていた。次はその辺のお話を。

唐戸　幕末の頃に訳されたのは、英語からではなくてオランダ語から訳された重訳でした。明治期になると、もういろいろな訳が数年おきに出てくるので、当時の日本にこれだけイギリスの小説の需要があったということに改めて驚くのですが、今とあまり変わらないペースで、いろんな人の翻訳で読まれていたということは、日本が海洋国としてイギリスを手本にやって行こうと思っていて、そのためにはどういう生き方がいいのかというときに、『ロビンソン・クルーソー』が一つの教科書として立ち現れたということです。

駒井 「解説」でお書きになった、明治期の富国強兵に伴う海軍力の強化、あるいは南進論と深く関係している読み方だったと考えていいわけですね。

唐戸 そうです。比較文学者の私市《きさいち》保彦《やすひこ》氏は、『ネモ船長と青ひげ』（晶文社）という本の中で、明治期の小説家、矢野龍渓《りゅうけい》とか押川春浪《しゅんろう》、それから海野十三とか南洋一郎などは、『ロビンソン・クルーソー』の影響下で冒険小説を書いた、と指摘しています。

駒井 明治期からそんなに強い影響力を持った『ロビンソン・クルーソー』ですけど、日本の文学全体、近代文学にどんな影響があったのかということについてはどうですか。

唐戸 明治・大正・昭和を通じて大いに人気を博した作品ですので、あらゆる作家が何らかの影響を受けているでしょう。ただ、あまりに広く読まれた作品なので、かえってその影響の度合いがつかみにくい。しかしともかく、昭和生まれの世代までは、冒険小説の原型的イメージとして記憶されていたはずです。

僕のこの翻訳は、作家の辻原登先生に書評を書いていただきましたが、その書評で大岡昇平の『俘虜記《ふりょき》』が引き合いに出されている。『俘虜記』はエピグラフに『ロビンソン・クルーソー』（第三部）の言葉が引かれ、作中でも島でのサバイバルの際に、『ロビンソン・クルーソー』への言及がある。やはり、昭和の世代までは、サバイバルというとすぐにクルーソーの冒険が想起された。共通の記憶としてこの十八世紀イギリスの冒険小説があった。

　昭和生まれの世代まで、とあえて言っていますが、その理由は、今の大学生は『ロビンソン・クルーソー』を知らない人が大多数だからです。読んだことがないという以前に、ロビンソン・クルーソーという名を聞いたことがないという人がかなりいる。僕の世代では考えられないことです。

駒井　驚きました。今の大学生は知らないのですか？　絵本は読まないんですかね？　最初にも触れましたが、私は肩にオウムを乗せてフライデーが傍にいるシーンを映像として覚えていますけど。

唐戸　そうですね。僕の子どもの頃も、本屋さんで安く売っている絵本の中に、必ず『ロビンソン・クルーソー』があったし、実際それを買ってもらって読んだ記憶があります。

　これは、この本の「解説」を書くときに調べたんですけど、今の絵本のラインナップからは確実に減っているんですね。かつてのように誰もが幼い頃に一度は読む、というほどの普及率ではなくなっているようです。物語に含まれる植民地主義や食人が問題とされるからだと思いますが、そうした部分のために読まれなくなってしまうとしたらもったいないと思います。

駒井　本国のイギリスではどうなんでしょう？

唐戸　イギリスでは読まれていると思います。十九世紀ほどの熱狂的な読まれ方はしていませんが、今もペーパーバックのラインナップから消えていませんし、偉大なイギリス小説ランキングなどでも常に上位に入っていますから。

断言し、具体的な数を書くことでリアリティを生むマジック

唐戸　僕は既訳でこの本を見たときに、最初に「こんなに長い話だったんだ」と思いました。吉田健一のものは比較的短いですけれども、それでもかなりある。

駒井　でも、一人になって無人島で暮らしたのが二十八年間で、そこから抜け出すときのドラマも非常に良くできているし、家具や食料の確保など、面白くて省くところがないですよ。

唐戸　そうですよね。暦《こよみ》をつくるシーンがありますけれども、これはモデルになったアレグザンダー・セルカークの体験でもある。まず暦を作らないと自分がおかしくなってしまう

と書いてある。それを読んだときに、無人島でのサバイバルのリアリティを感じたんです、彼の冒険の現実性に。暦がないと、自分が時間的にどこにいるかがわからなくなって、狂気を感じるというわけです。

だから暦を作って、今が何年の何月の何日の、何時何分でと管理するのは、一種の「文明化」なわけです。無人島で暮らしても、文明人らしい考え方を捨てられなくて、それを捨ててしまおうとすれば、待っているのは狂気だというところに、この冒険のリアリティがあると感じました。

駒井　もし自分が彼なら、面倒臭くて続かないだろうとも思いました（笑）。イギリス人が凄いのは、とにかく執拗《しつよう》にやることですね。

唐戸　本当にクルーソーは驚くほど勤勉で几帳面です。日々の出来事を細かく記録するところとか。数字も異常ですよね。これはロビンソン・クルーソーが異常なんじゃなくて、作者のデフォーが異常なんですけど（笑）。フィクションにもかかわらず、「このとき丸太を十七本切った」などと書く。曖昧に書かないで、十七本とか、五メートルというふうにしっかり書くんです。

それが——これは長らく言われていますが——デフォーのマジックで、具体的な数を断言することによって、リアリティが生まれる。そういうところは、ジャーナリスティックなデフォーが出ているのかなという気がします。

駒井　さっきの『疫病の年の記録』、あれも何月に何人死んだという数字の羅列が凄い。だから夏目漱石の不満は、ジャーナリスティックな文体過ぎるっていうことにあったのでは。

唐戸　そうかもしれないですね。

延々と続くストーリーを飽きずに読める理由

駒井　ただ、そこがないと、『ロビンソン・クルーソー』の面白さが消えると思います。暦もそうだし、動物をどうやって家畜にしていくかとか、その辺のリアリティにある面白さ、これがこの小説の一番の読みどころだと唐戸さんも書かれていますが、私もそう思う。

　そこを近代人として語るということで、社会学者やマルクスなどは取り上げているんでしょうけど、この小説の面白さのポイントはその辺にあるような気がします。つまり、そのリアリティが延々と続くんだけど、ちっとも飽きずに読めるというところです。

唐戸　漱石はデフォーに批判的ですが、それはたぶん他者が出てこないからです。他者との心の劇がないので、その点が不満だったというのは何となくわかります。

でも、ロビンソン・クルーソーの独白の世界は、孤独と言えば孤独ですが、彼なりにいろいろな葛藤があることはしっかりと描かれてますし、ああでもないこうでもないと考えるのも、やはり面白いなと思う。

たとえばカリブ人であるフライデーとか、その他の先住民のことも、最初は「野蛮人である」「同じ人間なのに人間を食べるなんてとんでもない」と思うわけだけれども、そういう自分の考えを反省したりもする。「彼らは生まれたときからそういう考え方をしているのだから、ヨーロッパ的な考えで一概に悪いとは言えないのじゃないか」というふうに、いろいろ考え直すところにドラマがあって、「こうだ」と思ったら、二度と考えを変えないというような頭の硬い人ではないので、逡《しゅん》巡《じゅん》しながら物事を考えていくスタンスは、今の我々が読んでも平板ではないし、我々と同じ人間がそこで考えて行動していると感じられると思うんです。

駒井　そうですね。だから今、読む価値があるんですね。つまり、一人の人間が生きていくための自己決定と、他者との関わりで変わっていくということ、ただ、女性がいないのは残念ですが。そういう意味では、『ロビンソン・クルーソー』は人間の原型、イギリス人の原型のようなものを描いた優れた小説なんだと思います。

では最後に、今回の翻訳に対する全体の感想と、これからやりたいと思っている作品があれば、お聞きしたいと思います。

唐戸　はい。この翻訳自体が非常に勉強になりました。これだけの分量のものを訳すということで、最初に心配したのは、最初と最後で訳文の調子が変わるんじゃないかということでした。そこの不安があったんですけれども、意外にムラはなく最後まで行けたと思います。

そのためにした工夫は常に読み返すことでした。少し訳しては、また最初から読み直す。何回も何回も最初から読んで、全体の感じが合うように調整していったので、最後は「二度と読みたくない」と思うぐらいでした（笑）。

翻訳の機会があるかどうかは別にして、今はブラム・ストーカーの『ドラキュラ』に関心を持っています。吸血という行為により、自分が他人の中に入る、他人が自分の中に入ってくる、そこにある同一性の揺らぎという問題は、とても現代的だと感じています。確固たる自我、確固たる「私」が神話にすぎないとすでに気づいている現代において、いろいろ考える手がかりを与えてくれる作品だと思っています。

（二〇一八年十月二十二日）

『ロビンソン・クルーソー』を読んだ人に、さらにお勧めの4冊

1

『ペストの記憶』
ダニエル・デフォー　武田将明訳
研究社
17世紀のロンドンでペストが大流行し、約10万人の死者を出した大災厄を、当時の公的文書や個人の記録などに依拠して詳細に再現したドキュメンタリー小説。伝染病の爆発的流行に関する貴重な記録として、今日もなお読み継がれるべきリアリティを備えた古典作品。作者であるデフォー自身はペストの流行時、5歳だった。

2

『ガリヴァー旅行記』
ジョナサン・スウィフト　平井正穂訳
岩波文庫
ガリヴァー旅行記は子どものころ、絵本で読んだ人が多い。小人国の話は誰もが知っていると言っても過言ではない。しかし、この作品を大人になって読み直した人は少ない。ガリヴァーが一人称で語る、さまざまな国の見聞録は、読む者を捉えて離さない。ガリヴァーが日本にも来て、踏み絵を拒んだ話など、大人の読書にこそお勧め。

3

『英国の文学』
吉田健一
岩波文庫
吉田健一のデビュー作。チョーサーから始まって20世紀の初頭まで、イギリス文学の真髄を語りつくす。シェイクスピアはもちろん、デフォー、スウィフトも含めて縦横に語っている。イギリスという国が生み出した文学を紹介しているという意味では、現在でもとても面白く読むことができる。独特の語り口が心地よい。

4

『世界の十大小説（上・下）』
サマセット・モーム　西川正身訳
岩波文庫
世界の古典文学の入門書として、最も肩の凝らない本。モームらしいユーモアのある語り口で、世界的な名作を語っていく。『ボヴァリー夫人』や『戦争と平和』も紹介されているが、上巻は18世紀イギリス文学のフィールディング『トム・ジョーンズ』から始まる。『嵐が丘』『高慢と偏見』などの古典も取り上げられている。

第8夜

オルダス・ハクスリー『すばらしい新世界』

Aldous Huxley / BRAVE NEW WORLD

黒原敏行×駒井 稔

『一九八四年』と並ぶ、元祖「ディストピア小説」を読み解く

オルダス・ハクスリー（1894-1963）
イギリスの作家。ダーウィンを支持した祖父や、長兄、異母弟が著名な生物学者、父は編集者で作家、母は文人の家系という名家に生まれる。医者をめざしてイートン校に入学後、角膜炎から失明同然となり退学。視力回復後はオックスフォード大学で英文学と言語学を専攻し、D・H・ロレンスと親交を深める。文芸誌編集などを経て、詩集で作家デビュー。膨大な数のエッセイ、旅行記、伝記がある。

『すばらしい新世界』
西暦2540年。人間の工場生産と条件付け教育、フリーセックスの奨励、快楽薬「ソーマ」の配給によって、人類は不平不満と無縁の安定した社会を築いていた。だが、そんな環境に馴染めない人間たちと未開社会から来たジョンは、世界に疑問を抱き始める……。オーウェル『一九八四年』、ブラッドベリ『華氏451度』と並び称される傑作。驚くべき洞察力で描かれた、ディストピア小説の決定版。

黒原敏行　1957年生まれ。英米文学翻訳家。訳書に、コンラッド『闇の奥』、フォークナー『八月の光』、アイリッシュ『幻の女』、ゴールディング『蠅の王』、スタインベック『怒りの葡萄』、マッカーシー『すべての美しい馬』『越境』『ザ・ロード』、マイクルズ『儚い光』『冬の眠り』、バート『ソフィー』、フランゼン『コレクションズ』、シェイボン『ユダヤ警官同盟』など多数。

アメリカ型の「ディストピア」を描いた小説

駒井　今回はハクスリーの『すばらしい新世界』をお訳しいただいた翻訳家の黒原敏行さんに来ていただきました。この翻訳は、刊行されたのが二〇一三年で、それ以来、好評をいただいておりまして、このシリーズにおいてもSF作品は、ジャンルの壁を超えて多くの方に読んでいただけるようになったという実感があります。今日はそんなことも含めて、お話をお聞きしたいと思います。

この作品は「ユートピア」の反対の「ディストピア」、つまり「逆ユートピア」という意味の「ディストピア小説」の代表作と言われています。

ユートピア小説なら、トマス・モアの『ユートピア』があるので、皆さんもお分かりと思いますが、「ディストピア」の方は、具体的なイメージが描きにくいかもしれません。一般的にはジョージ・オーウェルの『一九八四年』（一九四九年刊行）が、よく知られています。村上春樹さんの小説『１Ｑ８４』のタイトルのもとになった作品ですね。

『すばらしい新世界』は、『一九八四年』の世界とはまた違っていて、こちらのほうが書かれた年代が早く、一九三二年に刊行されています。この年は、一九二九年にウォール街から始まった大恐慌が世界に広がり、まさに激動が始まった時代でもあったわけで、その時代の雰囲気がどこかに投影されていると思います。

黒原さんは、『一九八四年』がスターリニズム批判、ソ連の共産主義や全体主義を批判したものだとすると、『すばらしい新世界』はアメリカをモデルにしたアメリカ型のディストピアを描いているとおっしゃっています。ハクスリーはイギリス人ですけども、アメリカをモデルにしてディストピアを書いた。アメリカはその当時、大恐慌のなかにあったけれども、やっぱり世界に冠たる大国ではあったはずで、その国をディストピアのモデルとして描いたわけですね。その辺りの背景を、この作品との関わりの中からお話しいただければと思います。

黒原　『すばらしい新世界』はアメリカがモデル、それに対してオーウェルの『一九八四年』はソ連がモデルという言い方は、一般的になされているわけではありませんし、作品のすべてをきれいに説明できる図式でもありません。ハクスリー自身がそう考えていたかということにも疑問があります。

と言うのは、そういう対比は冷戦構造を反映しているところがあるのに、実際に冷戦が始まるのは一九四五年で、『すばらしい新世界』はそれ以前に書かれているからです。ただ、頭の中で整理するときにそういう見方もできると思うのです。

『一九八四年』は、『すばらしい新世界』の後に書かれたわけですが、これは怖い世界です。

何と言うか、暴力的な世界。上から強権で抑えつけられ、逆らうと拷問されるという話です。まあ、ソ連ですね。オーウェルはソ連に最初は幻想を抱いていたということがあったわけですけれども。

対して『すばらしい新世界』は、「それが本当に悪いのか？」というような感じがあります。たとえば、自動車のT型フォードの大量生産方式です。流れ作業で効率よく作っていく。そのおかげで、一般大衆も安く自動車が手に入れられるようになるから基本的にはいいことです。でも、その考え方をもとにやっていくと、ちょっと怖いことになるのではという話ですね。ということで、必ずしもアメリカばかりではないけれども一応はアメリカ型。

今の我々から見ると、『一九八四年』に描かれたことは、こんなのはだめだと、もう皆がわかっているわけです。ソ連は崩壊しましたしね。対して『すばらしい新世界』で描かれた怖さは、問題がまだ生きているというか、日本だっていまだにこうなる危険がある。あるいは、ある程度すでにそうなっているとも言えます。

そういう意味で、アメリカ、ソ連ととりあえず言ってみたんですけど、まあ、言いたかったことは、知名度からいって、『一九八四年』が横綱で『すばらしい新世界』が大関みたいになっていますが、中身を考えればそれは違う。東西両横綱と言うか、東がオーウェルで西がハクスリー、そう言うとまた東西冷戦みたいですけども（笑）、ともかく両横綱なんだと言いたかった。

現代にもつながる、思索を徹底させた小説世界

黒原　と言うのは、最近もいろいろな「ディストピア小説」が書かれているわけですが、そのほとんどが『すばらしい新世界』系だと思うんです。しかし、そういう作品の解説や書評を見ると、「これは『一九八四年』の現代版」といった紹介のされ方が多い。でも、それは違うんじゃないか、この二作品は異種のものであり、どちらも同じくらい重要であるという、そういう感じで言ったわけです。

駒井　『一九八四年』には、旧ソ連を彷彿とさせる拷問の話がたくさん出てきます。それに対して、『すばらしい新世界』にはフリーセックス、加えてソーマという飲むと気分がよくなる薬、さらに家族はもう崩壊していて存在自体を否定されているというように、現代に通じる問題がいろいろ出てきます。黒原さんがおっしゃっているのは、『一九八四年』も素晴らしい作品ではあるけれど、二十一世紀の今には届かない部分があるということですよね。その辺り、お訳しになって、『すばらしい新世界』独自の魅力をどうお考えになりましたか。

黒原　この作品は、作者自身が作品内で設定したことを、徹底的に考えているんです。こんなことがあるだろう、あんなこともあるだろう、それに対してこういう反論があるだろうけれど、それに対してはこう言うだろうとか、ともかく思索が徹底している。だから、最初、発表したときには、「小説というよりエッセイじゃないか」と言われて、「人物やストーリーの部分が犠牲になっていないか」みたいな批判のされ方をした。逆に言うと、論理的な部分が強いわけですね。

　でも、読んでいくと、今の我々にとっても、思い当たるところがあるんです。たとえば、この世界は階級社会で、社会全体のことは一部の人たち、ときには一人のエリートが知っていればいいと言っている。しかも、学生のときの或る時期にそういう勉強をしたら、あとはもう全体のことはあまり考えないで、実用的な学問に励みなさいと所長という人が言ったりする。

　それは、つい今年（*二〇一五年）でしたか、文科省が国公立大学に通知を出して、人文、社会科学を減らし、理科系、あるいは実用的なものを増やしたらどうかと言って問題になっているでしょう。ああいう課題も入っているというか、「それで何の不都合があるんだ？」みたいなことを、この世界の偉い人は言うわけです。そういうところが現実と重なって非常に怖い。

駒井　それでいて、絶望的な社会を描いている感じはないですね。『一九八四年』は、政治権力が個人を抑圧していく絶望的な話ですが、『すばらしい新世界』は、ある意味では、とても暮らしやすい社会というふうにもとれる。そういう或る種、皮肉の効いている部分がある。

黒原　ええ、それで、そういう今の問題意識にもアピールするような部分がある。現在書かれるディストピア小説も、結構この作品を踏まえて書かれていることが多いと思います。

『すばらしい新世界』の系譜を継ぐ、現在のディストピア小説

駒井　黒原さんは、現代のディストピア小説、二〇〇〇年代になってから出た小説も訳されています。一九三二年の『すばらしい新世界』の系譜に連なるディストピア小説が、今のアメリカで書かれているわけで、そういう作品がどういうものなのか、教えてもらえますか。

黒原　私が訳したのは、ジョナサン・フランゼンの『コレクションズ』（ハヤカワｅｐｉ文庫）という小説です。二〇〇一年に刊行された本で、これは意図的に『すばらしい新世界』を踏まえています。

舞台はクリントン政権時代のアメリカです。あの時代は、ＩＴ革命が急激に拡がって、Ｉ

Tバブルと言われた豊かな時代です。その中で、白人で高い教育を受けた中流階級の主人公が、あの時代は、そういう人は金持ちにならないほうが難しいと言われたのですが、大学の文学部の非常勤講師というおよそお金に縁のない道に進み、最先端のフランスの文学理論か何かを武器に、高度資本主義社会を批判するんです。「こんな社会はだめだ」「個性がだんだんなくなっていくじゃないか」と。

たとえば映画なんかでも、昔はアメリカ映画にも、それぞれの監督の個人的な思いを込めた作品があったけど、だんだん娯楽超大作みたいなものばかりになってきて、その当時の作品で言えば『タイタニック』だとか、今でも新作を作っている『スター・ウォーズ』とか、あんなのばかりじゃないかと、その男は文句ばかり言うんです。だけども、自分はうだつが上がらない人間です。周りの人は皆、「この社会のどこがいけないの？」と言って、「みんなが幸せにやっているんだから、いいじゃないか」という、そういう社会です。

だんだん憂鬱《ゆううつ》になってくると、或る人が、「呑むと明るくなるいい薬があるよ」と言って、アスランAという薬をくれる。——『ナルニア国物語』に登場するライオン、アスランにちなんだ名前です。もう文学などで青白く悩んでいる場合じゃない、都合の悪いことはみんな科学技術で何とかなるみたいな、そういう世界の中で苦しむ男と家族をめぐる話、それが

『コレクションズ』です。

それと、二〇一四年に翻訳が出たデイヴ・エガーズという人の『ザ・サークル』（ハヤカワ文庫NV）という作品。この作品の世界では、サークルという、登録した人に自分の情報を全部出させて秘密を持たせないインターネット会社が繁栄しています。みんな情報を出しますからそれが共有されて、いろんなことが便利になるというので大人気なんですが、そこに入社した主人公の女性に、だんだん不都合なことが起きてくる話です。国家ではなく企業ですから、皆で支えているわけで強制じゃない。その会社のスローガンに「共同性が第一」とあるんですが、おそらくこれは、『すばらしい新世界』を踏まえてのことだと思うんです。

日本では伊藤計劃《けいかく》という、若くして亡くなった方の『ハーモニー』（ハヤカワ文庫JA）という作品があります。アニメにもなっていますが、超健康志向の、酒、タバコなんてとんでもない、そんなものを嗜《たしな》む人間なんて、もう犯罪者扱いの社会です。大人になると体の中にナノテクで監視するような分子を埋め込んで、体の中の具合を監視される。悪いところがあるとそれをよくしろ、治せと命令されるわけです。そういうふうに国家が健康に関して凄く思いやりが深いのですが（笑）、その中でティーンエイジャーの子たちが、これはたまらないとなる。で、反逆する話です。これも、国家の強制はあるものの、「みんなのため」

とやっていくわけですから、やはり『すばらしい新世界』的だと思います。

あと、新しいものでは、芥川賞作家の村田沙耶香さんの『消滅世界』（河出文庫）という作品がありますが、これは、人工授精でしか子どもを作らない世界の話です。夫婦はセックスしてはいけないとされていて、それを破ると「近親相姦だ」と言われる。これはまさに『すばらしい新世界』であって、生殖とセックスを分けてしまった世界なんです。そして『すばらしい新世界』と同じように、こういう世界を志向することにも理があると思えたり、でもやっぱり異常だと叫びたくなったり、不思議な気持ちになる小説です。

という具合に、どちらかと言うと『一九八四年』型の怖い話じゃなくて、良かれと思って従っていると、それが真綿で首を締められるような感じになってくる作品が多いと思います。

解き放たれた社会にある、何か幸福ではないもの

駒井　『一九八四年』にある、国家が巨大になっていく怖さとは、また違った怖さですね。村田沙耶香さんの小説にある人工授精とか、それからこの小説の中に出てくるソーマのようなもの。「ソーマを飲めば嫌なことが忘れられる」と繰り返し出てくるんで、私などは、つい飲みたいなと思ってしまったりする（笑）。アメリカではこれが部分的に実現していると

ころもあって、プロザックという抗鬱剤が、飲むと陽気になる「ハッピー・ドラッグ」としてもてはやされました。

　この小説の、一見幸せなフリーセックスふうの、出産や家族の呪縛から解き放たれた人間の社会を描きながら、そこに何か幸福でないものを予見する新しさが、今のディストピア小説の書き手たちの意識に共有されていると考えていいんでしょうか。

黒原　そうだと思います。プロザック濫用が問題化したのは、まさに『コレクションズ』が出た時期でした。作者はそれを踏まえています。ソーマの先に、さらに進んだ、人格を変えてしまう薬や手術、そういうものが「今、開発中です」みたいな話になっている。「人格が変わっちゃうなんて、怖くないんですか」と『コレクションズ』の主人公は言うんだけれども、「いや、変わってしまったらもう平気さ」と言うわけです。「変わった後ではそれが普通になるから、どうってことない」と。「そうかなあ」と主人公は首を傾げるわけですけど。

　ただ、こういうのを一概に「だめ！」と言い出すと、「科学技術はだめ」になって、「原始時代に戻ろう」みたいな話になりかねない。それもおかしな話なので、百パーセント否定するものではないし、使い方を間違えなければ「まあ、いいか」という、そういう世界ですね。

駒井　何か既にそういう世界に入った実感がないでもない段階に我々も来ていて、まさにデイストピアの世界に生きているような気もしますが、今そういう小説を書いている人たちも『すばらしい新世界』を意識しているとすれば、その新しさは画期的だったんですね。
　刊行されたのが一九三二年、ロシア革命の十五年後で、登場人物には、マルクスとかトロツキーとかレーニンの女性形でレーニナとかバクーニンなどが――これは無政府主義者のバクーニンです――ゾロゾロと出てくるので、一瞬ロシア革命の否定的な面を揶揄《やゆ》している小説なのかなと思うのですが、人名だけを借りている感じで、実際問題としてロシア・スターリニズムの影は全くないように見えます。この点、お訳しになっていてどうでしたか。

黒原　三二年の段階だと、ソ連に対する人々の批判的な目が、そんなになかったと思います。現実にはもうスターリンの粛清も強制収容所もあったわけですが、まだ西側には伝わっていない。だから、ハクスリーの中にも、ソ連はユートピアの一つで指導者たちは良かれと思ってやっているという意識はあったと思います――実際、良かれと思ってやったわけで、善意を敷きつめた道が地獄に通じてしまったのですが。後にオーウェルが持ったスターリニズム批判的な視点は、なかったのではないでしょうか。

駒井　逆に新しい小説として生き残っている感じもします。おっしゃったように、『一九八四年』のほうをディストピア小説だと言い過ぎるところがあって、実は『すばらしい新世界』に描かれたディストピアのほうが現代的で、先ほどの企業が扱う個人情報という現代的な問題にまで、この『すばらしい新世界』を始めとする作品群は届いている感じがします。

『すばらしい新世界』のイギリス的な側面

駒井　この中に「フォード」が繰り返し出てきて、「くそっ」と言うときに、黒原さんは必ず「フォード」というルビを振っていますが、あれは?

黒原　「フォード」は「ロード（Lord）」のもじりです。註に書けばよかったんですけど、「ロード」は「神」、つまり「主」です。「主よ」という代わりに、あの世界では「フォード」と言う。それが罵《ののし》り言葉になる。

駒井　大量生産方式が出てきた工業化社会の到来を象徴する「フォード」が、「ロード」すなわち「神」であり、同時に「くそっ」でもあるということですね。

　ちょっと話を変えると、オルダス・ハクスリーという人は、生物学者だったおじいさんが若い頃にダーウィンの進化論を熱烈に擁護したことで有名で、そういう理系の血を引いています。教養のある家庭に育っているわけですけれども、イギリスは階級社会ですし、彼の親友に作家のD・H・ロレンスがいますが、D・H・ロレンスなどは、イギリスの階級社会を、また違った目で見て『チャタレイ夫人の恋人』を書いていますよね。だけど、『チャタレイ』の中にも生殖に関する新しい知見がちりばめられていて、たぶんオルダス・ハクスリーから聞いたのではないかと思うのですが、しかもエプシロン、アルファ、ガンマなどと階級が下に行くに従って、どんどん働くだけの人間を作るといった発想は、多分にイギリス的な感じがします。イギリスの階級社会は有名ですが、イギリス風の小説だなという感想についてはどうですか。

黒原　ああ、それはそうですね。先ほどアメリカ型と言ったのはアメリカだけという意味ではないので、イギリス人は自分たちの階級社会的発想から逃れられないのかなという感じがします。あと、人種差別的なこともありますね。階級が下の人はちょっと鼻が低くて、色が浅黒いみたいなことを言っていますから。ハクスリーはそういうものを抉《えぐ》り出しているとでもいうか、自分たちの社会にはそういう偏見があるぞ、と考えたんだと思います。

駒井　その中で、そういう社会に反逆していく野蛮人ジョンが現れるわけですけど、野蛮人ジョンを、どう理解したらいいのか、難しいところもあると思うのです。ハクスリーの手法が非常に複雑でアイロニカルだからだと思うんですね。その辺りはどうでしょうか。

黒原　調べてみると、よく言われているのは、D・H・ロレンスの影響だということです。D・H・ロレンスは文明社会、とくにヴィクトリア朝の、ちょっとお上品に偽善的な感じで性的なことは隠してという社会に反逆し、性的にも大らかにやったほうがいいと言った。ハクスリーはそういうロレンスに心酔していたんです。

わかりにくいのは、この野蛮人ジョンは本当に野蛮人なのかということです。もともとは先住民ではなくて、事情があって文明社会から離れたところで生まれ育った人ですから、全然野蛮人ではないんです。小説のなかで、レーニナという美しい女性が惚《ほ》れて迫ってくる。迫ってくるのに、「ちょっと待って」と言って、「いきなりセックスというのはどうかな」と尻込みするわけです。野蛮人だったら、もっとガッといけばいいのに（笑）。ロレンス的であれば、もっと野性的に行けばいいのに、そうではない人を出してきて、シェイクスピアを語らせるのはいいけれど、何か教条主義的と言うか、聖書の文句をやたら口に出して道徳を説くみたいな、そんな感じの人になっている。そこが、捉えにくいと言えば捉えにくいわけですが、非常に面白いとも思います。白黒をはっきりさせず、二つの世界の板ばさみになる人物として描いているところがね。

『華氏451度』も、『すばらしい新世界』型

駒井　レイ・ブラッドベリの『華氏４５１度』（ハヤカワ文庫ＳＦ）をお読みになった方がいらっしゃると思いますが、これは未来社会で、本の所持が禁止された世界の話で、『すばらしい新世界』と『一九八四年』に並ぶ、三大ディストピア小説と言っていいと思うんです。『華氏４５１度』は紙が燃え出す温度ですよね。この作品は、少し違う角度から『すばらしい新世界』を見せてくれるんじゃないかと思います。そこで『華氏４５１度』のお話はどうでしょうか。

黒原　今の話につながるかどうかはわかりませんが、さっき私は両横綱と言いましたね。じゃあ、『華氏４５１度』は東方、西方のどっちだということですけど、私は、実は『すばらしい新世界』型じゃないかと思っています。

昔は、『一九八四年』型だと思っていました。『華氏４５１度』が描いているのは、家に本を持っていたらファイアマンと呼ばれる連中が踏み込んで来て火炎放射器で焼いてしまうという強権的な世界ですから。でも、ブラッドベリ自身が、そうではないと言った。

マイケル・ムーアという『ボウリング・フォー・コロンバイン』を作った映画監督がいますね。あの人は『華氏９１１』という作品を作って、イラク戦争を起こしたブッシュ政権を

批判しました。アメリカの自由が燃えてしまう温度は華氏９１１度だと言って。だいぶ高い設定ですけども（笑）。

それが公開されたときに、レイ・ブラッドベリが文句をつけたんです。「『華氏４５１度』をもじるな。私は国家批判なんかしていない」と。だから「イラク戦争にも別に反対していない」と言いました。「私が描いたのは、みんなテレビばかり見て、本を読まなくなった世界であって、あの小説はそれに対する批判だ」と。

つまり、国家批判ではなく大衆批判だと言ったんです。みんなは国家に強制されて本を読まなくなったんじゃない。テレビという、より心地よいものがあるからだということです。「別にいいんじゃない？」という話なんだけど、何かそれで本当にいいのかなという感じもある。そこが『すばらしい新世界』型だと私は思うんです。

駒井　何に惹きつけられてこの小説を読むのかというと、我々が生きているこの日本の社会、あるいは世界は、今やネットなどの通信網が発達して孤立した世界ではないし、非常に豊かにもなった。だけれども、拭《ぬぐ》い難い違和感を抱えて生きている人も多く、それを予見的に描いた、『華氏４５１度』を含めた『すばらしい新世界』型の小説が、非常にリアルだと感じますし、その辺のリアルさは、時代を経るごとに身近に迫ってきたという感じがします。

黒原　そうですね、時代を経てというか、我々のこの日本も、アメリカだけではない西側の科学技術、経済の進んだ社会を継承して、そこに乗っかって来たという感じじゃないですか。それで、自由主義、民主主義を奉じて、科学技術を使い、そして経済的に合理的なやり方をするというのを、今も理想として生きていますよね。私なんかもそうです。

　近代を全否定するという人が左のほうにも結構いますが、それはおかしいわけで、ディストピア小説はそんな割り切り方はしていません。その辺が、今も生きている新しさかなと思います。

駒井　たとえばＳＮＳやネットが今の社会を大きく変えていますが、オルダス・ハクスリーがもし生きていたら、これらをどう評価したと思いますか。

黒原　この作品に即して言えば、まさにそれが書かれているというか、主人公のマルクスという人は、一人でいるのが好きなために変態扱いされるわけで、この作品ではとにかく共同体が第一なんです。一人で本を読むなんてとんでもないことで、皆で一緒に何かすることが一番いいんですね。それはネット社会の特質ですよね。みんなＬＩＮＥなどでつながって、それでその仲間に入っていないと疎外感があって、ちょっと寂しい。でも、つながれば何か鬱陶《うっとう》しいことがいっぱいあってという。

この小説の中に、みんなで合唱して、最後に乱交になる場面がありますが、あのくだりの、一生懸命みんなと同調して楽しいふりをするところは、本当に今の世の中を風刺しているように読めます。だから、ハクスリーはＳＮＳには批判的だったかもしれないですね。

「つながらないこと」にある大切さ

駒井　もし現在生きていれば、ちょっと批判的に描いたのでしょうね。黒原さんがおっしゃるように科学の進歩は、そもそも止められないので、そういう機器が発達するのも抑止できないと思いますけど、そんな中での主人公マルクスという人は、何と言えばいいか……。

黒原　八〇年代だと「ネクラ」と言われた。

駒井　そう、そう。「ネクラ」ですよね。

黒原　だから、『すばらしい新世界』のマルクスが「Glum, Marx, glum」とからかわれるわけです。「glum」は「陰気な」ということです。これを私は「暗い」と訳しました。「暗いぞ、マルクス。暗い暗い」と。「陰気な」と訳してもいいのですが、なぜ「暗い」としたかというと、八〇年代の「ネクラ」を連想させたかったからです（笑）。

　そういうことは今もありますが、逆に友達がいなくてもいいという本も出ていますよね。

蛭《えび》子《す》能《よし》収《かず》さんの『ひとりぼっちを笑うな』（角川ｏｎｅテーマ21）とか。私は好きですけど。

駒井　子どもの世界にある、ＬＩＮＥに加わらないと弾かれるという恐怖、共同体から弾かれるという恐怖は、この世界で主人公のマルクスが味わう疎外感そのもので、科学技術が発達してもそういう人間は残るし、疎外された人間こそが次の変革に向かうというメッセージが込められているようにも思います。

日本では今、「絆」とか「つながり」と盛んに言われていますが、この小説ではつながらない人間が世界を変える。だから、ハクスリーはつながらないことの大切さについても考えていて、イギリスは個人主義の国ですから、つながらないという選択の大切さが、この作品のメッセージの中にはあると思うのです。

黒原　イギリスの科学者には変わった人が多いじゃないですか。ハクスリーに『恋愛対位法』（岩波文庫）という小説がありますけど、その中にも出てきます。財産家で働かなくてもいいので、仕事の代わりに好きなことをする、イギリスの知識人が好きそうなタイプです。

こういう人は凄いことをやるかもしれないし、全然何も起こさないかもしれない。でも、そんなところから変革が出てくるのは、おっしゃる通りだと思います。そこら辺もイギリス的な感じがしますね。

環境が大きく変わった「新訳」の世界

駒井　黒原さんには、この作品の前に、映画監督のフランシス・フォード・コッポラが『地獄の黙示録』で参照したことで知られるジョゼフ・コンラッドの『闇の奥』という小説を訳していただいています。『闇の奥』は、中野好夫さんの既訳が出ていて、私も読みたいと思って何度もチャレンジしたんですが、理解が届いたという実感がなかった。中野さんの後にも二冊新訳が出ているのですが、残念ながらあまり印象は変わらなかった。で、黒原さんの原稿をいただいて、あ、こういう作品だったのかと思った。

　黒原さんは今回、『すばらしい新世界』を、読者にもう一度読んでほしいということで新訳なさった。その苦労や感覚は、どういうものだったのでしょうか。

黒原　新訳ということですけども、意味とか意義とか、そういうことで言いますと、私が優れているというのではなく、昔の翻訳は英文解釈的に問題がある場合もあるわけです。

駒井　何か急に声が小さくなっていますよ（笑）。

黒原　いや、ちょっと傲慢《ごうまん》に聞こえやしないかと思いまして（笑）。でも、確かにそうなんです。今のほうが押しなべて語学力が上がっている。

ですから、『闇の奥』の「あとがき」にもいくつか例を書きましたが、あれを読んでいただくと、私の言わんとするところがわかっていただけると思う。ああやって対比させて言えば、要するに、「ちゃんと読めてないじゃないか」ということです。とくに『闇の奥』のような、ややこしい英文の作品ではそうです。

私はつい最近、ウィリアム・アイリッシュというミステリー作家の『幻の女』(ハヤカワ・ミステリ文庫)というエンターテインメントを新訳しましたが、この既訳(ハヤカワ・ミステリ文庫)は名訳です。とくに冒頭が名訳で、これは既訳を踏襲しました。名訳過ぎて直しようがないので。だけど、その他のところで語学的にはっきりせずに、これじゃわからないという箇所が、小さな声で言えば、少しあった(笑)。ですから、新訳で読んでいただいたほうが、こういうことだったのかとわかる。

駒井 大変控えめにおっしゃっていますね(笑)。古典新訳文庫を作っていても、既訳に対してこれが間違いだとか、もう読む意味がないなどと言うつもりはなくて、古い訳に敬意を表しつつも、読めないものに対しては、新しい訳でその作品の正確な像を結んでもらうことが重要だと考えています。ともかく翻訳の環境が変わっていますから。

黒原 とくにインターネットの役割は大きいですね。ユーチューブなんかを見ると、もう凄いです。昔、ネットがなかったときは、本や雑誌やビデオなどをあれこれ探してみるしかなかったのに、いまは自分の机の上でパッと出てきますからね。

駒井　地理的に離れていて、見たこともない風景などが出てきますからね。だいぶ時代が違っても、その当時の飛行機がこんな風だったといったことがネットでは一発でわかる。そういうものを資料として載せることで、我々も読者の理解を助けることができる。

工夫のし過ぎか？　訳文の遊び

駒井　ここで、今回の翻訳のご苦労について具体的にご披露いただけたらと思います。

黒原　この世界のスローガンの訳については、「鬱かなと思ったら早めのソーマ」とか、風邪薬のCMをもじったようなやつは、「あとがき」に書きましたので、今日は、ちょっとやり過ぎかな、ここまで遊んじゃだめかなというものを紹介します。

訳文には、「古い服は嫌なもの」「継ぎはぎするより次々捨てよう」とあるものです。一番目の原文は「But old clothes are beastly」というものですが、「beastly」というのは「けだものの」というところから、「けがらわしい」とか「汚い」とか、さらに「嫌な」とか、そういう意味なんですね。だから、古い服は嫌なものだと、これはそのままです。要するに、消費社会の消費礼賛、そういう文脈だということです。

二番目の「継ぎはぎするより次々捨てよう」。これは原文が、「Ending is better than mending」というんですけど、「ending」というのは「終わらせる」、要するに「始末する、捨てる」という、ここではそういう意味です。それから、「mending」は「繕《つくろ》う」ということで、服を繕う。もう捨ててしまうほうが繕うよりもいいと、直訳すればそういうことです。だけど、「ending」と「mending」で韻を踏んでいるので、訳文でも韻を踏もうと思って、「継ぎはぎするより次々捨てよう」としています。面白いか面白くないかはわかりませんが、「ツギ」という音で遊んでみたわけです（笑）。

もう一つ挙げてみましょう。触った感じがわかるという映画が『すばらしい新世界』に出てきて、「今度の映画はEvery hair of bear reproduced」だと誰かが言います。「熊の毛の一本一本が再現されて、感触がわかるんだよ」と。それを聞いた変わり者のバーナード・マルクスが、そんなものは全然いいと思っていないので、馬鹿にする台詞《せりふ》をつぶやく。その台詞が、私の訳文では、「ふん、けっこう毛だらけ熊の毛ごわごわか！」となっています。『男はつらいよ』の寅さんの「けっこう毛だらけ猫灰《ねこはい》だらけ」のもじりです。

駒井　名訳ですねえ（笑）。

黒原　こういう遊んだ訳をすると、読者の方は原文が気になると思うのですが、原文は「Every hair on the bear indeed」で、「熊の毛一本一本か、まったく」という、わりとどうということのない台詞です。ここは「hair」と「bear」でまた韻を踏んでいるので、何もしないのもなぁと思って、調子のいい台詞にしたのですが、ちょっとやり過ぎかもしれませんね（笑）。

シェイクスピアからの引用について

駒井　有難うございます。翻訳の話では、あと、先ほどの野蛮人ジョンの台詞のシェイクスピアの引用も凄くて、黒原さんからは、あまり知られていない『トロイラスとクレシダ』という作品の引用が大事だというご指摘を受けました。その辺のお話をお願いします。

黒原　シェイクスピアの台詞は全部で十三のタイトルから引用されています。引用の数が多いほうから言うと、一番『ハムレット』、二番『テンペスト』。『テンペスト』はこの『すばらしい新世界』というタイトルのもとになった台詞のある作品です。三番が『マクベス』と『リア王』、そして『トロイラスとクレシダ』。次が『ロミオとジュリエット』と『オセロー』。

錚々《そうそう》たるラインナップの中に一つだけ『トロイラスとクレシダ』というマイナーな作品が入っている。私はそれを読み、ＤＶＤを観ましたが、なかなかこの小説の世界との関係が深いことがわかった。と言っても、誰か学者が、もう論文に書いているに決まっていますけど。
中身をざっと言いますと、トロイ戦争の話です。ホメロスの『オデュッセイア』の主役オデュッセウスにあたるユリシーズが、どうもこの戦争は膠着《こうちやく》状態でいけないと言う。なんでだめなのかというと秩序が乱れているからだと言って、これは原文をたどるのは面倒ですから小田島雄志の訳で読みますと、「天の星々も、惑星も、宇宙の中心であるこの地球も、／序列、階級、地位、規則、進路、／均衡、季節、形式、職務、慣習を／正しい秩序のもとに一糸乱れずまもっております。」「序列を排してその弦の調子を狂わせれば、／耳ざわりな不協和音を生じます。あらゆるものが／対立抗争しはじめます。」というんです。階級とかそういうものを乱すと不安定になりますということです。これは『すばらしい新世界』の世界統制官のムスタファ・モンドの思想と似たところがあります。

駒井　なるほどそうなのですね。

黒原　階級というものをきちんと守って秩序を保っていかないと、不安定になって、混乱しますよという考え方ですね。
それに対してトロイラスは、トロイの王子の一人ですけど、情を重んじるというか、個人の感情を重んじる人です。彼はクレシダという人と恋仲になって、引き裂かれてしまう。クレシダはもともとギリシャの人ですが、いろいろな外交的問題があってギリシャへ帰されることになるのです。上の人たちは、これでいい、こういうふうに元へ戻すのがいいと理屈で来るのに対して、トロイラスは、「やたらに道理ばかり詰めこまれたら、勇猛心も名誉心も／兎《うさぎ》のようにびくついてくる。道理や道徳を尊ぶことは／肝っ玉をちぢみあがらせ勇気を遠ざけることだ」と、俺は俺の恋を貫くぞみたいな立場なんです。

　で、クレシダを追いかけるわけですが、クレシダにはもう新しい男ができているんです(笑)。すると「心変わりしないと、あんなに言ったのに」と言って、なじる台詞が出てくる。

『すばらしい新世界』を「問題劇」と捉える見方

黒原　ということで、これは『すばらしい新世界』と内容的にも関係が深い作品だなと。面白いのは『トロイラスとクレシダ』は、「問題劇」と言われていることです。シェイクスピアの「問題劇」、「Problem plays」には三つあって、『トロイラスとクレシダ』と『尺には尺を』と『終わりよければすべてよし』。人によっては『ハムレット』も入れるらしいですが、三つはどれもマイナーで、あまり上演されないし人気もなかった。『トロイラスとクレシダ』が上演されるようになったのは、第一次世界大戦が終わった頃ぐらいかららしいです。

それ以前は、十九世紀にはちょっとあったらしいですけど、シェイクスピアが生きていた時代とか、その直後には上演記録がないらしい。

駒井　そんなマイナーな作品を、敢えて取り上げたわけですか。

黒原　ええ。敢えて取り上げて、しかも引用が多い。この「問題劇」というのは、ある学者が名付けたのですが、特徴としては、社会問題や哲学的な問題や道徳的な問題を提示し、見る人にいろいろ考えさせて、結論的には宙ぶらりんにしてしまう。それと、喜劇的なところと悲劇的なところが同居していて、どちらかがどちらかを呑み込んでしまうことがない。

ですから、この『トロイラスとクレシダ』には、読むと笑える台詞のやり取りがいっぱいある。でも最後は、失恋と言うか悲劇です。悲劇なんだけれども喜劇でもあるという。シェイクスピアは、他の作品にも、悲喜劇的なところはありますけどね。

と考えると、『すばらしい新世界』という小説自体が、「問題劇」と言っていいような気がする。笑えるところがいっぱいあるし、最後は野蛮人ジョンが可哀そうじゃないですか。可哀そうなんだけど、その可哀そうなときに、変なロボットみたいな、レポーターのようなものが出てきて、「今、なんか鞭打ちしてまーす」という感じで、おちゃらけたことをするという、この悲劇と喜劇の同居しているところが、「問題劇」という感じがするんです。

もう一つ、演劇的なのかなとも思いました。突き放して舞台でやっているのをこちらから見ている感じです。『一九八四年』は、主人公に読者が寄り添って、一緒にその世界にはらはらし、嫌な目に遭いながら読む感じですけど、これは本当に突き放して、最初マルクスがちょっと共感できるかなと思ったら、だんだん嫌な奴になって、今度は野蛮人ジョンが出てくる。だけど、そのジョンもどうだかなという性格だし、という突き放した感じが演劇的かなと。

駒井 ああ、それも面白い見方ですね。イギリスの小説にはシェイクスピアの引用が入っていることが多いですが、こんなに見事に入っている作品はなかなかないんじゃないでしょうか。

黒原 そうですね。

「オープン・マリッジ」の微妙な関係

駒井 「問題劇」というお話でしたけど、この小説に描かれている恋愛と言うか、フリーセックスと言っても、一時期流行ったようなフリーセックスとは違うんですね。セックスの忌避があったり、性に対するいろんな抑圧が感じられますけど、最後はフリーセックスだと。

こういうテーマの作品を書いたオルダス・ハクスリーは、最初の妻との関係が特別なものだったという。興味深いので、ちょっとその辺りをご説明いただけますか。

黒原　フリーセックスを頭だけで考えると、「フリーセックスでいい」みたいに書けばいいだけですが、この作品は非常に揺れています。マルクスもフリーセックスに対してちょっとという感じがありますし、ジョンもそうです。それだけじゃなくて、子どもは「桃色お遊戯」というのをやらなければいけないのに、ポリー・トロツキーという女の子の相手をした男の子が泣き出してしまう。そうすると、その子もやっぱり、セックス的なことを忌避する男の子ということですね。なんでわざわざそんなことを出すのかと、ちょっと気になるわけです。

　これを実際のハクスリーの、性生活とか私生活との絡みで考えますと、最初の奥さんの——彼は二度結婚しているんですが——マリア・ハクスリーとの婚姻関係が「オープン・マリッジ」、「開かれた結婚」というのですが、これは奥さんが主導したんです。奥さんはバイセクシュアルで、夫がいるのに、他にガールフレンドを作るわけです。で、関係を持ったレズビアンの友達を夫に紹介する。そしてフランスで言うところの「メナージュ・ア・トロワ」、「三人所帯」という関係になる。

実際に泊まりに来たりもして、お相手として有名な人にメアリー・ハッチンソンという人がいるんですけど、この人も小説を書いたりする人で、泊まりに来て何日か三人で暮らす。マリアがこのメアリーに宛てた手紙が残っています。「今、夫が私のベッドに入ってきました。体はあなたの匂いでいっぱいです。それで頭がクラクラしちゃいます」（笑）というものです。メアリーも家にいて、彼女と同衾した直後の夫が来たベッドの中で書いているのでしょうね。

駒井　そんなネタをどこで見つけられたんですか。

黒原　これは、二〇〇二年に書かれたニコラス・マレーという人のハクスリーの伝記があるんですけど、そこで紹介されています。もう十何年前の本ですが、ハクスリーについての本は日本では古いものばかりです。研究社から出ている『ハックスリー』は一九六〇年代ですから、それには載っていません。ネットを見ても、日本語では出てこないですね。

駒井　すごいネタですね、それは。

黒原　ガールフレンドがメアリーだけじゃないんです。どんどん紹介するわけです（笑）。ハクスリー自身は、女漁りをするタイプではなかったようで、身長が一九〇センチぐらいありますが、写真を見ると、ひょろっとして、あまり肉食獣みたいな感じはしない（笑）。

ハクスリーも、そういう関係に対してなにか言いたい気持ちもあったと思うんです。でも、それで夫婦仲がおかしくなるということはなくて、奥さんのマリアさんは一九五五年に癌で亡くなる。その後、ハクスリーは再婚しています。
マリアさんとの夫婦生活は三十五年間でしたけど、ある人に宛てた手紙に「私たちの結婚生活は、二人で一人のような結婚生活でした」と書いていて、きわめて夫婦円満です。そういう不思議なことを体験している。だから、『すばらしい新世界』には、頭で単に考えたばかりじゃない、いろんな思いが反映していると思います。

ブルームズベリー・グループ

駒井　そこに性がテーマになった背景があるわけですね。では、どこからそういう感覚が生まれてきたかということで、控え室ではブルームズベリー・グループの話をなさっていましたが。

黒原　ええ。イギリスに、二十世紀に入ってから三〇年代ぐらいまでの間に、ブルームズベリー・グループという知識人のグループがあったんです。ロンドンのブルームズベリー地区に家を構えている或る人のところに彼らが集まった。ブルームズベリーはこの小説にも出てきて、「孵化《ふか》・条件づけセンター」のことを「ブルームズベリー・センター」と呼んでいます。

その人たちは性的に進んでいたと言いますか、どこの知識人にもそんな傾向がありますが、さっきのメアリー・ハッチンソンという人は、ハッチンソンさんの奥さんなんですが、同時にクライヴ・ベルという人の愛人として有名なんです。クライヴ・ベルは美術評論家で、彼もブルームズベリー・グループの一員なんですね。これもオープンな関係です。

それで、このクライヴ・ベルの奥さんが、画家のヴァネッサ・ベル。ヴァージニア・ウルフのお姉さんですけど、この人も性的にオープン。それから、ヴァージニア・ウルフ、彼女もグループの一員でしたが、バイセクシュアルです。その他にも小説家のＥ・Ｍ・フォースターはゲイだし、経済学者のケインズもゲイで、グループ全体に、進んでいたと言っていいのかどうかわからないけれども、何かそういうものがあったみたいですね。ハクスリー自身はそのグループの一員とはされていませんが、近い存在だったということです。

駒井　この小説の大きなテーマになっている、性に対する単一の価値観ではなくて、非常に揺れ動く価値観みたいなものが、そのグループにもあったわけですね。でも、何と言いますか、イギリスには古いものと新しいものが出ますね。

黒原　そうですね。

駒井　その複雑さは、なかなか理解できないところがありますが、そういうものが背景にあって書かれた小説は、面白いと思います。

小説の文章を書くことができる面白さ

駒井　今日は黒原さんという職業翻訳家の方をお迎えしています。古典新訳文庫では、たくさんの専業の翻訳家の方々に新訳をお願いしてきました。それではお聞きします。職業翻訳家としてこういう作品に向かい合うときのスタンスのようなものがありましたら、お聞かせいただけますか。

黒原　そうですね、私は娯楽物もやりますので、たとえば銃のことなどでちょっと不正確な訳をすると、マニアの方からすぐお叱りが来るんです。それと、娯楽物は苦労なしに読めないと困るわけですよね。「文学的で読みにくい」とかではだめなわけで、ちゃんと意味がわかるようにしないといけない。その辺のことは、調べ物にしても意識的ですし、文章にも意識的だと思います。でも、それは学者の方も苦労していらっしゃることでしょうが。

駒井　それでは、翻訳の魅力とは何でしょう。

黒原　これは、まるで小説を書いているような気分になれるということです（笑）。自分でアイデアを考えなくてもいいわけですから。それで、文章をいろいろ工夫するのは面白いので、小説を書いている気分が楽に味わえる。本当は楽でもないのですが（笑）。

駒井　小説を書く気分とは、作者との対話ではなく、自分で書いているという意味ですか？

黒原　あ、いやいや（笑）。それはもちろん対話です。翻訳しながら、「これどういう意味ですか？」とか、作者と想像の対話をするときがあります。「これどういう意味ですか？　もうちょっとわかりやすく書いてくださいよ！」と愚痴を言ったりするんですけども（笑）。

　だから、楽にと言っても、そんな簡単にやっているわけじゃないですが、小説って普通は書けないじゃないですか。自分で話を考えるのは難しいし。でも、翻訳だったら話を作らずに小説の文章を書けるわけです。しかも、いろんな文体がある。楽しいですよ、これは。

駒井　翻訳って、そういう意味では、非常に創造的な仕事だと思います。つまり、訳文の文体を決めるのは、原作者ではなく黒原さんじゃないですか。オルダス・ハクスリーは英語で書いたわけで、この作品を日本に根付かせるためには、日本語の作品として完成されていないといけない。そこで全権を担うのが翻訳者ですよね。そういう意味では責任も重いけれども、ある種やっぱり、創造的な喜びがあるのかなと思いますけども。

　ところで、これから古典新訳で手がけてみたい作品はありますか。

黒原　ああ、そうですね、ちょっと思いつかないですけど、今、古典新訳文庫でやっているフォークナーの『八月の光』（＊二〇一八年に刊行）、これは非常に難しいです。今までにも読んだことがあって難しいとは知っていたんですが、ここまでとは思わなかった。

やり方として、ちょっと補いの多い翻訳をやろうかなと思っています。『源氏物語』があるでしょう？　あの現代語訳はいろいろあるけれど、林望さんの「謹訳」が私は、今のところ一番わかりやすいと思っているんです。訳文に凄く解説を入れているんですね。前後関係とか、要するに普通なら訳註にして入れるところを訳文の中に入れ込んだ形です。

駒井　その方法については古典新訳文庫でも依頼するケースがあります。

黒原　だから、そっちの方をまずやらないといけないなと思っています。ずいぶん時間がかかっていますけど。

駒井　大事な作品ですし、面白く仕上げていただいて、皆さんに早く読んでいただきたいと思っております。今日は面白いお話を、どうも有難うございました。

（二〇一五年十二月二十一日）

[＊黒原追記] その後二〇一七年にトランプ政権が誕生して、『一九八四年』が世界中でベストセラーになり、〝今後は『一九八四年』より『すばらしい新世界』の方が心に届く〟というのは外れたかに見えます。私は強権的体制がだめなのはもうわかりきっているから、西側先進国がそちらに向かうことはないという、フランシス・フクヤマ的な考え方で話しましたが、悲しいことに、反自由民主主義的志向が頭をもたげ、『一九八四年』がまた告発力を強めています。しかし他方、『すばらしい新世界』のように科学技術によって人々の欲求を満たしつつ自由を骨抜きにしていく志向もなお進むと考えられるので、この作品の重要性が減じることはないでしょう。今後、この二つの作品の関係はもっと錯綜したものになっていくのかもしれません。

『すばらしい新世界』を読んだ人に、さらにお勧めの4冊

1

『一九八四年』
ジョージ・オーウェル　高橋和久訳
ハヤカワepi文庫
オーウェルはスペイン市民戦争に参加した体験を描いた『カタロニア讃歌』、そして旧ソ連のスターリニズム批判として『動物農場』を書いたのち、この最も有名なディストピア小説とも言われる『一九八四年』を発表した。「ビッグ・ブラザー」が支配する全体主義的な監視体制のなかで生きる主人公を待ち受ける運命とは。

2

『動物農場』
ジョージ・オーウェル　山形浩生訳
ハヤカワepi文庫
この作品は寓話的手法を使って書かれている。農園の動物たちが酷い農場主を追放して自ら理想的な共和国を打ち立てようとする。しかし、あろうことか指導者の豚がなんと独裁者と化して恐怖政治を領導していくことに……。スペイン市民戦争の現実に傷ついた作者は、ソ連型社会主義に潜む危険と非人間性を鋭く告発した。

3

『華氏451度』
レイ・ブラッドベリ　伊藤典夫訳
ハヤカワ文庫SF
華氏451度とは、書物が燃え上がる温度のことである。451と刻印されたヘルメットをかぶり、書物を焼き尽くす男たち。主人公のモンターグもそうしたファイアマンだったが……。本を読むことを禁じられた未来を舞台に、現代文明を鋭く風刺する衝撃的な作品。映画化もされた。エンディングが長く印象に残る名作である。

4

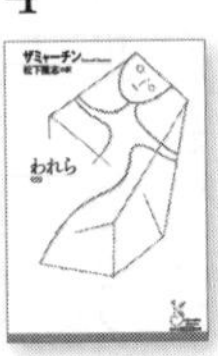

『われら』
ザミャーチン　松下隆志訳
光文社古典新訳文庫
1000年後の世界。地球全土を支配下に収めた〈単一国〉では、食事から性行為まで、人々の行動はすべて〈時間タブレット〉により合理的に管理される。宇宙船〈インテグラル〉の建造技師Д-503は、古代の風習に傾倒する女I-330に執拗に誘惑される。20世紀初頭に書かれたディストピア小説。作者ザミャーチンはソ連国外に出た。

第9夜

Herman Melville / BARTLEBY, THE SCRIVENER / BENITO CERENO

メルヴィル『書記バートルビー／漂流船』

牧野有通×駒井稔

謎の多い『白鯨』の著者が、巧妙に作品に隠した秘密とは

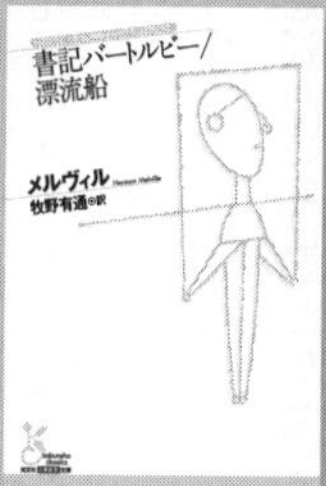

ハーマン・メルヴィル（1819-1891）
ニューヨークに生まれる。商船乗組員などを経て、1841年に捕鯨船に乗り組むが、翌年、船からヌクヒヴァ島のタイピー渓谷へ逃亡。1844年に海軍水兵として帰国。船員時代の体験をもとに小説を執筆、1851年には『白鯨』を発表し論議を呼ぶ。その後1857年まで問題作『ピエール』や中短編小説を書き継いだが、1866年から20年ほどは税関に勤務した。遺稿に『ビリー・バッド』がある。

『書記バートルビー／漂流船』
ウォール街の法律事務所で雇った寡黙な男バートルビーは、決まった仕事以外の用を言いつけられると「そうしない方がいいと思います」と言い、断固として拒絶する。その拒絶はさらに酷くなり……。「漂流船」は、漂流する船と遭遇した船長が、船内の奇妙な雰囲気を感じながらも、救いの手を差し伸べようとする。存在の不条理性を通して人間の闇を抉《えぐ》る、メルヴィルの代表的中編2作。

牧野有通　1943年生まれ。東京大学文学部卒業。同大学院博士課程単位取得退学。米国アイオワ大学大学院修士。元明治大学文学部教授。日本メルヴィル学会会長（現）、米国メルヴィル協会会長（2017年度）などを歴任。研究書に『世界を覆う白い幻影』、編著に『Melville and the Wall of the Modern Age』。訳書に『フォークナー全集』第1巻、第25巻、第26巻（いずれも共訳）ほか多数。

メルヴィルの魅力とは、いったいどこにあるか

駒井　古典新訳文庫の九周年フェアで、今年（＊二〇一五年）九月に新刊を三冊出しまして、そのうちの一冊が、ハーマン・メルヴィルの『書記バートルビー／漂流船』でした。

　メルヴィルがどういう作家かは、実は、私自身もよく理解できていなかった面があるのですが、この作品の仕事を通じて勉強したこともあって、もっともっと日本でも読まれていい作家ではないかと思いました。ですから今日は、新訳していただいた牧野有通さんに、メルヴィルの実像に迫るお話をうかがいたいと思います。

　二百冊を超える作品を刊行してきた過程で、哲学などは別として、メルヴィルは難しいな、なにか分からないなというのが私の率直な感想でした。数年前に飯野友幸さんの新訳で『ビリー・バッド』という、メルヴィルの遺作になる作品を刊行していまして、そのときも、非常に魅力的だけれども、今までの文学作品を読んだ時とは明らかに違う、不思議なくらい不消化な感じが残ったんですね。

　けれども、今回の「書記バートルビー――ウォール街の物語」と「漂流船――ベニート・セレーノ」についてのやり取りを牧野さんとする過程で、読者代表として質問を重ねるうちに、それなりに理解の手がかりを与えていただいたような気がしています。それを皆さんと

共に辿っていければ、充実した時間が過ごせるだろうと思っております。

では、まず最初にお尋ねしますが、代表作と言われる『白鯨』は、小さい頃に漫画で読んだエイハブ船長が強く印象に残っているのですが、大人になって通読してみると、いったい何を言いたい作品なのか、正直なところよく分からず、難しい作品だなと思いました。牧野さんに、今回、メルヴィルの作品の中から、敢えてこの二作をお選びになった理由について、まずお話しいただけたらと思います。

牧野　今の質問についてのお答えになっているかどうか分かりませんが、『白鯨』は巨大な作品ですけれど、実はあの中にすでに「書記バートルビー――ウォール街の物語」と「漂流船――ベニート・セレーノ」の萌芽とでもいうべきものがあるんじゃないかと思うんです。

「バートルビー」がウォールストリートの物語であることには気づかれたと思いますが、なぜ株式証券取引の中心地ウォール街が出てくるのかと言うと、十九世紀に、商業資本主義が勃興《ぼっこう》するのですが、それが「バートルビー」の書かれた時期であり背景だったからです。

メルヴィルがどうしてお金のことを書いたかと申しますと、実は壮大な叙事詩『白鯨』にもお金のことがたくさん書かれているのですが、メルヴィルは実際にも、お金に相当恨みのある作家でした。キリスト教社会といいながら、皆さんよくご存知のマックス・ウェーバーの『プロテスタンティズムの倫理と資本主義の精神』、あそこで展開される、地上での蓄財を合理化する思想から生じる資本主義社会の矛盾を、非常に強く感じていたのではないか。

　つまり、彼は「海」という比較的自由な視点から眺めた「陸」の論理、すなわち資本主義の体制と非人間的システムを、厳しく批判的に見つめる作家であったと、まずそのあたりを答えにしておきたいと思います。メルヴィルは鯨を捕りながらも、アメリカの「神」を「金」に置きかえる拝金主義的な社会体制を批判する立場を構築したのではないか。私にはその辺りが興味深いので、それが魅力の一つになっていると思います。

「これがキリスト教のやることか」という疑問

駒井　メルヴィルは、懸命に働いてお金儲けをすることが神の御心にかなうという考え方には批判的だったと。牧野さんは『世界を覆う白い幻影　メルヴィルとアメリカ・アイディオロジー』（南雲堂）という本をお書きになっていて、この中でも、初期の『タイピー』（柏艪舎）という本に、金は諸悪の根源だという思想があると指摘なさっている。
　そういう意味でのプロテスタンティズムに、メルヴィルはなぜ批判的だったのでしょう。金で苦労をしたということもあると思うんですが、思想的になぜそのような批判をすることに至ったのかなと、多くの方が疑問に感じると思うのですが。

牧野　彼は、名門の出身でありながら、大学に行くことができませんでした。親父さんが毛皮を扱う人物で、毛皮は先物取引で扱う商品なので、上手くいったときはいくらでもいい思いができる。しかし、――「漂流船」の中のデラーノ船長も、アザラシ毛皮商をやっていますが――一度失敗したら大変で、親父はそれで破産してしまい、狂乱状態で死んでいるのです。メルヴィルがまだ十代の若い時期のことです。そうすると、もう大学に行く資金がないわけですね。

それで結局、貨客船に最下層の平水夫として乗り組み、リバプールに行く、それから、アクシュネット号という捕鯨船でも平水夫であくせく働くといったことをやらざるを得なかった。その恨みつらみが表れているのが、『白鯨』のなかにある「捕鯨船こそ私にとってハーバード、そしてイェール大学だ」という台詞《せりふ》で、あれは一種の強がりじゃないかと思えるんです。お金では相当苦労したらしいし、やっぱり金が諸悪の根源であるというメルヴィルの思想が、一つの答えになると思います。

駒井　それは、海洋に出ていくことを含めた十九世紀の資本主義的な思考に、本能的な反感を抱いていたということですか。

牧野　ええ、それはあると思います。『タイピー』の話が出ましたが、メルヴィルは相当強く、十九世紀中葉から始まった太平洋での手段を選ばぬ植民地争奪戦や帝国主義的進出に反感を持っていた。食人族のタイピーがいたポリネシアは、フランスの植民地になったわけですが、彼は、その現場を見ています。そのときのフランスの先兵となった軍艦は、日本に来た黒船、つまり防腐剤として黒タールを使った黒船と同じタイプの船です。そして、ポリネシアの島々を武力で占領・支配するのを目のあたりにした。これがキリスト教国のやることかという疑問や反感は、常にあったと思います。

駒井　そういう背景を知らないと、「書記バートルビー」の、「わたくしはしない方がいいと思います」という、あの有名な台詞にある拒否の姿勢がよく分からないんでしょうね。

「僕」ではなく、どうしても「わたくし」だったことについて

駒井　バートルビーという書記が雇い主の弁護士に向かって言うこの台詞は、訳によってバリエーションがあって面白い。「僕、そうしないほうがいいのですが」「そうしない方が好ましいのですが」「そうせずにすめば有難いのですが」という具合です。

牧野さんはまず、書記バートルビーの一人称を「わたくし」にして、それから、「しない

方がいいと思います」とお訳しになっていますけど、これは私の感想では、孤立して最後は絶食して死んでしまうバートルビーの孤独な像がくっきり見える新訳だと思いました。それで、この言葉を採用した理由をお聞きするところから、バートルビーの謎に迫りたいと思うんです。一人称にも「僕」とか「わたし」とかがある中で、何故「わたくし」という、かなり丁寧な一人称をお選びになったのか、教えていただければと思います。

牧野　「I would prefer not to」、これはキーになる言葉ですけれども、今言われた中では、「僕、そうしないほうがいいのですが」にある「僕」という言葉。バートルビーがまず絶対言わないんじゃないかと思うし、なんだか体中がザワッとするような違和感を覚える。この人物の独特な存在感を考えると、「僕」では妙に現実的過ぎる感じがするのです。

「わたくし」というのはわざと調子を強めて言っているわけで、この辺りの言葉の選び方は、大学で「バートルビー」を皆で読み合わせているときに、大学院生などの指摘も受けて、「わたくし」とするべきだと判断しました。

　これは「prefer」という言葉が重要なんです。「こちらのほうを選ぶ」「こちらのほうがいいと思う」という「prefer」に、あと一つ「would」が入って丁寧語のように見えながら、さらに「not」が入って全面否定の「would not」になるわけですね。

ですから、意志が非常に強い言葉を丁寧語で表現するために、あえてぎこちない直訳調で訳さざるを得なかった。「せずにすめば有難いのですが」という訳があることは知っておりましたけど、これではバートルビーの異常性がよく伝わらないと思いました。

駒井　「僕」という代名詞は村上春樹さんが使って、今、一人称の翻訳ではよく使われますし、古典新訳文庫でも従来「私」だったものを「僕」に変える例もあるのですが、書記バートルビーが「僕」というのは、やっぱりザワザワするような違和感があるものでしょうか。

牧野　いや、極端な反応で申し訳ないですが、どう見ても「僕」ではないという感じがする。「僕」と言うと、すごくわかりやすい存在が目の前に現れて、謎めいたところがなくなってしまう感じがするのです。ですから、語感としてはどうにも私は納得できませんでした。

メルヴィルの謎は、ただの謎ではないと感じた

駒井　元の話に戻りまして、「ウォール街の物語」とサブタイトルにはありますが、バートルビーはあまりにも奇妙な人物で、まあ、カフカの『断食芸人』などを思い浮かべる人もいるかもしれないですけど、そういうアレゴリカル（寓意的）な感じとはまた違っていますよね。なぜバートルビーという男は、「しない方がいいと思います」などと言って、だんだん

孤立し、最後は監獄で一人死んでいくのか。

　バックグラウンドを知らないままでこの小説を読むのと、メルヴィルの思想を知って読むのとでは差があり過ぎるような気がします。小説は、作家の伝記的な事実や思想を知らないで読んでも、作品のイメージだけで一定の理解ができることが大切だとも思うのですが、このメルヴィルの作品に関する限り、それが通用しないという感じもするんですが。


牧野　カフカの『変身』とか『断食芸人』などは、理由がよくわからない不条理の核を真ん中に置き、あとは日常のリアリティを維持した不条理小説ですね、これはアメリカの劇作家・オールビーの『動物園物語』とか、フランスのイヨネスコとか、イタリアのピランデルロとかの不条理演劇にもよく出てくるパターンです。

　こういう不条理性は、確かに「バートルビー」にもあります。その点ではメルヴィルの作品の中でも特殊でして、不条理演劇や不条理小説を先取りしているところがある。

　ただ、メルヴィルに限らず、ポーにもこの程度の不条理小説風の作品はあるし、ホーソーンの『ウェイクフィールド』のように、なんで覗《のぞ》きのようなことを突然始めるんだと言いたくなる作品もある。

　ですから、私が見る限り、この「バートルビー」では、読んだ人に誰彼なく「どうして？」という感情を強く作り出すために、一番効果的な方法を使ったのだと思います。

駒井　繰り返しになりますが、メルヴィルは、理解が届いたという感じを持てない小説家だと私個人は思いますし、周りの評価も多分そうだと思うんです。牧野さんは、そういう作家に、どうして惹かれたのかということ、どんな出会いがあったのかというのも気になるところなので、その辺のことも教えていただけますか。

牧野　作品との出会いは、最初はやはり『白鯨』です。中学生ぐらいのときだったか田中西二郎訳で読みました。

　この訳が凄かった。最初の「Call me Ishmael」を、「ひょいと出ました唐変木、わたしの名はイシュメール」とくる（笑）。それから、大学で大橋健三郎先生の授業でやったときに、これは普通の作家じゃないと思いました。

　そのあと、英語力が足りないことを痛感し、わからない単語が出てきたら必ず辞書を引くようにして、一ページ進むのに何時間もかけたこともありました。それでも興味があったのは、メルヴィルの狙いは謎めいていて不可解だけれども、これは世界の真実に関わるものだと思わせる何かがあったからではないでしょうか。そんなところに惹かれたように思います。

「漂流船」というタイトルに決めた理由

駒井　では、もう一篇「漂流船――ベニート・セレーノ」という名前で併載されている中編ですけれども、これは今まで「ベニート・セレーノ」というタイトルで刊行されているものが多かった小説です。ベニート・セレーノは漂流船の見せかけの船長の名前ですよね。ですけど、この音には日本人にはまったく人名のイメージがないということもあって、いろいろご相談して、岩波文庫では「幽霊船」となっているのを、「漂流船」というタイトルに変更したわけですが、「漂流船」とした理由を改めて教えていただけますか。

牧野　私は最初、「ベニート・セレーノ」のままでいいんじゃないかと思っていました。

しかし「漂流船」というのは、この船の登場の仕方が漂流船のようであるということに加えて、この作品を読む人の認識自体が揺れ動いて漂流していくところがあるのではないかという意味合いも含めました。「奴隷反乱船」も考えたんですが、そうすると、このサン・ドミニク号の性格が最初からわかってしまう。

「ベニート・セレーノ」でいいと言う人は、私の友達にも何人かいました。しかし、編集の方が指摘されたように、ベニート・セレーノが中心人物かと言ったら、そうではない。背後に、ベニート・セレーノを静かに抑え込んでいく暗い影があって、漂流しているサン・ドミニク号の影として最初から語られるわけです。

　冒頭の部分にこうあります。「眼前の暗い風景は、やがて来る、さらなる深い影の到来を予告するかのようだった」。普通の作品では、これから黒い影（foreshadow）がやってきますなんてことを書くことは、まずないですけど、この「暗い風景」「深い影」というのは、最終的にバボウという反乱の首謀者である黒人奴隷が、晒《さら》し首にされるところまで続いていく風景や影なのではないかと思いましたし、そう理解すると、反乱船という形では、あまりにも前提が明示され過ぎる。

　ですから、ここは漂流のイメージで、しかも、読者に対しては、ずっと謎のまま漂流するように進行していくという意味合いがあるということで、「漂流船」にしたのです。もっとも、これでいいのかと、私自身がいまだに漂流しているのですが（笑）。

駒井　一言申し上げれば、「ベニート・セレーノ」だけでは人名かどうかがわからないことが、編集部にとって重要なことなのです。私たちはプラトンも出していますが、『メノン』とか『ゴルギアス』とか、これが人名だとは普通の読者には分からないと思うんです。でも、『ソクラテスの弁明』とすると、たとえソクラテスを知らなくても、これは名前だということは分かります。ですから、ギリシャ哲学の先生方に、「『メノンの嘆き』とか『ゴルギアスの叫び』のようにできませんか」と言いましたら「何を言っている。古典新訳とはそういうものなのか」と怒られました（笑）。

「ベニート・セレーノ」は、奴隷運搬船の船長と目されるスペイン人の名前です。物語の実際は、牧野さんが「奴隷反乱船」とおっしゃったように、黒人奴隷たちが反乱を起こし、ベニート・セレーノをその傀儡《かいらい》として使うという話なんですよね。

この小説、既訳で私も読んだんですが、ちょっと古風な訳で、通読してもなかなかイメージがつかめなかった。それが、牧野さんの訳では、最終的にベニート・セレーノがアメリカ人船長のボートに飛び移るときに、先ほど話に出た召使いのバボウという黒人が短剣を持って殺しに飛び降りてくるという、衝撃的なシーンもあって、一級のミステリー小説を読んでいるような、緊張感がありました。

ミステリーは、一度読んで謎が解ければ終わりですけど、この小説は二度目、三度目に読むほうが怖い。メルヴィルの小説は、何度も何度も読むことを要求している小説のように思えますが。

牧野　ええ……。「バートルビー」のような短いものでもそうですし、「漂流船」のような中編でも、一度読んでメルヴィルが分かってしまうとは、まず思えません。

メルヴィルをやる人間はクレイジーか？

牧野　皆さんご存知の大江健三郎とか池澤夏樹、このような人たちがメルヴィルに取り組むときには、極めて現代的な解釈で挑みます。大江健三郎は、皆さん知っての通り、『核時代の想像力』（新潮選書）のような形で、『白鯨』を核兵器や核のイメージで読み解いている。池澤夏樹の場合は、原子力発電所というか、二〇一一年の福島を予言するような読み方をする。

たとえばフィッツジェラルドなどの作品は、読んでみて謎を解明しなきゃいけないということは少ないと思うんです。ところが、「バートルビー」を一回読んで、わかってしまうなんて、むしろ頭の構造がおかしいというか（笑）、そんな簡単なことではないわけです。かけられた謎を解くのに、アメリカの研究者でさえ、すでに百何十年もかかっているわけで、まだこれから予断できない読み方が生じる可能性が、多分にあると思うのです。

駒井　とても面白いお話です。これだけいろいろな解釈が可能な、つまり、その作品に対する光の当て方が各人でこれだけ違う作家もあまりいないんじゃないかと思います。

牧野　ええ、アメリカだけじゃなく日本にも、たくさんのメルヴィル研究者がおられます。

私は『幽霊船』というタイトルをつけた坂下昇さん訳の『白鯨』に「解説」を書きましたので、よく知っているのですが、彼を典型として、メルヴィルをやる人間はおおむねクレイジーです（笑）。

駒井　それはどういう意味でしょうか。

牧野　あまりの謎に直面して狂乱すると言いますか、熱に浮かされたり、あるいは憑《つ》かれてしまうところがあるんじゃないかと思います。『白鯨』を最後まで訳しているものは十数点もありますけど、こんなものを一生かけて訳すのは、そもそもクレイジー以外の何物でもないですよ。

　生涯をかけてメルヴィルを研究された方には杉浦銀策《ぎんさく》先生とか、寺田建《たけ》比古《ひこ》先生とかがいるわけですが、お話を聞かせていただいても、やはりこういうものを人生に取り込んでしまうと、もうクレイジーな展開になってしまうんじゃないかと思います。

駒井　面白いですね。牧野さんは、そのクレイジーな方が集まる「日本メルヴィル学会」の会長をなさっています。それで、クレイジーというのは、噛み砕いて言うと、どんな感じなのですか。取り組み方や解釈のベクトルがそれぞれに違うので、たとえば、自説を非常に強力に主張なさるのでクレイジーなのか、どういうニュアンスでおっしゃっているのでしょう。

牧野　解釈にすごい幅がありますね。資本主義に対する批判を読み込む、もちろんこれが全てじゃないわけで、歴史とか新批評とかグノーシス主義とかイデオロギーとか、さまざまなものが入ってくるし、芸術至上主義とは言いませんが、審美的な方角からの関わり方も当然出てきます。

私なんかは、最近のニュー・ヒストリシズムに近いのかもしれなくて、必然的に社会学的なアプローチが出てくるのですが、その方角から見ますと、デコンストラクション（脱構築）のような解釈法を採る人たちがクレイジーに見えますし、逆に、我々みたいな形でやっている人もクレイジーに見えるのでしょう。

そういう多様な見方をもたらす魅力がメルヴィルにはあるということなので、単純に日常的な論理で切っていけなくなったときに、メルヴィルの英語の難しさがあったり、仕掛けも複雑だったりするわけで、一つの方向だけで切り込んでいくと、自分がおかしくなってくる。

そんなことをしているうちに、杉浦先生なんかとは酒を飲んで大騒ぎということをやってしまう（笑）。そういう、先生方を狂わせる一面が、メルヴィルにはある。

駒井　じゃあ、日本メルヴィル学会会長としては大変ご苦労なさっていると。

牧野　いや、私はまったく苦労していません。

駒井　お酒を飲んで殴り合いでもしているのかなと思いましたが（笑）。

牧野　いや、それをやらなかったわけじゃないけれども（笑）。とにかく、メルヴィルをやっているとおかしくなることは、まあ予想されるところです。『白鯨』を訳した人たちを揃えて酒を飲ませたら、無事に終わるとは思えない（笑）。

駒井　恐ろしい学会ですね（笑）。でも、それだけ魅力があるということでしょうね。

メルヴィルの巧妙な手腕――あからさまではない奴隷制批判

駒井　ここで、「漂流船」の話に戻りたいと思うんですが、私は、作品の真の主人公、バボウという、反乱の首謀者である黒人奴隷の人物造形は見事だと思うんです。普通は黒人が文学に出てくると、『ハックルベリー・フィン』の……彼は何と言いましたっけ。

牧野　ジムですね。

駒井　そう、ジム。彼ら黒人奴隷は、旧来、なぜか東北弁で訳されていて、「おらはそう思わねぇだ」などと言うわけです。日本の翻訳には、黒人の言葉を東北弁もどきで訳すという伝統がありまして、古典新訳文庫では、これを一切やめています。「お願《ね》げぇでございますだ、ご主人様」、一体どこの言葉かと思うんですが、黒人というと、まず自動的にそういうふうに訳されてしまう。

そういう造形がほとんどの中で、このバボウは、稀に見る黒人のヒーローだと思うんです。非常に知能が高い。しかも、機敏で魅力的な、白人側にとっては悪者のバボウ。牧野さんの訳は非常にお上手で、「バボウめは」と自分を卑下してみせる。要するに自分は船長の召使いだと言って、傀儡にした船長を自在に操る。バボウのそういった言葉遣いも巧みに描かれていて、この新訳の素晴らしさの一つの要素になっています。

牧野さんは、ご著書の中で、黒人の奴隷をどう処遇するかを争った南北戦争に、ホイットマンとメルヴィルは関わったとお書きになった上で、黒人を主人公にして奴隷制を否定する書き方は、この時代のメルヴィルに望むことは無理だったとおっしゃっていますが、その辺りの事情も含めて、バボウの造形の背後にあるメルヴィルの思想について、解説していただきたいんですけれども。

牧野　バボウという人物は、最後に絞首台に送られて、その沈黙と目つきが全体を暗く覆う形になっていることは、これまであまり注目されてきませんでした。メルヴィルは極めて巧妙に書いていて、この作品が奴隷制を批判していることを、あからさまにはしなかった。

なぜそうなったのかと言いますと、ご存知のようにアメリカ南部は、黒人奴隷を搾取する形で経済体制が出来上がっていますから、奴隷制がなくなると破綻することが目に見えている。ところが、もっと恐ろしいことに、同じようなことが、北部でもある程度あったのですね。ですから、奴隷は解放しないという動きを見せる北部の人たちも相当いたわけです。

これは無視されがちな視点ですけれども、ニューヨークで「Draft Riots」（徴兵暴動：南北戦争中の一八六三年にニューヨークで発生したアイルランド系アメリカ人による暴動。この年の一月に奴隷解放を宣言された黒人が、私刑で多数殺害された）が起きたときでも、黒人解放のために自分たちが徴兵されて殺されてたまるかという動機があったし、また、北部は黒人が自由でしたから、自分たちの職場を奪うという不満もあった。

ですから、もしバボウをあれだけ残虐な男にせずに、バボウこそ優れたリーダーであるなどと言ったら、メルヴィル自身がテロに襲われたかもしれない。実際に脅迫を受けたリディア・マリア・チャイルド（十九世紀アメリカを代表する女性作家、詩人、ジャーナリスト。反奴隷運動、女性や先住民族の権利のための活動家としても知られる）のようなケースもありますが、メルヴィルは際どく切り抜けた。元来コロンブス像であった船首像が奴隷所有者の白骨死体に置き換えられていたとか、船中の鐘がフィラデルフィアのひびの入った自由の鐘を想わせるといった巧妙な形で表現していると思います。

百数十年間、巧みに隠されていたメルヴィルの意思

牧野　それは、「宣誓供述書」のところを読んでも、わかります。黒人の弁護に回る弁護士がいるわけでもなし、検事に理解があるわけでもなし、ひたすら奴隷制を維持しようとする宣誓供述書で、バボウを残虐無比な人間に仕立て上げているからです。そういうコンテキストの中でも、バボウは非常に知的なリーダーだったとメルヴィルは表現した。

それでも直接的な表現はできるだけ避けて、引っ張って引っ張った末に、一番最後に、殺されてもひるまぬバボウの視線を出してくる。それでメルヴィルの意図が分かるかと言ったら、百何十年間、誰も分からなかった。つまり、解釈がそこに至るまでにそれだけ時間がかかるほど巧妙だったと言える。

駒井　お読みになった方はご存知ですが、バボウが最終的に絞首刑にされ、首を切られて、しかし、ひるむことなく白人のほうを見ているというラストシーンがある。野間正二さんという方の『読みの快楽　メルヴィルの全短編を読む』(国書刊行会)という本を読むと、これは実際に起きた事件を下敷きにしているそうですね。実際、バボウのモデルになった人間がいた。そこから黒人が白人に対するプロテストを、死をも恐れずに完徹するというストー

リーを作ったわけで、そこにメルヴィルの作家としての意思が感じられると思うのですが。

牧野　ええ、アメイサ・デラーノ船長の実録が種本としてあるんですが、それをどのぐらい深めるかというところにメルヴィルの課題があった。その意味では、おっしゃる通り、実録上のバボウ的人物の役割は、実際には、ほんの小さいものに過ぎなかった。しかしその存在を、メルヴィルは奴隷制の問題に拡大した。

　この作品が書かれたのは一八五五年ですから、南北戦争が始まるわずか六年前です。それがどのぐらい危険か、予測できない状況の中で書いているわけです。しかもバボウを、あのような鋭い目つきで、自分たちの奴隷所有者に相当するアランダとか、ベニート・セレーノを睨《にら》ませ、死んだあとでも「許さない」と凄みをきかせている。あれをただ残虐非道な黒人の目つきだと解釈するのなら、作品が読めていないと言わざるを得ない。

駒井　ほかにも、黒人たちが斧を打ち鳴らしているとか、黒人が反乱を起こす兆しがあることを仄《ほの》めかす形で物語が進むので、牧野さんがおっしゃる、この時代の奴隷制に否を唱えることがどんなに大変だったかと併せて考えると、メルヴィルは、或る種の韜晦《とうかい》を重ねながら、非常に上手に物語を作っていることが分かります。「漂流船」は、この新訳で、初めて物語としての意味を理解できるようになったことは画期的なことだと思います。

描かれる「善良で親切なアメリカ人」の二重性

駒井　前の質問の延長になるんですが、「バートルビー」は、雇い主の弁護士が語り手の役目を担って、その視線でバートルビーとのやり取りを書いている。「漂流船」では、デラーノ船長を、典型的な善意を持った人間ともとれるように造形している。

我々日本人には、戦後のアメリカ軍の占領なんかの影響でしょうか、アメリカ人は或る種の善意に満ちているというイメージがあって、それを前提にして読みますと、その幻想は見事に裏切られる。メルヴィルは、こういう人物たちを、作家的なバランス感覚の中で作ったのでしょうか。

牧野　そうですね。二つの作品には確かに共通項がありまして、「バートルビー」の語り手の弁護士、そして「漂流船」のデラーノ船長について、人のよさが特徴的に描かれていることは、間違いないことです。ただ、それをアメリカ人全体に一般化するのは、無理があると思います。

そんなに簡単なことじゃありませんね。鈍くて気がつかないから外見的に人に親切だという要素もないわけじゃない。アメリカ人はこんなに親切な人ばかりではないし、メルヴィルは、語り手を敢えて人のよい中間的な位置に立たせている。普通の善良な人間が気づかないバートルビーみたいな想像を絶する存在がいるということ、あるいは、振り返って見れば、気づかない世界が自分の存在を脅かしていたというようなデラーノ船長のような状況もあるわけで、メルヴィルとしては、それを際立たせるために敢えて親切な語り手を用意して、アメリカ人は善良であるとばかりに表現していますが、決して本気じゃない。

そうではなくて、そのうちそういう無知な人間たちの足元をひっくり返してやるという気《き》魄《はく》が、何か差し迫った迫力で伝わってくる。

駒井　今年、内村鑑三の『余は如何《いか》にして基督《キリスト》信徒となりし乎《か》』を新訳で出しました。『ぼくはいかにしてキリスト教徒になったか』というタイトルです。実に数十年ぶりの、いま本当に読める内村鑑三の自叙伝だと思っているのですが、その中に出てくるアメリカ人の最も良質な部分のイメージが、私にはデラーノという人のいい船長と、「バートルビー」の弁護士に重なって見えたんです。

内村鑑三は、ひどい目に遭いながらも、アメリカ社会にいるいい人、親切な人から大きな力を得て日本に帰ってくる。そのアメリカ人像が、メルヴィルの描いた白人像の中にもあるのかなと思ったので、お聞きしたわけです。

ただ、そう言いながらも、「漂流船」の最後で、正体の分かった漂流船を白人の船員たちが追いかけていきますよね。黒人奴隷たちもデラーノ船長の船に応戦する。そのときに、現代のアメリカにもある、利を求めて襲いかかるときのアメリカ人の激しさや貪欲さがあって、その辺もこの物語の重要なところかなと思って読んではいたのですが。

牧野　個人的にみてアメリカ人の人の良さには、私自身も、留学のときに非常に助けられたことがありまして、そういう経験をお持ちの方はたくさんおられるはずですし、多くのアメリカ人に対する好感度は、低くはないでしょう。

けれども、それらの人の中でも、例えばアメリカに居住して日系アメリカンとして生活しなきゃいけないとき、とくにアメリカ人と競合する職種に就いた場合は、想像できないような攻撃性に直面することがあるかもしれません。今はどこの国でもそうでしょうけど、基本として現地の利害にかかわらない、留学とか、移民ではない形で滞在することに関しては、いまだにアメリカ人には親切な人が多いと感じます。

ロレンスによる再評価——受け継がれてきた白人の魂が、メルヴィルにはある

駒井　その二重性に、アメリカという国を理解する難しさがあるんでしょうね。

ところで、メルヴィルは、最後は税関に勤めるんですよね。食べるのが大変で、それでも筆を折らなかったけれども、後半生を生きているときはほとんど無名だった。
それが、死後三十年ほど経った一九二〇年代に、『チャタレイ夫人の恋人』を書いたD・H・ロレンスが、『アメリカ古典文学研究』でメルヴィルを再評価する。翻訳が講談社文芸文庫で出ていますけど、後半がメルヴィルに割かれています。ロレンスがメルヴィルをどう評価したかについて、簡潔に教えていただけますか。

牧野　あの本は、「古典文学研究」と言っていますけど、ロレンスは学者的な研究をしたわけではないんです。彼は『黙示録』にこだわる、想像を絶するような直感力がある人だったと思うんですが、「『白鯨』は簡単に捉え切れるものじゃないけど、これから私は、『白鯨』とは何かを全部まとめてしゃべります」と言わんばかりに、「白人の呪われた血の中に受け継がれてきた滅びつつある白人の魂みたいなもの」が、今日までほとんど無視されてきたメルヴィルの作品の中にあると、明解に述べていますし、また『タイピー』や『オムー』についても触れています。メルヴィルの重大な側面というか、メルヴィルを読む上での何らかの判断を読者に求めているわけです。その当時の基になった資料となるものが微妙なものだったのですが、それでも、最も早い時期にそういう展開をして、その後のメルヴィル研究に影響を与えたのがD・H・ロレンスだと思います。
それから後は一挙に、もう信じられないぐらいの、今までの罪滅ぼしみたいな再評価が続くわけで、その意味では、「白鯨」とは何かという問いかけが生じて、日本人では阿部知二《ともじ》なんかがそれに関わって、収束することなく深まっていく。

駒井　有難うございます。『アメリカ古典文学研究』はわが社ではありませんが、新訳で出ています。ご興味のある方は是非お読みいただければと思います（笑）。

日本の作家たちへの影響

駒井　阿部知二さんの名前が出たところでお聞きしたいのですが、メルヴィルは、日本の近現代の作家たちにどういう影響を与えてきたのでしょう。具体的な名前が挙がるのであれば、それも含めて、日本におけるメルヴィルの受容史を教えていただけませんか。

牧野　えーと、これは短い時間ではなかなか難しいのですが、先ほどから名前を出しているクレイジーな人々も、実はほんのわずかな部分に過ぎません。阿部知二は最も初期に評価しましたが、その後は、どちらかと言うと革新的な文学者がメルヴィルに関わって紹介し続けたということがありますが、それでも、必ずしも社会革新派だけではないし、最近の千石英《ひで》世《よ》さんや八木敏雄さんに至る過程では、芸術至上主義、あるいは現象学的な純粋派というのでしょうか、そういう見方もあるので、一言で語れるものではないんですね。

駒井　具体的にメルヴィルに言及した日本の作家にはどんな人がいるのですか。

牧野　大江健三郎と池澤夏樹の他に、宇《う》能《の》鴻一郎《こういちろう》は『鯨神』（中公文庫）という小説で芥川賞をとっていますね。そのほかメルヴィルにこだわる文学者は、『偏執論』（河出書房新社）を書いた岡庭昇さんなどがいます。それから、大江健三郎にも触れている大橋先生は、大江さんと同じ健三郎という名前で混同されがちですが（笑）、国書刊行会の『鯨とテキスト　メルヴィルの世界』という本で、日本のメルヴィル研究史をまとめて書いておられます。

駒井　ありがとうございます。それでは二作品を新訳なさって、作品の見方に変化や発見があったら教えていただきたいのと、このお仕事で一番苦労されたことは何だったでしょうか。

牧野　メルヴィルをやるときは常に苦労します（笑）。とくに、かなり古い英語ですから、それを現代語に訳し過ぎてしまうと、書かれたときの雰囲気が軽くなってしまうんじゃないかと、ちょっと心配でした。

　これまでの訳と違うぞと思うのは、「バートルビー」にある、不条理演劇の基本である異常な核を真ん中に置いて、周りの人たちがパニックに陥る状態、これをメルヴィルがコメディ仕立てにしていることを、前半部分でこれほど強調した訳はなかったと思います。その異常な核が人間的に非常に暗いもので、後のほうになると読者までいじめるような暗さが出てくるわけで、その明暗の対比をうまく表現できればと思って、最初のほうではやり過ぎかなと思われるぐらいのコメディタッチを採りました。

それと、「漂流船」のバボウがベニート・セレーノの髭《ひげ》を剃《そ》るときの雰囲気も、今までの訳では、ベニート・セレーノの友人であったアランダの肉を削ぐことと関連させずに解釈していたと思うんですが、そこがあまり触れられていないなら、訳し方でちょっと強調しようと、私なりの解釈でそこを処理したというところです。

駒井　おっしゃったことは、「書記バートルビー」に関しては大成功じゃないでしょうか。「ジンジャーナット」とか人名も非常に面白いし、その部分に限らず、或る種の笑いの感覚が生きていると思いました。

それから、バボウが主人の髭を剃るシーンですが、初めて読んだ人には、これもわからない。ただ髭を剃っているとも読めるのですが、それは「何か余計なことをしたら首を切るぞ」という脅しであるわけです。これも二回読まないとわからない。そのシーンでの主人・ベニート・セレーノは、実はアランダという友達を白骨にされているのですが、まだ読者には知らされていない。それで主人の恐怖は凄まじいのですが、読者には原因がわからず、強烈な印象が残るだけですが、この新訳ではそこが上手く訳されていると思いました。

さて、最後の質問になりますが、我々は、次に『白鯨』に挑戦すべきなのでしょうか。それとも、『タイピー』や『オムー』などの初期の海洋小説のような作品に行ったほうがいいのでしょうか。

牧野　光文社の宣伝をするつもりはありませんけれども、今回の本がメルヴィルを読む上で一番適切な入門書であると思います。そこから次に『タイピー』そして『白鯨』や問題作『ピエール』に行くのは、まあ、妥当な線ではないでしょうか。最初から『白鯨』ですと、途中で挫折しかねない。

駒井　ありがとうございます。メルヴィルという作家は、最初に申し上げたように、普通の日本の読者には謎の多い作家です。その謎が、お話をうかがって少しずつ解けていく感じと、今回の『書記バートルビー／漂流船』で、彼の作風が少しですが、分かったような気がします。まずは、読者として、もう一度『白鯨』に挑戦してみようと思います。

（二〇一五年九月二十九日）

『書記バートルビー／漂流船』を読んだ人に、さらにお勧めの4冊

1

『ビリー・バッド』
ハーマン・メルヴィル　飯野友幸訳
光文社古典新訳文庫
メルヴィルの遺作。18世紀末、商船から英国軍艦ベリポテント号に強制徴用された若きビリー・バッド。新米水兵として誰からも愛される存在だった彼を待ち受けていたのは、あまりに過酷な運命だった。ビリー・バッドを陥れた罠とは……。緊張感みなぎるストーリー展開と哲学的な考察につらぬかれた不条理劇のような問題作。

2

『緋文字』
ホーソーン　小川高義訳
光文社古典新訳文庫
17世紀のアメリカ・ニューイングランド、幼子を抱いて刑台に立ったヘスター・プリンの服の胸には緋色の「A」の文字があった。子どもの父親の名を明かすことを頑として拒むこの女性を、若き教区牧師と謎の医師が見守っている。罪を抱えた三つの魂が交わるとき緋文字の秘密が明らかに。メルヴィルが師と仰いだホーソーンの傑作。

3

『世界文学のすすめ』
大岡信、奥本大三郎、川村二郎、小池滋、沼野充義編
岩波文庫別冊12
本書は世界文学の入門書として編まれたものである。したがって世界の名だたる文学作品のなかに「偉大なポストモダン小説」として『白鯨』も紹介されている。冒頭、編者たちの座談会において、最初にそれぞれが選んだ30冊のなかで『白鯨』が満票をとったことが紹介される。世界文学のなかでの『白鯨』を考えるための好著。

4

『世界文学を読みほどく　スタンダールからピンチョンまで【増補新版】』
池澤夏樹
新潮選書
作家の池澤夏樹さんは、河出書房新社で『世界文学全集』と『日本文学全集』の個人編集をした。本書は京都大学で行われた夏季特殊講義の講義録である。世界文学から全部で10作品を選び出し、その内容を創作者の立場から解説していく。グローバル時代における『白鯨』の先見性と、「百科事典的である」という指摘は興味深い。

ロシア文学の扉

ロシア文学への入り口（駒井）

まず、二葉亭四迷が翻訳したイワン・トゥルゲーネフ『あひびき』の冒頭を少し引用してみましょう。読みやすいように新字、新仮名遣いに改めてあります。

秋九月中旬というころ、一日自分がさる樺の林の中に座していたことがあッた。今朝から小雨が降りそそぎ、その晴れ間にはおりおり生ま暖かな日かげも射して、まことに気まぐれな空ら合い。あわあわしい白ら雲が空ら一面に棚引くかと思うと、フトまたあちこち瞬く間雲切れがして、むりに押し分けたような雲間から澄みて怜悧《さか》し気に見える人の眼のごとく朗かに晴れた蒼空がのぞかれた。自分は座して、四顧して、そして耳を傾けていた。木の葉が頭上で幽《かす》かに戦《そよ》いだが、その音を聞たばかりでも季節は知られた。

少し読むのが大変ですが、我慢して進んでいくと、だんだんと不思議なリズムに慣れていきます。

『埋もれた翻訳――近代文学の開拓者たち』（秋山勇造著、新読書社）という、近代の翻訳について書かれた優れた著作があります。その本で、田山花袋が『近代の小説』の中で、この『あひびき』について次のように書いていることを知りました。

> その翻訳が、その翻訳の言文一致が、いかに不思議な感じを当時の文学青年に与えたか？　いかに珍奇と驚異との感じをその当時の知識階級に与えたか。現に、私などもそれを見て驚愕の目を瞠《みは》ったものの一人であった。

近代日本文学の文体、いわゆる言文一致体を創始した二葉亭四迷の翻訳が、いかに衝撃的なものだったかを証言しています。ロシア文学が日本の近代文学に与えた影響の大きさに改めて驚くと同時に、それがフランス文学でもイギリス文学でもなく、ロシア文学だったことはある意味、象徴的だと思えます。

さて、本書に登場する一人目のロシア人作家は、ナボコフです。『カメラ・オブスクーラ』は、いわゆる普通の意味での「新訳」に留まりません。先行する訳があって、そこに新しい翻訳を登場させるというのが、古典新訳文庫の基本的なスタンスなのですが、このナボコフ三部作は、英語の原典からの翻訳はあったものの、実は日本で初めて「ロシア語原典から」翻訳された作品です。こういう翻訳作品を「本邦初訳」といいます。古典新訳文庫には、この本邦初訳の作品がいくつか入っていますが、ナボコフのように一つの作品が二つの言語で書かれた例は他にはありません。訳者の貝澤哉《はじめ》さんのご提案で試みることになったのですが、『絶望』そして『偉業』と続いて、私たちがナボコフ三部作と呼んでいる、非常に大きな仕事になりました。

ナボコフと言えば、何と言っても英語で書かれた『ロリータ』が有名です。「ロリコン（ロリータ・コンプレックス）」という言葉の元になった世界的なベストセラーですが、この祖型ともいえる作品が『カメラ・オブスクーラ』なのです。中年の美術評論家が、ロリータよりは少し年齢が上ですが、十六歳の少女マルゴの肉体に狂っていくお話です。ナボコフをアメリカの作家だと思っている方も多いと思いますが、ナボコフはロシア革命で祖国を追われてから、亡命時代に母語のロシア語で創作活動をしていたのです。

しかも、この『カメラ・オブスクーラ』は、『ロリータ』の原型でありながら、実は英語に翻訳するときにナボコフ自身が内容を変えています。ですから、『ロリータ』と『カメラ・オブスクーラ』を比べて読むことも、一つの興味深い読み方になるように思います。

また、貝澤さんは、「ナボコフは読者を選ぶ作家で、自分のレベルに読者を引き上げる」作家だということを述べています。そういう仕掛けやネタが小説の中に組み込まれていると聞いて、ある種の難解さにもナボコフらしさがあるのだと納得しました。

ナボコフは「作家は人生の教師だ」とか「魂の教師だ」というような十九世紀的なロシア文学のあり方に反旗を翻した作家であることが、貝澤さんのお話でよく分かりました。本書でも取り上げたヌーヴォー・ロマンの作家アラン・ロブ＝グリエを、ナボコフはよく読んでいたということを聞いて、なんとなく納得できるような気がしました。

とにかく、ナボコフの作品には、人間の邪悪さがひときわ鮮やかに描かれています。魅力的なナボコフの世界に、ここから入ってみませんか。

本書でもう一人ご紹介するロシア人作家は、ドストエフスキー。亀山郁夫さんによる新訳の『賭《と》博者《ばくしゃ》』です。ご存じのように、亀山さんが新訳した『カラマーゾフの兄弟』は、わが国のロシア文学受容史における記念碑的な作品となりました。続いて『罪と罰』『悪霊』『白痴』を連続して新訳していただき、とても高い評価を受けてきました。

本書で取り上げた『賭博者』は、最初は少し入りづらい小説なのですが、いったん物語の世界に引き込まれると、一気に読めます。なによりも亀山さんの新訳の力だと思いますが、先行訳ではどうしても理解できなかった部分も含めて、この小説を十分に堪能できます。

ドストエフスキー自身に賭博癖があったことが、この物語にリアリティを与えていますが、実は亀山さんは、二〇一九年の暮れ、実際にこの『賭博者』に登場するルーレット場を訪れたのです。そのお土産話の具体的なエピソードがとても面白いのですが、今まで知られることのなかった、ドストエフスキーがルーレット賭博をすっぱりと止めた驚愕の理由を明かしてくれます。

さらには、ナチスドイツと『賭博者』をめぐる興味津々のお話も……。ぜひ楽しんでいただきたいと思います。この作品の真の姿を知ることができます。

第10夜

ナボコフ『カメラ・オブスクーラ』『絶望』

Владимир Набоков / КАМЕРА ОБСКУРА, ОТЧАЯНИЕ

貝澤 哉×駒井 稔

『ロリータ』の作家が、
亡命時代に
ロシア語で書いた小説の謎

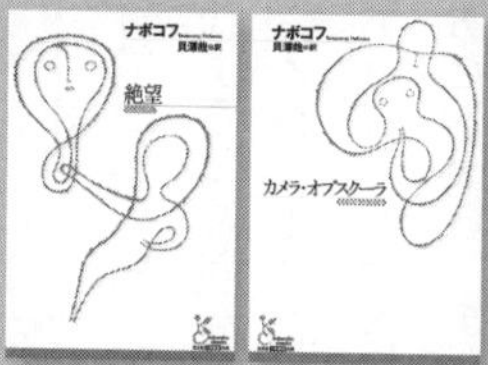

ウラジーミル・ナボコフ（1899-1977）
サンクト＝ペテルブルクの裕福な貴族の家に長男として生まれる。ロシア革命を逃れ1919年に出国。ケンブリッジ大学で学んだ後、ベルリンに移住。1937年、ナチス・ドイツから逃れフランスへ。1940年、41歳でアメリカに移住。1958年、59歳の時に、英語で書いた『ロリータ』がアメリカで刊行され、世界的な名声を獲得した。翌年スイスに移住。以後も旺盛な執筆活動を続けたが、1977年に死去。

『カメラ・オブスクーラ』『絶望』
『ロリータ』の原型とも評される『カメラ・オブスクーラ』では、裕福で育ちのよい美術評論家・クレッチマーが、軽薄でずる賢く悪魔的な美少女マグダに惹かれたためにたどる過酷な運命が描かれる。『絶望』の主人公・ゲルマンは、ベルリンで工場経営にゆきづまり、自分に瓜二つの浮浪者を見つけ、保険金殺人を企てるが、成功したかに見えた完全犯罪に意外な綻びが生じていく。

貝澤哉　ロシア文学者。早稲田大学文学学術院教授。著書に『引き裂かれた祝祭　バフチン・ナボコフ・ロシア文化』、訳書にナボコフ『偉業』、『ナボコフ全短篇』（共訳）、アレクサンドラ・マリーニナ『アウェイ　ゲーム』、イーゴリ・ゴロムシトク『全体主義芸術』などがある。

ナボコフはロシア語でも書いていた

駒井　本日は、ウラジーミル・ナボコフの『カメラ・オブスクーラ』と『絶望』という二つの作品を中心に、いずれも英語ではなくロシア語原典から訳していただいた貝澤哉さんにお話をうかがいたいと思います。よろしくお願いします。

私たち編集部にとってのロシア文学は、『カラマーゾフの兄弟』という大変な好評をいただいた作品がありますから、ずいぶん力を入れてやってきたわけですが、貝澤さんにナボコフというご提案をいただいたあたりから、また新しい展開が生まれたかなと思っています。

この『カメラ・オブスクーラ』と『絶望』という二作は、英語版からの重訳の形で既に翻訳が出ていたんですが、今回の新訳は、一九三〇年代に書かれたロシア語版を原本として翻訳されています。これは日本で初めてですよね？

貝澤　そうですね。ロシア語版からは初めての翻訳になります。

駒井　そういう意味では、本邦初訳ということで古典新訳文庫のあたらしい試みであり、大切なラインナップということで始めたものですが、ロシア語版から新訳したいと言っていただいたのは貝澤さん自身だったこともあるので、まずこれをやってみたいとお考えになったところから話を始めていただければと思います。

貝澤　はい。早稲田大学の貝澤と申します。よろしくお願いいたします。

今のご質問ですが、最初に連絡を受けたときに、私は二十世紀以降のロシア文学が専門なので、「二十世紀のもので古典新訳文庫に入れるべき作品はありますか？」というお話だったんです。そのときに、フッと「ナボコフがいいのでは」と思ったのです。彼は、日本ではアメリカの作家だと思われているけれど、ロシア語でも書いている作家ですから。

ナボコフは、帝政ロシア末期の一八九九年に生まれたロシア貴族の子ですけども、一九一七年に革命が起こってロシアに居づらくなり、やがて一家で亡命します。まだ十代の終わりから二十代にかかるころで、ロシア本国ではほとんど創作活動をしていない、若書きの段階でした。

そこからベルリンに行ったりフランスに行ったり、ちょっとイギリスに行ったりもして、その後アメリカに渡って英語作家として活動し、一九五〇年代に『ロリータ』という本で大変有名になり、それ以降、本人も「自分はアメリカの作家である」とインタビューなどで言っていることもあって、普通は英語圏の作家、アメリカの作家だと考えられています。

ところが、実はナボコフは亡命時代、ベルリンやフランスにいた間にもずっと創作活動をしていて、そのときはロシア語で書いていました。その若い頃の亡命ロシア人向けに書いた作品を、後になってから自分で、あるいは息子と共訳して英語にし、それが英語で読めるナボコフ作品になっていますが、ロシア語のテクストも出版された形で残っています。

ナボコフはとても几帳面な人で、自分の作品が翻訳されることに対してすごく神経質で、ちょっとでも誤訳やおかしな訳を見つけると、かなり気を揉《も》んでいました。だから自分で翻訳したり、息子に翻訳させたりして、作品のオリジナリティをなるべく守るようにしたわけです。

ただしこの『カメラ・オブスクーラ』という本だけは、ロシア語で書いたときと、それを英語で自分が訳したときで、かなり内容を変えているんです。設定が一部変わっていたり、人の名前が違っていたり、あるいは一部の場面が全く違うものに差し替えられていたりする。英語の読者に向けるものは、ロシア語の読者に向けたものとは別に、本人が作品の内容にも手を入れたほうがいいと考えたのだと思います。

この英語版からの翻訳は『マルゴ』（河出書房新社）という題名で、篠田一士という有名な批評家が翻訳したものが過去に出ているので、図書館などに行くか、あるいは古本屋で買えば日本語で読むことができる。でもロシア語から訳せば、かなり中身が違いますから、ナボコフが最初にどう書いていたのかがわかるので、なかなか興味深い。翻訳を読み比べるとどこが違うかがわかりますし、ロシア語でしかできない表現や言葉遣いもオリジナルから翻訳できるということです。

ナボコフは取っつきにくい作家と思われがちな面があるので、これを文庫で、みんながすぐ手にできる値段で出せば、多くの人が手に取ってくれるだろうということもあり、「ナボコフはどうでしょう」とお願いしたんです。そうしたら、『カメラ・オブスクーラ』だけではなく、他の作品もやろうということになって、『絶望』と、もう一つ、以前は英語版の邦訳では『青春』と題されていた作品で、もとの題は『偉業』というのですが、その若い頃のもう一つのロシア語作品も、近々新訳をお目にかけることができると思います（＊二〇一六年に刊行）。

ヨーロッパにおける亡命作家としてのナボコフ

駒井　ありがとうございます。ナボコフは、『ロリータ』のイメージが強烈過ぎて、彼の全体像と言いますか、もともとロシア語で書いていて、どういう作風で、どういう連なりの中にいるのか判然としないところがありました。

『書きなおすナボコフ、読みなおすナボコフ』（研究社）という本の中で、川端香男里《かおり》さんが、亡命ロシア文学のことをお書きになっていますが、ロシア文学の中でのナボコフはどういう作家なんでしょう。

貝澤　ロシア文学の視点から見ると、彼はかなり特殊ではあると思うんです。ナボコフは、ロシア文学の歴史的な系譜で考えると、自分の中にあるロシア文学的なものを、非常に意識的に違うものに変えようと努力した作家ですね。彼のドストエフスキー嫌いは有名で、『ロシア文学講義』という本がありますが、その中でケチョンケチョンにけなすなど、嫌いなものについては容赦がありません。ただ、全く繋《つな》がりがないわけじゃない。

二十世紀初期はロシアでは、非常に文化が爛熟《らんじゅく》した時代でした。とくに革命前の十数年は驚くべき爛熟の時代で、多彩な分野でいろいろな動きがありましたが、文学で言うと象徴派から始まってアバンギャルドが出てきた時代です。さまざまな文学的実験が次から次に出てくる。象徴派の次にアクメイズムという有名な詩の流派があるんですけど、マンデリシュタームやアフマートヴァなど著名な詩人が現れて、技巧を凝らした高度な文学作品がたくさん出現したときなんです。

ナボコフはそういう時代に生まれて、そうした文学を吸収したり、それを真似たりしながら育っている。当時はロシア・フォルマリズムのような文学理論の探求も始まっていて、文学をいかに形式的、技術的に研究したり創作したりするかという意識が出てきた時代です。だから、いかに凝って作るかということを非常に意識していた。

もう一つは、これは世界共通の話ですが、一八九五年に映画が発明されるんですね。リュミエール兄弟というフランス人が映画の商業上映を始めて、その翌年にはヨーロッパ全土に映画館を作って、それを見せる。瞬く間に大衆的な娯楽になって、猫も杓子も映画を見る。

ロシアも同じで、ペテルブルクには全長が四キロ半ぐらいのネフスキー大通りという目抜き通りがあるんですが、帝政時代末期にはその通り沿いだけで映画館が二百館ぐらいあったといわれています。実はそれで本が売れなくなったことが、いろいろな研究でわかっていて、小説のライバルとして映画が出てきた時代でした。

だから、ビジュアルなものや視覚的なもの、映画的なものと小説はどう違うか、それとどう戦うかを、ナボコフは常に意識していた。これはナボコフだけではなくて、日本でも谷崎などが映画を意識していたように、おそらく二十世紀の優れた作家は大抵そうだったと思うんですけど。

ナボコフは、そういうコンテクストの中に出てきて、しかもロシア本国は革命でソビエトになっちゃいますので、ある一定のイデオロギー的な制約の中でしか作品を出せなくなるわけですが、亡命したら一応自由ですから、いろいろあらたな実験ができるわけです。
もっとも彼は、「私は誰にも影響されたことがない」といろいろなインタビューで豪語していて、ロシアであろうが外国であろうが、影響関係を素直に認めない人ではありましたが。でも、ゴーゴリやプーシキンが好きでよく語っていますし、外国の作家だとプルーストなどについては「近いところがある」みたいなことも言っている。

「見る・見えない」というテーマ

駒井　お話をうかがうと、ナボコフが、私たちが抱くステレオタイプな理解とは全く異なる人だと分かります。そういう意味でも、今回読み返してみてとても面白かった。『カメラ・オブスクーラ』には、プルーストばりの作家の文章が出てきたりで、堪能しました。
それで、この作品の意味と、「解説」でも書いていらっしゃる「見る・見えない」というテーマについて解説していただけますか。

貝澤　そうですね。『カメラ・オブスクーラ』は未成年の少女への執着をテーマにしていて、その点で後の『ロリータ』を予感させる作品でもあります。
『ロリータ』はご存じの方も多いと思いますが、アメリカに行ってから英語で書かれた作品で、かなり長く、構造も複雑です。主人公のハンバートという比較文学の教授が手記を書いているという設定です。捕まった後に刑務所で書いたもので、何で捕まったかというと、或る未亡人のところに下宿したんですけど、その家の娘が十二歳ぐらいのチャーミングな女の子で、彼は惚れてしまい、彼女を囲いたいがために別に好きでもない未亡人と結婚する。そしてお母さんがその事実を知って交通事故で死ぬと、ロリータと呼ばれるその少女を車で連れ回すわけです。

そういう話で、「ロリータ・コンプレックス」、通称「ロリコン」という言葉の元にもなった小説です。アメリカで出たときは、未成年に対する性愛を描いたポルノ的な作品と受け取られ、発禁になったり、叩かれたりしたんですけど、その騒ぎが元で広く知られるようになり、結局この作品のおかげで作家としての名声を得ることになる。

でも、ナボコフが少女趣味だったかどうかはともかく、未成年の女の子を愛する「ペドフィリア」的なテーマ自体は、それより前から書いていて、その最初のものと言えるのが『カメラ・オブスクーラ』なんです。

この小説は、彼がアメリカに渡る前の若い時期に書かれたものですけど、既にここで同じテーマが出ているのが興味深いわけですね。美術批評家の男がやはり、ある少女に惚れてしまう。歳はロリータより上で十六歳ですが、その少女にはずる賢いアバズレ女のようなところがあって、別の愛人と結託して美術批評家を騙《だま》してもてあそぶわけです。美術批評家はそれに気づいて自暴自棄になり、車を運転しているときに交通事故を起こして目が見えなくなってしまう。すると、その少女と愛人が、療養と称して批評家を山荘に囲い込み、彼の貯金を引き出して使ってしまうというとんでもない話です。

　こういうロリータ的なテーマの小説は『魅惑者』など他にもありますが、ナボコフ自身はインタビューのなかで、「私自身はロリータ趣味ではない」という意味のことも言っていますし、また「現実と小説を混同するのはダメな読者だ」というようなことを方々で発言してもいますので、彼が正直に言っているのかどうかはわかりませんが、本人の性的嗜好とは一応別にして考えるのがいいと思います。

　なぜナボコフが、普通の恋愛や性愛の対象にならない、自分の子どもみたいな関係の人を愛することをテーマにするのかは重要な問題で、たとえば川端康成もそういう少女趣味の小説を書いていますし、あるいは谷崎の『痴人の愛』のように、カフェで少女を見つけてそれを育てているうちに、逆に手玉に取られるといったような話は、ほかにもいろいろあります。

　さて、そこで「見る・見えない」の問題について言うと、実はこの小説は、今言った少女趣味的な問題につながっている一方で、この「見る・見えない」の問題が非常に大きなテーマになっているんです。

まず、主人公の男が美術批評家で、鑑定や批評でメシを食っている、つまり「見る」職業なわけです。一方、少女のほうは、映画が大好きで自分も映画女優になろうとしている。つまり、映画女優として見られることにこだわっている。しかも、その少女の愛人になるもう一人の男はマンガ家で、アニメも作っているという、今で言うサブカルやオタク文化に通じるような、当時としては非常に目新しいテーマも取り込んだ設定になっています。そういうふうに、全員がビジュアルなものと関係した何かに携わっているわけです。

ところが、美術批評家は交通事故に遭う。交通事故で目が見えなくなって山荘に囲われる。すると目が見えないものだから、「このテーブルは何色だ」「カーテンはどうだ」といろいろ聞くわけです。すると、少女は愛人にそそのかされてわざと嘘を教えるんですね。盲目になった男はその嘘に基づいて周囲を想像するわけで、少女の愛人はそれが楽しくてしょうがない。

しかしこれはよく考えてみると、実は我々自身の置かれた状況なんです。つまり我々は小説を読むときに、当然ですが言葉を読んでいる。だから小説に描かれた部屋がどういう色かということは、言葉を読んで想像しているに過ぎない。なので、この美術批評家が置かれた位置は、我々読者が置かれている位置と同じだということです。我々も小説の語り手の言葉を信じて、「こう言っているからこうじゃないか」と思っているだけですから、たとえば読者を集めて主人公の顔の描写を読ませて「じゃあ、似顔絵を描いてください」と言ったら、みんな違う顔を描くことになる。

だから小説を読むこと、書くことと、この話はリンクしている。これは、初期からある彼のテーマで、どの小説を読んでも、何らかの形で「見る」ことと「見えない」ことにある矛盾、もしくはズレがだんだん明らかになっていく仕掛けが見出せると思います。

イメージの中だけの「性」「恋愛」という、二十世紀的な問題

駒井　主人公の美術批評家は五十歳に近いんですよね。その五十近い妻のいる美術批評家が、十六歳の女の子の肉体に狂っていく。これを読んでいると、二十世紀文学のテーマの一つであった「性」が重要なものとしてストレートに描かれていると思います。

貝澤　ナボコフは、性的なものも含めて、読者を惹きつけるようなテーマやジャンル、たとえば探偵小説的なプロットなどをわざと使うわけです。ある種「下世話」で「大衆的」なのとでも言えばいいのか。この作品も「ファム・ファタール」つまり「悪女もの」ですが、

そういう俗悪な物語のパターンを、読者を惹きつけるエサとして使っている。

ですが、さらに重要なこととして、「見る・見えない」の問題との絡みで言いますと、これは今のオタク文化もそうだと思いますけど、性的なものは或る種の幻想であり、騙してあり、イメージであるわけですよね。化粧もそうですし、写真や服装が性的な刺激になったり、あるいはアニメオタクのように、二次元のイメージの世界の中でだけ恋愛するなんてこともある。

つまり、我々が生々しいと思っている性的なものが、実はペラペラな紙やスクリーンの平面と紙一重になっていて、でも、人というのはどうしてだか、こういう軽薄でペラペラなものにみずから進んで囚われて狂わされていくということです。

これは二十世紀の非常に大きな問題だと思うんです。そして、それは映画やマンガが出てきたことにも関係があって、おそらく、その問題ともナボコフは密接にリンクしている。

さっきプルーストとの共通性に触れましたが、プルーストはナボコフほど露骨じゃないですが、あんなに長い『失われた時を求めて』の中で、ほとんど恋愛の話しかしていない。でも、恋愛と言ってはいますが、それがいつのまにか、標《しるし》を読むことに変わっていくわけです。

『失われた時を求めて』では、最初の方に「スワンの恋」という話があって、スワンというお金持ちがオデットという愛人を囲うんだけれど、そのオデットに他にも男がいるんじゃないかと不安になる。でも、それは確かめようがない。するとオデットがある日手紙を持ってきて「これを出しておいて」と言う。それをスワンは他の愛人に宛てた手紙だと思って、出す前に封筒をロウソクの火にかざして中を透かして見ようとする。でも、読めないわけです。つまり、その読めないものをいかに読むかっていうのが、恋愛のあり方だと。

あるいは、今晩セックスをしましょうという標《しるし》に、蘭のコサージュを付けておく。そうすると「今日はＯＫだよ」とわかるようになっていたりとか、そういうことがいろいろあるわけです。

我々が生々しい恋愛だと思っているものが、実はある種の記号を読むとか、イメージを操作することだというわけで、そういう点で、確かにナボコフとプルーストには、或る種の近さがあると感じます。

『絶望』の劇中劇にある、絶望的な叙述トリック

駒井　次は『絶望』です。この作品は推理小説ふうの造りになっていますが、「解説」では、小説自体が小説を書くことや読むことについての小説になっていると言ってらっしゃいます。

ナボコフはよく「言葉の魔術師」と言われますけど、それはどういう意味なのでしょう。

貝澤　ナボコフは言葉にこだわる作家です。先ほどから言っているように「小説は言葉で読むのであって、そのイメージを直接見ているのではない」というところから出発する。

で、一般的なことを言っておくと、僕は早稲田の文芸科の学生によく、「小説は物語じゃない」と言うんです。そうすると、学生たちは「ええっ?」という顔になる。これは極端な言い方で、もちろん小説にも物語はありますが、でも物語を消費する形態は他にもあるわけです。神話とか昔話とか演劇とか、今だと映画や漫画、アニメ、ゲームもある。

そう考えたときに、物語を、ストーリーが面白いとか面白くないとかいうレベルで消費する場合に、何がいちばん簡単で楽かと言ったら、それは映画やアニメやゲームの方がはるかに楽なわけです。そうすると、小説は映画に負けてしまう。先ほども言ったように、映画が出てきたら、小説が売れなくなっちゃう。

そのときに小説家は何をしたらいいのか。で、学生に「どうしたらいいと思う」と聞くんです。そうすると、みんながまた怪訝《けげん》な顔をする。

でも、考えたらすぐにわかります。小説だけにしかできないことをすればいいんです。映画にはできないけれど、小説にできることを見つけてやればいい。

小説には言葉しかない。それを逆手に取って、言葉の面白さで小説を作っていけば、小説は映画に負けずに売れるんですね。ストーリーだけで勝負しようと思ったら、負けてしまいます。なので、二十世紀の心ある作家たちは、そのことをすごく意識した。いかに言葉自体を面白くするかということにこだわったわけです。

『絶望』の場合は、小説を書くこと自体を小説化するという手法で、小説の言葉がどのようにできているかを、逆の方向から見せるという、非常に面倒で技巧的なことをしています。どういうことかと言いますと、まず、いかにもストーリーで消費されそうな探偵小説や犯罪小説のようなジャンルを選ぶ。つまり、或る人に宛てた、主人公が自分で企てた完全犯罪を記した手記という体裁にして、主人公が自分で語る探偵小説のようにする。

ところがこの主人公は、「俺は天才で、作家としての才能がある」と勝手に思い込んでいるわけです。

この作中の小説は、語り手兼主人公が、自分と瓜二つの人間を見つけたところから始まります。それを彼は「しめた」と思う。自分はチョコレート工場を経営しているけれど、上手くいっていないし、妻とも上手くいっていない。人生いいことがないから、そのそっくりな男を殺して自分が死んだことにし、それによって自分の死亡保険金をもらい、どこかで別の名前を貰って暮らそうという計画を立てて、そっくりさんを誘い出して殺す。そういう犯罪小説になっている。

ところが最後に「あれっ」ということが起こる。ここにも「見る・見えない」の問題が関わっていて、読者はあくまで小説の言葉を読んでいるだけなので、主人公がそっくりかどうか見えていないわけです。そこがミソで、これはミステリーのジャンルで言うと、いわゆる叙述トリックです。語りの中に嘘が混じっていて、それが小説の仕掛けになっている。

主人公は完全犯罪のストーリーを上手に書いているつもりなわけですが、それが失敗しちゃう。なぜかと言うと、ストーリーさえ上手くいけば何とかなると思っていたけど、小説が言葉で出来ているものであることを忘れていて、そのせいで、実はそのストーリーとは全然違うことが起こっていたとわかるのです。ネタバレになるのでこれ以上は言わないでおきますが。

ナボコフのロシア語が難しい理由《わけ》――読者を選んで書いていた

駒井　ありがとうございます。この作品については、読みどころは、さすがに種明かしできませんね。次に、貝澤さんがこの作品群と出会ったのはいつ頃だったのか、それからナボコフの作品を英語とロシア語で読んだときに、印象が変わるのでしょうか?

貝澤　最初に読んだのは学生の頃で、もちろん日本語の翻訳です。『マルゴ』や『絶望』『青春』『賜物』などは、当時、英語版からの翻訳を、早稲田の古本屋街でコツコツ集めて読んでいました。『ロリータ』も、昔の大久保康男訳で読みました。その頃、ちょうどナボコフの短編集『ロシアに届かなかった手紙』の翻訳（加藤光也訳、集英社、一九八一年）が出て、すぐに買って読んだ覚えがあります。

神保町にロシア語の書店が二つほどあって、毎週のように行きましたが、そこにアメリカで出たロシア語版の本が置いてありました。当時はもちろんソ連時代で、ソ連ではナボコフは刊行禁止でしたが、ナボコフと親しかったカール・プロファーというアメリカのロシア文学研究者が、ベルリン時代のロシア語版を復刻していて、それがその書店にも並んでいたわけです。

そういうナボコフのロシア語版を買って読んで驚いたのは、彼のロシア語が極めて難しいということでした。日本語の翻訳ではもちろんその難しさはわかりませんし、英語版を読んでもそういう感じは受けないのですが、ロシア語版の初期の作品、『カメラ・オブスクーラ』はそれでもわりと易しいほうで、とくに『絶望』や『偉業』は、大学院生になったばかりの語学力ではロシア語自体が難しく、まずとにかく単語がわからない。わざと変な単語を使っているからです。普通のロシア人は使わないような古い単語や、特殊な言い回しがたくさん出てくる。

ロシアでは、十九世紀の前半から半ばにかけて、これはドイツなどでもそうでしたが、民衆の言葉、俗語の収集や研究が流行った時代がありました。ドイツの場合はそれが有名なグリムのドイツ語辞典に結実するわけですが、ロシアにも、それに似たダーリの民衆語辞典という、今でもロシア文学者必携と言われている有名な辞書があるんです。

それには、現在の日常的なロシア語では聞いたこともないような、特殊な言葉や民衆的な言い回しがいっぱい載っているんですが、ナボコフはそれを読み込んで座右の辞書にしていました。それで、他の辞書にない単語や言い方がたくさん出てくるわけです。

そういう意味でも、言葉に凝って、普通のロシア語を使わない。その当時の彼がターゲットにしていた読者の教養も高かったんだと思います。何しろ亡命して来た貴族や地主、知識人といった人たちですから。

ですから、あとでそれを英訳したものを読むと、元のテクストのニュアンスを出そうとしてはいるんですが、ロシア語でないとわからない比喩や言葉遊びなどが普通の英語に直されている場合もありますし、ロシア語で作ったシャレが、全然違う英語のシャレに変えられているとか、英語の読者にわかりやすいように小説の設定自体を変えていることさえある。

　ですから、自分の英語力で読む限りでは、明らかにロシア語で読むほうがやっかいです。小説中の状況説明なども英語のほうが親切なような気がしますし、文のつなげ方とか、論理的なつながりなど、そういうものも英語のほうがなめらかでわかりやすくなっている印象がある。ロシア語の場合は、すごく考えて「きっとこうだ」とわかるまでに何時間もかかることもありました。つまり、読者にそれだけの努力を強いると言うか、読者をかなり選んで書いていたのではと思います。

難解さを味として残しつつ、わかるように訳す難しさ

駒井　沼野充義さんが、池澤夏樹さんの編集した世界文学全集で、ナボコフの『賜物』を新訳されたときに、訳すのが非常にやっかいだったとお書きになっています。一番目が「極めて長い文」、二番目が様々な言葉遊びが使われている「音声的な効果」、三番目が「難解なメタファー」、四番目が「時間設定など細部におけるいくつかの矛盾」だったと。

　その辺りを含めて、貝澤さんが今回の新訳でご苦労なさった点、それから「英語ではかな

り単純になっている部分がある」というお話でしたが、日本語に訳すときに、具体的にはどういうところに苦労して、文体の特徴を活かしていったかお話しいただけたらと思います。

貝澤　そうですね。ナボコフは訳者としては力量が問われてしまいますね。つまり、難解だからといってわかりにくく訳してしまっては「訳がヘタだからわかりにくい」と思われてしまうので、難解なものを、その難解さを味として残しつつ、しかもわかるように訳さなくちゃいけないところがあって、そこが二重に難しかった。

『カメラ・オブスクーラ』の場合は、「見る・見えない」のテーマで、目が見えない主人公が机に躓《つまず》いたり椅子に躓いたりするんですけど、先ほども言ったように、読者もやっぱり盲目なわけで、その場合は言葉に躓くわけです。

たとえば、直観的にわかりにくい比喩がいっぱい出てくる。電話をかけている人がちょっと離れたところにいるので、遠くの受話器から「顕微鏡のような声が聞こえてくる」と書いてある。ここは編集部にもわかりにくいと指摘されたところで、小さく聞こえるから「顕微鏡」と言っているわけですが、一瞬それがわからなくて、これはどういう比喩だろうかと考え込んじゃう。そこで読むプロセスが止められてしまう。

ナボコフはわざとそうしているんです。読み飛ばしてほしくないと。つまり、沼野さんが言う三番目の「難解なメタファー」が多いのは、それが読者に課せられた罠というか、謎解きになっているからです。これをわかりやすく意訳しちゃうと、逆に面白くなくなるという面があって判断が難しい。基本的にはそういうのは全部残してなんとか上手くやったつもりではあるんですが（笑）。

それから沼野さんの一番目で言う「極めて長い文」。ナボコフには息の長い文が多いのですが、これは別に彼だけの特長ではなくて、日本でも、昔は石川淳とか吉田健一とか、今だと金井美恵子だとか、息の長い文章を書く作家がいると思うんです。これは文学的な問題として考えないといけません。でも、英語版の翻訳者のなかには、自分の判断で長い文をどんどん勝手に切って、文の意味内容だけをわかりやすく訳している人もいます。英語でもナボコフはかなり長い文を書いているのですが、それをブツブツ切ってわかりやすくしている。僕は、それは本当は良くないと思うんです。長いところに意味があると思うからです。

つながっていないものをつなげ、つながっているものをバラバラにする言葉のあり方

貝澤　長い文章というのは、修飾語や複文なんかがゾロゾロつながっていって、焦点がどんどん違う方にズレていくわけですよね。そこが狙いなんです。一つの文なのに違うものが入

って来て、話が脱線していく。だからわかりにくくなるのですが、それをわざとやっている。たとえばナボコフは、なぜ少女との恋愛を書かなきゃいけないのか。性的なものもあるでしょうけど、より大きな問題は、父親と娘の関係です。

『ロリータ』の主人公ハンバートはロリータの母親と結婚しているわけですから、要するにロリータは義理の娘です。それが本来の関係性です。ところが、それを恋愛の関係、つまり男と女という関係に置き換えて焦点をズラしていくという作業ですね。ところが文のレベルでも、一つの関係が、別の関係へとどんどん焦点をズラされていくわけです。

長い文には、本来関係のない二つのものをくっつけて一つの文にする、つまり、関係のあるものにしていくところがあります。また逆に言うと、一つの文が、だらだらと長くなって脱線することで、いつのまにかまったく違うものに変わってしまうということでもある。

だから、大ざっぱに言いますと、ナボコフの文学的な言葉のあり方には、「つながっていないものをつなげ」「つながっているものをバラバラにする」という原理があるんだと思います。そう考えると、いろいろなことがある程度わかってくる。

だから、これを切ってわかりやすくしてはいけない。切らなくてもわかるように訳せるはずです。しかも長い文はだらだらと連なることで少しずつズレていくわけですから、その文のなかで言葉がどんな順序につながって出てくるのかがとても重要です。今は翻訳入門というような本がいっぱい出ていますが、最近はそういう本でもたいてい「語順どおり訳せ」と書いてありますね。中学英語の「訳し上げ」では、論理関係も発想の順番も逆になって意味がわからなくなる。だから、文の長さも順序も、そのまま訳せる場合はそのまま訳したいというのが僕のやり方です。

ですから彼の長い文はその長さに意味があるんです。言葉がつながってズレていくこと自体がそれだけで面白いということがあって、読んでみると、言葉の息の長いリズムに乗せられて、荒波のうねりにぐいぐい翻弄されていくような面白さがある。だからそれをなるべく活かすように日本語でもウネウネしながら言葉に乗せていくと、たとえ意味がわからなくても面白い、僕はそう自分では思えるように訳しているつもりなんです。それは、沼野さんで言えば、二番目の「言葉遊び」の感覚にも近いことだと思うんですね。

言い方自体、言葉自体にある面白さ

貝澤　子どもの頃に、たとえば、夏目漱石の『坊っちゃん』を読んでいて、坊っちゃんが下宿にいると、下宿のオヤジが骨董の端渓《たんけい》の硯《すずり》を売りつけに来る場面がある。それで、オヤ

ジがやたらと端渓、端渓としつこく勧めるのを、坊っちゃんは「これは端渓《たんけい》です、端渓ですと二遍も三遍も端渓がるから」と言うんですけど、子どもですからもちろん「端渓」なんて意味もわからないし見たこともないけれど、この言い方自体が面白いわけですね（笑）。言葉には、意味とは別に、その言葉自体が面白いということがあります。

なので、それをいかに上手く小説に取り入れるか、訳す場合なら訳していくか。舌に乗せて転がしたときに、何かそれを言っていること自体が面白いみたいな、そういう形ですよね。言葉遊びなども、そういう言葉の面白さとして出てくるんだと思います。

沼野さんの四番目にある「時間設定など細部におけるいくつかの矛盾」が出てくることについては、語り手の問題があります。ナボコフでは、客観的にその物語が進行していくことがあまりなくて、語り手が自分の主観で語ることが多い。だから、記憶が曖昧《あいまい》になったり、都合の悪いことは抜かしたり、妄想を事実のように書いたりするので、矛盾が出たり曖昧になったりする。でも、そこに仕掛けが施されている場合があるので、気は抜けません。無理に整合性を持たせると逆にダメになる。

「オーディエンスに気を遣う必要などない」――読者のレベルを引き上げる

駒井　編集部とのやり取りの意味が分かってきました。我々には「顕微鏡のような声」とか「右に赤い舌を出すと角を曲がってタクシーが消える」とか、どう捉えたらいいのか迷うところがありました。古典新訳文庫は、従来読めなかったものを読めるようにするのが目的の一つなので、それは致し方ないところもあります。だから、ただ分かりやすくしているだけだろうと誤解する方がいるのですが、そうではありません。おっしゃっていただいたようなことも大事だと思っているわけです。

要するに、ナボコフは「小説の面白さはストーリーだけじゃなく、細部にもある」とか、「再読せよ」と言っているわけですよね。その辺、今回の作業を通じて、作品の印象に変化がありましたし、彼は読者にかなり高度なことを望んでいることがわかりました。

貝澤　ナボコフは読者を選ぶ作家で、自分のレベルに読者を引き上げるというか、そういう仕掛けやネタを小説の中に組み込む人です。ロシア語時代の初期の作品の場合でも、わりとハイブローなレベルの高い読者を相手にしていて、アメリカに行って『ロリータ』が売れてからは、お金も入り、その後しばらくすると一家でスイスに移って、ずっとホテル暮らしだった。

だから、『ロリータ』以降の作品では、もう自分のやりたいことをそのままやっています。読者のことは全く考えてないんですね。これは、インタビュー集の中で何回も言っていて、「作家はオーディエンスに気を遣う必要などない」といったことを平気で豪語しています。「最良の読者は自分自身だ」とか。だから、こちらがサービスしてもらう気でいると、全く相手にしてくれない人なので、一筋縄ではいかないところはありますね。

これからお読みになる方に、或る種のヒントとして言っておくと、ナボコフの小説では、大抵の場合、ダメな読者のモデルみたいな人が必ず登場人物の中に入っています。その人は探偵小説が好きだったり、ものを読んでも偏った読み方しかできなかったりする。そういう人物は、大概ひどい目に遭ったり、戯画化されてコケにされたりするんです。

『絶望』の中にも、そういう人が出てきます。それを、「こういう読者と同じになっちゃダメだ。ナボコフが要求するような読者にならなくては」と思うか、「お高くとまって嫌な作家だな」と思うかは読者の自由ですが、そういう意味では、彼は或る種意地悪とも言えるし、よく言えば教育的でもある。読者を引き上げて「こんな読み方じゃダメだよ」と言ってくれているという意味で。

文学は「魔術」あるいは「騙し」――ハマるとなかなか抜けられない

駒井　この二作を読むと、確かに人間の邪悪さを感じます。盲目になった人にそこまでやるかみたいな。その辺りが、今おっしゃったような「ナボコフらしい」ところなんでしょうね。『ロシア文学講義』では非常にいい教師ぶりを発揮して、全ての講義に周到にノートを用意して学生たちに話をしたということですが、現実のナボコフはどういう人だったのですか？

貝澤　やはりロシア文学の中では特殊な人ですね。英文学とか東ヨーロッパのチェコだとか、或る種のイロニーや悪意などが伝統的にテーマになりやすい国もあるのですが、ロシア文学はどちらかと言うと、ドストエフスキーやトルストイなど、十九世紀の教訓を垂れるタイプ、「作家は人生の教師だ」とか「魂の教師だ」「預言者だ」という言われ方をする人が多い。

　ナボコフは、そういうのが大嫌いで、小説にためになるものを求めちゃいけないと言います。亡命文学者の集まりで「トルストイの〇〇は読んだ？」と言われて、「そんなもの読んだことはない」と言って皆に怒られたという有名な話があります。もちろん、読んではいると思いますが、わざとそういうことを言ったりするわけです。

　彼はそういう点で、自身がイギリス好きということもありましたけれども、文学というものを、いい言葉で言えば「魔術」、悪い言葉では「騙し」と考えるところがあった。人を騙すわけですから、基本的に悪い人ですよね。そういう意味では、とっつきにくいわけですが、この味にハマると、なかなか抜けられなくなる面があるわけです。

駒井　熱烈なナボコフ・ファンが多いのも、その辺りに理由があるのでしょうね。

ところで彼には『ロシア文学講義』の他に、世界文学を扱った『文学講義』があって、ディケンズとかカフカとかジョイスとかプルーストとか、いろいろな人が出てきます。ナボコフを作った文学者には、どういう人たちがいたのでしょうか。

貝澤　先ほども触れましたが、プルーストは結構大きいと思います。ナボコフ自身は、他にもフローベールやカフカなども挙げています。ジョイスについては、『若き芸術家の肖像』は好きじゃないと言っていますが、全体的には高く評価していて親交もあったようです。意外なのは、ロブ＝グリエ。彼の小説は、ナボコフよりもっと操作的な感じがしますけど、似たようなことを同時代にやった人なので好きだったらしく、よく読んでいたし、親交もあったようです。

それから、文学者ではありませんが、ナボコフはもともとイギリス贔屓《びいき》で、大陸的なものが嫌いです。要するに観念論、イデア論が肌に合わない。

だから、基本的に大陸哲学が好きじゃない。体系を構築するとか観念を追うとかということを嫌うわけだけど、なぜかベルクソンだけは好きで、やたらと読んでいたようです。これもインタビュー集の中でよく言っている。

ベルクソンの哲学は時間論が有名なんですが、簡単に説明すると、時間とは「持続」であると言うんです。続いているのだから、三時とか四時というふうに切っちゃいけない。時計を文字盤にしたら、それは空間であって時間ではないというのがベルクソンの考えです。時間は変化するから、当然、前とは違うものに変わっていきますが、しかし、その違いは連続していて切れないという理論になっている。

それをナボコフは気に入っていた。さっきの文章の話でも、違うものがつながって、それが切れ目なく連続しているという、それと関わるところがあると思うんです。だから体系的な論理にはならないベルクソンの哲学が、唯一気に入っていたわけですね。

駒井　面白いお話です。昨晩、読み返していたら、ヌーヴォー・ロマンにも似ていると思いました。ロブ＝グリエと親交があったことで腑に落ちました。

父親の影が薄くなく、結束が固い——ナボコフ家の人たち

駒井　ナボコフが少し分かってきたような気がしますけれども、ナボコフの『記憶よ、語れ

自伝再訪』（作品社）という自伝が翻訳されています。あれもなかなか凝った自伝ですよね。さっきから出ている意地悪な部分とか傲岸不遜《ごうがんふそん》なところは、彼が貴族の生まれだからそうなったのかと単純に思っていたんですが、あれを読んで、お父さんの影響はなかったのかなと思いました。お父さんは立憲民主党の大物で、テロで殺されている。そのお父さんを含めてお母さんとか兄弟とか、彼のバックグラウンドにあった血縁関係はどういうものだったのでしょうか。

貝澤　お父さんとの関係はなかなか見えづらいですけれど、家族に対する愛や尊敬は、回想もそうですし、小説を読んでいても感じられます。

今度出る『偉業』は、亡命してからの家族が、設定上は離婚した家族になっていますが、その後にどう変遷していくかという話で、自伝的な要素がかなりあるんですが、父親についても母親についても、ある種の愛情を込めてこまやかに描いています。いい思い出として書いていると思うのですが、ただナボコフの場合は、それが作品の中で主要なテーマかというと、そこに収斂《しゅうれん》していかない。そこが逆に面白いところです。

ロシア文学の歴史で言うと、ロシアは遅れたヨーロッパの国で、十九世紀の半ばぐらいまでは農民が人口の九十パーセントぐらいいて、貴族は数パーセントという社会ですから、元来が家父長的です。父が非常に権威を持っているけれど、実はそれをいいことにだらしない生活をしている男たちの実像がロシア文学の中にもよく描かれている。『カラマーゾフの兄弟』で殺される父フョードルがいい例ですが、どうしようもないお父さんですよね。ああいうダメな父親像が、むしろロシア文学のスタンダードな部分にはあって、チェーホフの作品などもそうですけど、父親像が脱落していたり、父親があまり肯定的に描かれない、そういう家庭が非常に多いと思うんです。

それと比べれば、ナボコフは特殊だと思います。『記憶よ、語れ』だけでなく、『賜物』でも、主人公は有名な学者だった父親を敬愛していて、伝記を書こうとしたりする。こんなふうに父親像がハッキリ出ていて、しかも権威や尊敬を集めている例は、なかなかないように思います。日本の文学もそうで、父親の影が薄いものが多いですよね。

しかし、小説をあくまで虚構や騙しととらえるナボコフのことですから、ナボコフ家の現実の家族関係が、小説の中でこれ見よがしに描かれるわけではない。ただ、コメントしておいたほうがいいと思うのは、作家ナボコフに対する彼の息子と妻の忠実さです。実はナボコフ自身も含めて、ナボコフ・ファミリーの人たちは、作品の管理に非常にうるさい。

ブライアン・ボイドという、ナボコフの伝記を書いた著名な研究者がいますけど、彼はナボコフ家が唯一公認している伝記研究者なんです。他の人には資料を公開していない。彼の前にはアンドリュー・フィールドという別の人がいたのですが、ナボコフ家の意向に沿わないようなことを書いたら破門されたんです。その人がいろんな恨みつらみを本に書いて出しています。ナボコフ家の人々は、作品の解釈に至るまで厳密に管理して、他の読みを許さず、それに絶対服従する人にしか個人資料を見せないというようなことをするわけです。

だから、ボイドの伝記は日本語でも翻訳が出ていますが、個人的にはつまらない本だと思います（笑）。もちろん伝記的な事実関係については彼しか知り得ないことがいっぱい書いてあるからそこは役に立つんですけれど、肝心の作品の読みの部分になると全く面白くない。

そういう点では、家族の結束の弊害の部分が出ている面があるので、個人資料なども、もっと自由に研究できるようになればいいと思います。

マルチリンガルの、共感覚者――独特の人工的な言葉遣い

駒井　ナボコフという作家の翻訳については、貝澤さんはロシア文学者、『ロリータ』を新訳した若島正さんは英文学者で、英文学とロシア文学の先生方が、或る種コラボレーションしながら解釈していく感じがありますけど、ナボコフの最初の短編はフランス語で書かれた

ということもあって、ロシア語・フランス語・英語といろんな言語を駆使した。彼の中には、その言語ごとにイマジネーションの質が変化するという感じがあったのでしょうか。

貝澤　ナボコフは、自分のことを「共感覚者だ」と言っています。言語の音を聞くと、それが色で見える人だったらしい。言葉の意味だけではなくて言葉自体が大事だと言うのには、そういうことも関係あるんです。ロシア語のある音が、ある色に見える。そうすると、英語では音が変わって、また別のイマジネーションが湧くということがあったと思うんです。だから、自分で翻訳する場合には、自分なりのメカニズムがあって、ロシア語で感じたこれには英語のこれが合っている、みたいなことがおそらくあったんでしょうね。こういう作家は研究も難しいし、全部を読もうとするといろんな言葉を知らなくちゃいけない。

　僕は、威張れるほど英語ができるわけではないので、ロシア語で読んでいる限りでの話ですが、ロシア語で読んでも、ロシア語っぽさがなく、すごく人工的な感じがする。

　それは、共感覚やマルチリンガルの問題とも関係すると思います。ロシア語を使っていても、なぜかシンタックスや言葉の使い方が、英語や他の言語由来のイマジネーションをそのままロシア語に置き換えて使っているような場合があって、翻訳しているとよく出てきます。

　ですから、本人の中で、英語やロシア語やフランス語や、ドイツ語もある程度できましたから、もういろんな言葉が渦巻いていて、それがつながりあうわけです。あるときにはフランス語からロシア語になり、ロシア語からまた他の何かになって、やがて難解なメタファーや隠れたダジャレみたいなものに変わって、作品に現れる。

翻訳者としては、それに気づければいいのですが、気づかないで通り過ぎちゃう場合もあるし、気づいても「どうやってこれを訳すのか」と頭を抱えてしまう、そういうことがいっぱい出てくる。

翻訳家として挑み続けたいこと

駒井　ありがとうございました。では最後の質問ですが、長年ロシア文学を研究なさってきた貝澤さんにとって、この新訳の二冊がどういうお仕事になったのかということ、それから今後取り組んでみたい作品は何か。いまは『偉業』に取り組んでいただいていますが、今後、ナボコフに限らず試みてみたいことがありましたら、教えていただきたいと思います。

貝澤　そうですね。貴重な翻訳の機会をいただいて、ナボコフ本人の言い方で言うと、再読した人が一番文学が分かるということなんで、その意味では、翻訳者は細かいところまで再読しているわけですから、ある程度ちゃんとした読者の端くれにはなれたと思います。ナボコフは殊に難しいので、一生懸命考え時間をかけてやって、「何とかできた」という達成感がありました。三冊やらせていただいて、最初の頃よりはだいぶマシになったのではと思う次第です。

　自分の仕事全体から言うと、僕はずいぶんいろんなことをやったりやらされたりしてきましたけれど、自分の中では基本的には全部つながっているんです。ナボコフの場合は「映画と文学の問題」だとか、「言葉のズレやつながり」が果たす役割、「擬態と模倣の問題」など、非常に幅広く多様で、汎用性の高いテーマを引き出せるのがいいと思うんですね。

　いい作品やいい作家というのは、それを読んだときに、それだけで終わるのではなくて、そこからいろんなテーマに移行できるというか、それを引き出してくれます。ですから、自分のロシア文学とロシア文化の研究にも非常に役立っていますし、二十世紀の小説や文学理論を考える意味でも大いに役に立ちました。やらせていただいてよかったと思っています。

　これから先、翻訳として何をやるかは未定ですけど、多少難しくても、文学的に意義がある、骨のあるものをやりたいということはあります。

駒井　今日は、大変勉強になりました。どうもありがとうございました。

（二〇一六年五月二十六日）

『カメラ・オブスクーラ』『絶望』を読んだ人に、さらにお勧めの4冊

1

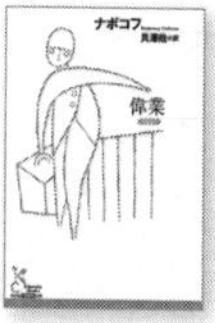

『偉業』

ウラジーミル・ナボコフ　貝澤哉訳

光文社古典新訳文庫

ロシアで育った多感で夢見がちな少年マルティンは、両親の離婚とともに母に連れられクリミアへと移る。その後、ロシア革命のうねりを避けるようにアルプスへ、そしてケンブリッジで大学生活を送るが……。1930年にベルリンで執筆され、ロシア語雑誌に掲載された長編第4作目。ロシア語で書かれたナボコフの「自伝的青春小説」。

2

『ナボコフの文学講義（上・下）』

ウラジーミル・ナボコフ　野島秀勝訳

河出文庫

20世紀の世界文学を代表する作家で、稀代の小説の読み手でもあるナボコフ。そのナボコフが書いた古典文学に関する大学での講義録。上巻にはフローベール『ボヴァリー夫人』、ディケンズ『荒涼館』、オースティン。下巻には、ジョイス『ユリシーズ』、カフカ『変身』ほか、スティーヴンソン、プルーストについての講義を収録。

3

『ナボコフのロシア文学講義（上・下）』

ウラジーミル・ナボコフ　小笠原豊樹訳

河出文庫

ナボコフによるロシア文学講義録。上巻は、ドストエフスキー『罪と罰』のほか、ゴーゴリ、ツルゲーネフの作品を取り上げる。独特の切り口で語られる透徹した作品の解釈は、凄みすら感じさせる。下巻はトルストイ『アンナ・カレーニン』ほか、チェーホフ、ゴーリキー。翻訳論はロシア語と英語で執筆したナボコフらしい内容。

4

『記憶よ、語れ　自伝再訪』

ウラジーミル・ナボコフ　若島正訳

作品社

ナボコフ研究の第一人者による自伝完訳決定版。過去と現在、フィクションとノンフィクションの狭間を軽々と飛び越え、虚実の世界を自由に往き来する複雑極まりない「自伝」。仮名の人物のみならず、架空の人物まで登場する破格のスタイル。ナボコフの小説を読むようにこの本を読んでもかまわない、と訳者の若島さんは言う。

第11夜

ドストエフスキー『賭博者』

Ф. М. Достоевский Игрок

亀山郁夫×駒井 稔

文豪の三つの病、そしてルーレットと性愛と創作の関係とは？

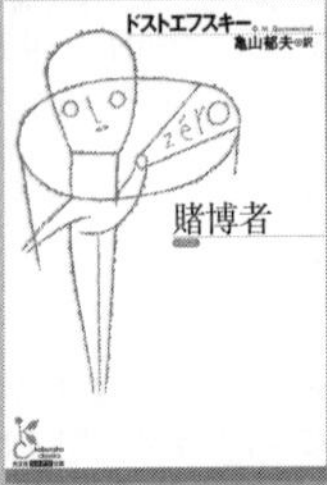

フョードル・ミハイロヴィチ・ドストエフスキー（1821-1881）
19世紀のロシアを代表する作家。『貧しき人々』『死の家の記録』『地下室の手記』『罪と罰』『賭博者』『白痴』『悪霊』『未成年』、そして古典文学の最高峰『カラマーゾフの兄弟』などの作品を残した。キリストを恒久的な理想としつつ、神か革命かの問いに引き裂かれ、ついに生命そのものへの信仰に至る。同時代のみならず、20世紀以降の世界文学に絶大な影響を与えた。

『賭博者』
ドイツの架空の町ルーレッテンブルグには、一攫千金を夢みる賭博狂が今日も続々と押しかける。主人公の「ぼく」は、破産寸前にある将軍の娘ポリーナに夢中だが、その将軍の頼みの綱は、モスクワに住む「おばあさん」の遺産、ところが、その当人が突如町に現れ、一同は大混乱に……。ドストエフスキーの実体験に基づく半自伝的小説。ルーレットに翻弄される人々の末路を悲喜劇風に描く。

亀山郁夫　1949年生まれ。名古屋外国語大学学長。東京外国語大学名誉教授。ドストエフスキー及びソ連・スターリン体制下の政治と芸術の関係についての多くの著作がある。著書に『磔のロシア』『ドストエフスキー　父殺しの文学』『大審問官スターリン』『謎とき『悪霊』』『ショスタコーヴィチ』ほか多数。訳書に、ドストエフスキー『カラマーゾフの兄弟』『罪と罰』『悪霊』『白痴』など。

十日間で十二都市の『賭博者』カジノ行脚

駒井　こんばんは。紀伊國屋書店さんとのタイアップで行ってきたこのイベントも、今日で六十回目を迎えました。古典新訳文庫は二〇〇六年九月七日に創刊されましたが、創刊時の八冊のうちの一冊だった『カラマーゾフの兄弟』は、その後、毎日出版文化賞特別賞の受賞、全五巻で累計百万部を突破して大きな話題となりました。以来、『罪と罰』『悪霊』『白痴』と続いたドストエフスキーの長編の新訳は、今日に至るまで、古典新訳文庫を力強く牽引してくれています。

　今日は、このイベントの六十回を記念して、これらの長編を訳していただき、今回は『賭博者』を手掛けた亀山郁夫さんをお迎えし、いろいろ話をうかがいたいと思っています。

　亀山さんは、昨年の十二月後半に、ドストエフスキーの『賭博者』の舞台を訪ね、ヨーロッパを旅行なさったということですので、そこからまずお話を始めていただけますか。

亀山　はい。最初に述べておきたいのですが、ドストエフスキーには、一般に「五大長編」と呼ばれる長編小説群があります。しかしその五大長編の合間にも小説は書かれていて、『罪と罰』以降の小説を五大長編と一括りで呼ぶことに、若干疑念を抱かざるを得ない側面もあります。

と言うのは、今回訳出した『賭博者』という小説ですが、ドストエフスキーはこの小説も、「ロマーン（роман）」つまり、「長編小説」にカテゴライズしているのですね。『カラマーゾフの兄弟』も「ロマーン」ですし、他も全部「ロマーン」。

では、どこが違うかと言いますと、五大の「大」が付くか付かないかという点に尽きます。長さから言うと、『賭博者』は『罪と罰』の三分の一ぐらいですから、これを「大長編」と呼ぶのは必ずしも適当ではない。しかし、『罪と罰』以降の小説を「ロマーン」という括りでまとめるのであれば、六大長編と呼ばなければいけない。なぜなら、ロシア語の「ロマーン」には、大と小の区別がないのですから。しかも、『賭博者』は『罪と罰』と『白痴』の間に書かれていますしね。

そこで、ロシア語では、これら五大長編と『賭博者』をどう区別しているか、というと、適当な言葉があるんです。「五大長編」については、しばしば、「ピャチクニージエ（пятикнижие）」という表現がなされます。直訳で「五書」と訳すのがふさわしいのですが、本来的にこの「ピャチクニージエ」は、「モーゼ五書」を指しています。それを転用して、「ドストエフスキーの五書」という言い方をするわけですね。

さて、「五書」から漏れてしまった『賭博者』ですが、この小説の特色の一つとして、なにゆえか現代のヨーロッパで非常に人気があるという点があります。おそらく芝居としての面白さが人気の奥に潜んでいるのだと思います。ドイツ演劇の総本山ともいうべきフォルクスビューネの総監督だったフランク・カストルフというドイツ人の演出家がいるんですが、この彼が、うれしいことに、とんでもないドストエフスキー狂なんですね。ドストエフスキーの大長編をこの演劇の殿堂で演出している。そのうち何本かはYouTubeで見ることが可能です。退任前の最後に演出したのが、『カラマーゾフの兄弟』でした。

さて、今回の旅では、バックパッカーまがいの一日一都市主義を貫きました。十日間で十二の都市を回ったのです。一日二都市の日もありました。

まず、最初に降り立ったのが、フランクフルト、ただしこれはカウントしません。フランクフルトからベルリン、ベルリンからドレスデン、ドレスデンからバートホンブルグ。ちなみにバートホンブルグのことをドストエフスキーは小説中でホンブルグと呼んでいる。で、しばしば「ハンブルグの間違いじゃないですか?」と尋ねられるわけですが、ホンブルグとハンブルグでは大違いで、まったく別の都市です。バートは水という意味で、鉱泉地のこと。フランクフルトから電車で北に二十分ほどのところにあります。

で、バートホンブルグからグッと下ってバーデンバーデン、バーデンバーデンからバーゼルに立ち寄ってジュネーヴへ、ジュネーヴからアルプスを越えてミラノへ、ミラノから順に、フィレンツェ、ボローニャ、ヴェネツィアと回ってまたフランクフルトに戻りました。

　フランクフルトからは、今回の旅のクライマックスともいうべきヴィースバーデン、ドストエフスキーが『罪と罰』を書き起こした町ですね。そこを訪ね、そこから『未成年』の舞台の一つとして知られるバートエムスに立ち寄って、再びフランクフルトに戻りました。全部で十二都市になるでしょうか（笑）。

　印象的だったのは、最後の一日、バートエムスからフランクフルトに向かうライン沿いの鉄道でした。出発の日の朝にヴィースバーデンを出て、夕刻までにバートエムスを訪ね、フランクフルトに戻るというのは、かなり危険ですし、たいそうな勇気が必要でしたが、列車がローレライの渓谷沿いを走ることを知って最終決断しました。時間との闘いというか、ほんとうにスリリングな最後の一日でした。

　東京に戻って気づいたのですが、どの写真も何か赤茶けていて、暗いんですね。理由は、スケジュールの組み方にありました。トランクを引きずり、大きなリュックを背負いながらの旅ですから、トランクを預けることのできる午前、つまりチェックアウトまでの時間が勝負でした。朝の八時に出て、昼までにホテルに戻り、次の都市に移動する。朝の、光量が少ない時間に撮った写真ばかりなので、暗かったのです。大変疲れましたが、自信がつきましたね。一日二万六千歩歩いた日もあり、体重もしっかり落とすことができました。しかし日本に戻って数日したら、もう元の木阿弥でしたが（笑）。

ドストエフスキーのヨーロッパ旅行は、一八六二年を第一回目として、次が一八六三年、三度目が一八六五年、四度目が一八六七年と続いています。二度目の妻アンナと経験した四度目の旅は、三カ月の予定が、じつに四年の長きに及びました。その間、彼は、バートホンブルグ、バーデンバーデン、そしてヴィースバーデンという三大カジノ都市と、もう一つ、サクソンレヴァンというスイスのカジノを回っています。サクソンレヴァンは、ジュネーヴ湖（レマン湖）の東にある、ひなびた鉱泉地です。

ドストエフスキーが最終的にルーレットから足を洗うのが、一八七一年の七月。その後一八七四年から七九年にかけて五回、先ほどもふれたバートエムスという鉱泉地に療養に出かけていますが、彼はそこではルーレットにいっさい手を出していない。

今回の旅を計画するにあたって、二つのプランを一つに合体する方法を考えだしました。一つは、『賭博者』を中心としたルーレット場めぐり、そしてもう一つは、『白痴』の執筆に関わりのある町の訪問です。基本的に、一八六七年の四月十四日から一八七一年の七月八日までの四年間の旅を十日間の旅に圧縮しました。残念なのは、ヴェネツィアからの帰途、プラハに立ち寄れなかったことです。行程十日の旅を十一日にしておけば、彼の四度目のヨーロッパ訪問をほぼ完全に再現できたのですが、最初に航空券を手に入れた段階でそれは不可能でした。グランドデザインを誤ったのです。非常に悔しい思いがあります。

ドストエフスキーの三つの病

駒井　ドストエフスキーが賭博をやめるのは、一八七一年ですね。しかし、やめるまでは、すさまじいのめり込み方だったと、二度目の妻が著書の『回想のドストエフスキー（1・2）』（松下裕訳、みすず書房）で書いています。そういう実体験と、小説である『賭博者』の関係はどうなんでしょうか。

亀山　ドストエフスキーには、三つの持病がありました。一つ目はご存じの癲癇《てんかん》の病。癲癇は、私の直観ですと、性的な欲望と緊密に結びついているような感じがします。彼が最初の新婚のときに癲癇の発作を起こして奥様を呆然とさせ、それ以降、奥様との間が、性的にうまくいかなくなって、一種のトラウマが生じました。

ドストエフスキーが最も幸福だったのは、二度目のアンナ夫人、『回想のドストエフスキー』を書いた女性ですが、『賭博者』がきっかけで結ばれた二人が、一八六七年に始まる四年間のヨーロッパ旅行を実現したときだと思います。むろん、この四年間の放浪の間には、娘ソフィアの死など悲しくつらい経験がありましたが、一人の男性としても最も充実していた時期だったと思います。

じつは、この性的に充実した時期に、癲癇が頻発しているんですね。この四年間で『白痴』が書かれ、『悪霊』の最初の部分が書かれますが、『白痴』では、ムイシキン公爵、『悪霊』では、キリーロフという人物が癲癇の病を病んでいます。

二つ目の病は煙草です。彼はヘビースモーカーでした。今回の旅に出るまで、彼のニコチン依存症に注意を向けたことがなかったんですが、旅先で『ドストエフスキー』の伝記映画を観て、役者がのべつ煙草を吸っているのに驚きました。「ああ、これがドストエフスキーの実像か」と思いましたね。結果的にこのニコチン依存症が、五十九歳という彼の死の引き金をひくことになります。

三つ目の病が、ギャンブル癖です。彼のギャンブル癖が始まるのが、一八六二年の最初のヨーロッパ放浪の際で、ビギナーズラックで味をしめたように思います。そのギャンブル癖が、その九年後の一八七一年になぜ、すとんと止んだのか。このお話は、今日の最後に皆さんへプレゼントしたいと思います。じつは、今回の旅で新発見を経験したのです。しかし、さしあたり、種明かしはせず、最後のお楽しみとしましょう。

私の印象ですと、彼の伝記では、彼のギャンブル癖について多少誇張があるように思います。実はロシアではルーレット賭博があまり流布していないんですね。ルーレットと言うと、ロシアン・ルーレットと言うくらいで、ロシア人に典型的なギャンブルのように思われていますが、ロシア人の場合、ギャンブルというと、ほとんどの場合カード賭博でした。ドストエフスキーにとって「ドイツに行く」というのは、「ルーレットをしに行く」のと同義で、パリでもルーレットをやっていますが、中心はドイツでした。最初の二回をのぞいて、ほとんどの場合、負けて帰るというパターンを繰り返したようです。ちなみに、六二年の一回目のヨーロッパ旅行の際には、ヴィースバーデンで約六百万円のお金を稼いでいます。

ドストエフスキーのギャンブル癖、あるいはルーレット癖を、「病」と規定していいのかなと疑念に思うところがなくはありません。たとえば、私なんか、毎晩アルコールを少しずつ嗜《たしな》むわけですが、それは完全に常習化しているわけです。じゃあ、ドストエフスキーがどうだったかと言うと、やらないときはまったくやらない、というかできない。先ほど言いましたように、ロシアではルーレット賭博があまり流布していない、つまりしたくてもできなかったのです。

しかし、ここには、何かしら複雑なコンプレックスが隠されているようにも思えるのですね。ドストエフスキー、ルーレット、ヨーロッパという三つのモメントは、何かしら作家の複雑な深層心理を反映しているように思えてならないのです。フロイトなら、父殺しか何かに喩《たと》えるかもしれません。私にはどうしても、ロシアでルーレットに勤しむドストエフスキーの姿が思い描けないのです。ひょっとすると、ルーレットで莫大な富を得たいという行為には、一種の父殺しに通じる何かがひそんでいるのではないか、とさえ思えることがあります。もちろん、父とは、ヨーロッパ文明です。ヨーロッパ文明が律義に蓄積した富を簒奪《さんだつ》することによる父殺しとでもいうべきでしょうか……。

面白いと思うのは、妻のアンナと一緒に旅をしながら、その妻を十日とか二週間とか置き去りにしてギャンブルの旅に出ていることです。旅に出ている間、四六時中ルーレットのことを考えていたはずはありません。ルーレットとはまるきり無関係な別のことを考える時間もたくさんあったと思うんですね。

じゃあ、何を考えていたのか。今回の私にとってすごく大事なテーマがそれでした。もちろんルーレット場とホテルの往復の間にも、小説の構想を練るなどいろいろ考えていたと思います。いや、それ以外にもいろんな雑念があったはずです。その雑念を、どうすれば、ドストエフスキー論のなかに組み込めるかという問題意識があったのです。

　ドストエフスキーという人物は必ずしも自制する力がなかったわけではありません。ただし、いったんなにかを始めたら自制できなくなって、とことんやるという、そういう精神構造の持ち主だったことはたしかです。でも、それは決してドストエフスキーひとりのものではありません。バーデンバーデンでは、レフ・トルストイも実は大負けしているんですね。

　一八六一年のトルストイの日記には、ルーレットで大負けした彼が、「この世にはたくさんバカがいるけど、きょう一番バカなのは私だ」と自嘲気味に書いているくだりがあります。この『賭博者』でも、ルーレットというのはロシア人のために作られた、と主人公は嘯《うそぶ》いていますし、イギリス人の好漢ミスター・アストレイもそれと同じようなことを言っている。再度くり返しますが、ルーレットは、その出自からしてロシアのギャンブルではないということです。この事実は、強調してしすぎることはありません。

一人称は「ぼく」で行こうと決めた

亀山　今回の翻訳では、とくにルーレットの場面に熱が入りました。リズムを強く意識して訳したので、みなさんも読みながら、ハラハラさせられたはずです。モスクワからきた「お婆さん」ことアントニーダ夫人が財産のすべてを擦《す》る場面なんか、訳している本人がもう胸がドキドキして先に進めなかったくらいです。初校、再校と校正を重ねていくうちに、登場人物との同化も強まりますから、最後の最後まで興奮が収まることはありませんでしたね。そんなわけで、ルーレットの場面は、他の人以上に上手に雰囲気が出せたんじゃないかと思っています。

駒井　この作品は、僕も過去に既訳で読んでいますが、出だしから非常に硬い印象がありました。しかも、登場人物の国籍がまちまちで、関係性が非常に分かりづらい。

亀山　そうですね。

駒井　今回の新訳ではその部分が、とても工夫されています。いままではこの物語が始まる寸前の、いわゆる入り口で挫折する人が多かったと思うんですが、これは大丈夫ですね。

亀山　その通りです。出だしに関していうと、小説としてこの部分は失敗していると思います。ただし逆に、作家の立場からすると、これ以上に自然な語りだしは思いつかなかったかもしれません。いきなり一人称の独白で、「二週間ぶりにやっと舞いもどってきた。われらの一行が……」とくるわけですが、どこから戻ってきたかも、どんな目的で旅に出ていたかも、そもそも舞台がどこかも書かれていない。書いている本人しかわからない書き方になっているんですよ。読者からすると不親切この上ありません。

私だったら、「二週間ぶりにパリから戻ってきた。資金繰りの旅だった。われらの一行が……」ぐらい丁寧な説明を加えます。実際、学生時代に原卓也先生の訳で読んだときは、「何なの、これ」という感じで、我慢しながら読み、途中で漸《ようや》く入って行けたという記憶があります。そんな経験もあって、冒頭だけは、とにかく読む人を丁寧に誘導するために、できるだけ読みやすい形にしました。既訳と比べていただければ、一読瞭然だと思います。

駒井　では、いきなり本質的な話になりますが、今回の訳では具体的にどういう工夫をなさったのかということと、それから最後にお書きになっていますけど、主人公の一人称の問題に悩まれたということですが、このことに関して説明していただけますでしょうか。

亀山　実は、この『賭博者』という小説には、若干危ういところがあるんです。この手記はリアルタイムで書いている部分と、昔のことを思い起こして書いている部分が入り交じっている。ですから、書き手の主人公が冷静になった部分では、「わたし」というニュートラルな発語がふさわしいかなと思える場合もあるのですが、主人公の年齢が何といっても二十代前半であることを念頭に置かなくてはなりません。「ぼく」という言葉にしないと、彼の若さというか、興奮がどうしても伝わらない。「わたし」でやってしまうと、口述筆記で書かれたこの小説の持つ勢いが削がれてしまうわけです。

そういうわけで、最後に「ぼく」で行こうと決めました。これは、『地下室の手記』の主人公を「ぼく」にした江川卓《たく》さんの訳に通じるところがあります。

なぜ、いま、『賭博者』を訳そうと思ったのか

駒井　おっしゃるように、この作品には、手記の形式で中身の時間軸がズレているので、分かりにくいところがあったんですけど、そのへんを工夫していただいたということですね。

そこで、最初の質問に戻りますが、亀山さんには、古典新訳文庫で、『罪と罰』から『白痴』まで訳していただいて、他社ですが、『新訳　地下室の記録』（集英社）などもあるわけです。今回、『賭博者』を敢えてお選びになった理由は何なのでしょう。

亀山　大切な質問です。私も七十代に入り、残りどれくらい現役でやっていけるか、つねに不安を感じています。仕事は一つひとつ精選しているつもりです。今回『賭博者』にとりかかった理由は、一つです。ドストエフスキーの五大長編の翻訳で知られるドイツの翻訳者スヴェトラーナ・ガイヤーさんを意識しました。

彼女が生まれたのが、一九二三年、そして亡くなられたのが、二〇一〇年。彼女が五大長編の翻訳をはじめたのが、一九八八年、つまり六十代半ばに近づいてからのことですから、私よりも十年遅い。ガイヤーさんはウクライナのキエフに生まれ、ナチスドイツに寵愛されて、独ソ戦のさなかドイツに亡命するという数奇な運命を辿ります。スターリンではなくてヒトラーを選ぶかっこうになりましたが、ドイツに亡命したあと、彼女が特段に厚遇された形跡はありません。ナチスドイツが敗北するとたちまち逆風が吹きはじめました。その後いくつもの試練をくぐりぬけ、ロシア文学の翻訳者として頭角を現していきます。

ふつうの翻訳者とは異なり、彼女の場合は、母語を外国語に移し替えるという、とてつもない作業です。そして晩年の二十年間を、ドストエフスキーの翻訳に捧げるわけですね。その彼女が、五大長編の完成後に取り組んだ最後の翻訳が、『賭博者』だったのです。

私が、ガイヤーさんの仕事をつよく意識しはじめたのは、彼女の伝記映画『ドストエフスキーと愛に生きる』（原題『五頭のゾウと生きる女（Die Frau mit den 5 Elefanten）』）を観たのがきっかけです。たまたまその字幕チェックを頼まれて、何度もその映画に接するうち、自分として、ドストエフスキー翻訳者としてのキャリアを『賭博者』で終わらせたくない、できれば『未成年』で終わらせたいという思いが強くなっていきました。しかし『賭博者』

のもつ魅力を今の時代によみがえらせたいという思いもあり、そこで三分の二を終えていた『未成年』第一部の翻訳をストップさせ、『賭博者』の翻訳に取りかかったわけです。同じ「ぼく」を主人公にしていますし、いずれも口述筆記によるものですから、与《くみ》しやすいという判断も働いていたかもしれません。もし、私自身が、五十代半ばであれば、むろんそんなことは考えもしなかったと思いますが、とにもかくにも楽しかった。

ただ、これまでの『賭博者』の翻訳には、若干、不満がありました。原卓也先生の訳は、非常に正確ですが、正確であろうとするがゆえに、日本語としてところどころ綻《ほころ》びが出てしまった。翻訳ってほんとうに微妙な闘いなんです。つねにぎりぎりの許容範囲を想定する。ここまでは許されるだろう、これ以上は許されないだろう、そのせめぎあいのなかで意訳を試みる。じつは、『賭博者』の翻訳でも、それこそルーレット的な意訳を試みた部分もあるんですよ。それが、あとでも改めて触れますが、冒頭の一行です。

駒井　ルーレット的、ですか（笑）。ところで、プーシキンの『スペードのクイーン』、あれはカードですよね。ルーレットを題材にしたのは、ロシア文学の中では新しいことだったんですか。

亀山　そう思います。ルーレットが出てくる小説は、あまり聞いたことがない。ほとんどカード賭博で、『悪霊』の中にも賭博が出てきますが、あれも全部カードです。

ルーレットの極意とは？

亀山　皆さんのなかに、カジノでルーレットを経験されたことのある人、いますか？　あ、いらっしゃいますね。場所はどこですか？

男性A　モンテカルロです。

亀山　ほう、本場でやられたんですね。どうでしたか？

男性A　ずーっと長くやっていて、場に馴染んでくると、段々ツキが回ってきます。

亀山　なるほど、そうですか。ドストエフスキーは、こうやれば絶対に勝てるという信念を持っていました。そして、それを「システム」と呼んでいます。しかし、結局のところ興奮したり、他人に邪魔されたりして、「システム」を完遂できないところがあったと思うんです。

　他に、カジノで勝った経験がある方は。……あ、どのぐらい勝ったんですか？

男性B　勝ったり負けたりです。ラスベガスでもやりました。楽しんでやって儲かったときもあるし、ダメなときもあります。ルーレットが好きで、やるときは「三十六分の一」しかやりません。ディーラーがどこを狙っているのかを見ながらやるんです。

亀山　ディーラーって、狙い通りに入れられるんですか？

男性B　狙ったところに、上手い人なら九分九厘入ると言われています。だからディーラーがどこを狙っているのかを判断するために、他の人がどういう賭け方をしているのかを見て、頃合いを見て、最後に一回、二回やってみると、ディーラーがたまにニヤッとしてくれたりします。

亀山　その話、腑に落ちますね（笑）。

男性B　でも、あまりやると、「こいつに儲けさせてもしょうがない」と裏をかくから、プロには勝てません。

亀山　なるほど。僕は「人間が絶対に勝てないのがルーレットだ」と単純に思っていました。

駒井　じゃあ、ディーラーは分かってやっているということですか。「ゼロが出る」とかいう描写がありますけど。

亀山　分かった上で翻弄しているんでしょう。

男性B　ディーラーは基本的に思ったところに入れられるわけです。ラスベガスとかモナコの有名なディーラーなどは、必ず入れられる。そうじゃないと、雇われないと聞きました。

ただ、入れられるからと言って、優れているわけじゃなくて、お客との心理戦ですから、そっちに強くないとダメらしいです。

亀山　非常に対話的な関係ですね。『賭博者』は、お読みになりました？

男性B　まだ読んでいません。

亀山　読んでください。感想を聞きたいです。今の話、ショックです。巻末の「読書ガイド」の説明が変わってしまう。

男性B　ルーレットはほんとに心理戦で、冷静じゃないと勝てません。

亀山　だから、ドストエフスキーは「システム」と呼んだのですね。心理を読むのは得意ですもの。

駒井　でも、なぜ負けたんでしょうか、心理が読めるのに。

亀山　どこかの段階でロシア的な自暴自棄が表れるんじゃないですか。

問題の『賭博者』の冒頭と、あらすじ

亀山　写真をお見せしましょう。ドイツのカジノってこういう雰囲気なんです（＊スクリーンに亀山さんが撮影した写真が映し出される）。

これはヴィースバーデンのカジノのホテル兼用の建物の入り口。ドストエフスキーはここで大負けをし、『罪と罰』の執筆にかかるわけですね。このカジノには、ドストエフスキーホールというのが併設されていて、さまざまなイベントがそこで開かれているようです。散財してくれたお礼というわけでもないでしょうが、いかにドイツ人がドストエフスキーを愛しているかが伝わってきます。しかも、裏庭には、なんと彼の胸像まで建てられている。

では、ここからは『賭博者』の内容を話しましょう。ほかの長編と比べて短いですし、あらすじをある程度を知って読んだほうがむしろ楽しめると思いますので、ネタバレを心配する必要はありません。

舞台は、ドイツの架空の町のルーレッテンブルグ。文字通り、「ルーレットの町」の意味ですね。いろいろ説はあるのですが、最大のモデルはおそらくヴィースバーデンだとされています。

モスクワからお金持ちの将軍一家がこの町にやって来るんですが、実はこの将軍、ある事業に失敗し、全財産を失いかけています。その事業で手を組んだのが、フランス人の侯爵でデ・グリューという人物。将軍は、仕事仲間のこのデ・グリューに膨大な借金を背負っています。

物語の冒頭で、語り手である一家の家庭教師アレクセイがパリから戻ってくるのですが、彼のパリ行きの目的は、将軍が失った財産をルーレットで取り戻すための資金調達にありました。このあたりの詳しい経緯は、冒頭に、「二週間ぶりに帰ってきた」とある以外ほとんど何も説明がなされておらず、読者が大いに混乱するところです。

アレクセイは、まもなく将軍一家が、何か別のやり口でルーレット用のお金を稼ぎ出したらしいことを知ります。そしてその日、アレクセイは、彼が思いを寄せるポリーナという女性の唆《そそのか》しによって、ドイツ人ヴルマーヘルム男爵夫妻との間に一悶着《ひともんちゃく》起こすのですね。このあたり、ドイツ人に対するドストエフスキーの嫌悪感が見え見えで——ドイツ人はドストエフスキーを愛していますが——非常に面白い。

そして、その事件をきっかけに、アレクセイは、将軍の一行が、モスクワに住むアントニーダというお金持ちのお婆さんの消息を知るために、電報のやり取りが行われていることを知ります。彼の取り巻きを含めて全員が、この「お婆さん」の莫大な遺産をアテにしているわけです。じつはこの「他者の死」への願望というモチーフは、この『賭博者』に発してダイレクトに『カラマーゾフの兄弟』へと繋がっていきます。

将軍は、他方、謎のフランス女のマドモアゼル・ブランシュに首ったけです。一財産稼がないことには、彼女との結婚を果たせない。ところがそこへ、瀕死の状態にあると見られていた「お婆さん」が、執事と下女を引き連れて、突然、姿を現すんですね。そういう荒唐無稽な設定になっています。

老婦人は、たちまちルーレットの魅力の虜《とりこ》となり、まるで面当《つらあ》てのように、莫大な財産を瞬く間に失っていきます。現在のお金で一億円ぐらい。その金にすべての夢を託してきた将軍とその一行は深甚《しんじん》なショックを受けます。一行が周章狼狽《しゅうしょうろうばい》する中、主人公のアレクセイは、愛するポリーナとデ・グリューとの間に、彼の不在中、何かしらドラマがあったことを察知します。しかしポリーナに惚れこんでいる彼は、彼女の歓心を買いたいばかりに賭けに出ます。ビギナーズラックで味をしめたアレクセイは、最後の土壇場にきて大勝ちをし、なんと二十万フラン――二億円の儲けを手にします……という展開になるわけですが、これ以上は言わないでおきましょう。

『賭博者』における、性愛とルーレットの関係

亀山　この小説は、わずか二十六日間で書かれました。十月の二日ぐらいから、二七、八日までの間に、速記者を雇って書いたわけですね。その速記者というのが、後の彼の二番目の

奥様になるアンナ・スニートキナという女性なのですが、一緒に仕事をしていくうち、ドストエフスキーはこの若い女性にだんだん魅入られていきます。ところが、彼が現に口述している小説のバックグラウンドとなっているのは、ドストエフスキー自身の不倫体験です。

面白いのは、その構図、つまり、自分が関係した実在の女性をめぐるエピソードを、好きになりはじめた女性相手に口述筆記するという構図というか内的ドラマですね。ドストエフスキーが最初に想定していた物語が、じつはこの内的ドラマによって徐々に変化していった可能性があるわけです。そんなわけで、『賭博者』の物語は、作家自身が一八六三年に経験した恋愛とは大きく違ったものになりました。

駒井　ドストエフスキーは、最初の妻のマリアとは上手くいかなかった。次に愛したアポリナーリヤは奔放なタイプで、結局はドストエフスキーとは違う人と結婚、お相手はドストエフスキー文学の評論家だったという話ですね。

亀山　そうです。ローザノフという非常にすぐれた思想家です。

駒井　四十五歳のドストエフスキーのところに二十一歳の女性速記者が来たのは、『罪と罰』を執筆していたけれども、出版社の原稿の取り立てが厳しいので、急遽《きゅうきょ》、新しい作品を書かなければならない。だから口述筆記で『賭博者』を仕上げたと。

亀山　ええ。

駒井　ドストエフスキーをめぐる実在の三人の女性の中で、アポリナーリヤは極めて奔放で、彼女が、さっきおっしゃったポリーナという、将軍の義理の娘のモデルになったと言われるわけですけれども、一方、デ・グリューという名は、プレヴォの『マノン・レスコー』の男性のほうの主人公の名前で、アポリナーリヤという奔放な女性には、マノン・レスコーを思わせるところもある。

　最終的にアンナと知り合ったことでこの小説が出来上がり、彼女は『回想のドストエフスキー』という回想記も出している。この本の中でドストエフスキーがどういう人であったかも語っていますね。

　そういう女性たちとの多彩な関係が、強烈に投影されたのが『賭博者』という作品だという感じがするんですけども。

亀山　本質的な話だと思います。つまり、『賭博者』における恋愛問題というのがあるんですよね。ちょっと実際の話を振り返っておくと、ドストエフスキーは、アポリナーリヤという若い女性と、これは不倫の恋だったわけですが、奥様が結核を病んでかなり重篤なのにもかかわらず、関係を持ってしまう。そして彼女とヨーロッパへの逃避行を企てる。先にアポリナーリヤをパリに行かせ、遅れてドストエフスキーも行く。その途中でヴィースバーデンに寄って、ルーレットで大勝ちをして、「やったぜ」みたいな感じでパリに行く。

ところが、パリで何が待っていたかと言えば、これがなんとも残酷な告白です。到着の数日前にアポリナーリヤは、サルバドールという医学生と関係したあげくフラれてしまい、失意の底にあった。『賭博者』では、このサルバドールがデ・グリューに相当するわけですが、物語とは異なり、アポリナーリヤは、五万フランのために体を売るといった話にはなっていない。

いろんな回想や伝記を読んで気づくのですが、どうもドストエフスキーは、アポリナーリヤの「浮気」にあまりショックを受けた様子がないんです。なぜショックを受けていないかと言うと、むろんドストエフスキー自身に固有のマゾヒズムも影響しているでしょうが、それ以上にヴィースバーデンでの勝利が影響していたと思います。彼には金があった。ルーレットでの勝利と性愛とは、表裏一体の関係にあるように見えて、じつは互いに相容れないんですね。それが、ドストエフスキーの哲学です。この小説では、たまたま二十万フランという大金を手にし、それをポリーナにポイと投げ与え、ポリーナはタダではもらえないと、アレクセイに体を預けるわけですが、その夜、二人の間に何かが起こるわけですが、その何かをより生々しく想像してみる必要がある。

実際、ロシアを代表するチホミーロフという研究者が、その夜、ポリーナとアレクセイの間に生じたドラマをみごとに読み解いている。しかし、大切なのは、性的関係の実質ではなく、性愛とルーレットの関係そのものです。少なくとも私がここに読みとるのは、先ほど言いましたように、ルーレットへの没頭は、最終的に性愛の否定につながるという考え方です。『白痴』に出てくるナスターシャ・フィリポヴナ、これは性格的にはポリーナと同類ですね。つまりモデルが同じアポリナーリヤ・スースロワで、しかもナスターシャは、自分を熱愛する男がもってきた十万ルーブルのお金を暖炉に投げ込んでしまう。『賭博者』のポリーナも、アレクセイに体を許しながら、最終的には自分が手にしたはずの五万フランを投げ返し、ホテルを飛び出してしまう。

つまり、性愛とルーレットが、ドストエフスキーの中で何かしら一つに絡まった問題としてあるような気がして仕方ないんです。そこに癲癇がどう絡んでくるかというのも、これまた問題ですが。

要は、勝とうが負けようが、ルーレットは、人間を完全にエゴそのものの存在に変容させてしまうところがある、というか個的な感覚を喪失させてしまう。そうなると、自分が相手をどれほど愛そうが、そして逆に相手が自分をどれほど愛そうが、関係なくなってしまう。そういう力学を、ドストエフスキーは『賭博者』で描きだして見せたのだと思います。

アンナという女性

駒井　アンナという女性とは、子どももできて、出会ってから死ぬまで一緒だったわけですよね。そのアンナが書いた『回想のドストエフスキー』は、先ほどもご紹介しましたが、優れた本で、ドストエフスキーを論じるときに、具体的な情報をここから取っている例が多い。

亀山　そうです。よい指摘をしてくれましたが、私も実は、新潮社から出ているドストエフスキーの年譜（『ドストエフスキー全集〈別巻〉年譜（伝記、日付と資料）』一九八〇年）を携えながらヨーロッパを旅行しました。それで面白い発見をしたので、ちょっと読んでみます。

駒井　お願いします。

亀山　『回想のドストエフスキー』一五九ページに始まる「外国放浪」という章です。

　この章は、『賭博者』を書きあげた翌年の、一八六七年から四年間にわたる思い出を語った部分なんですが、私が興味を持ったのは、「はじめての夫婦喧嘩」というくだりです。わずか二ページにすぎない記述ですが、ここにはアンナ夫人という女性の人となりが、端的に表れている。

アンナ夫人には相当に嫉妬深い部分はありますが、新婚の夫が二週間もルーレットに行くのに、お金を出して送り出すような、おそろしく寛容な部分もある。ちょっと長くなりますが、読んでみます。私は今回これを読み直して、「あ、これが彼女だったのか」と改めて驚きの念を覚えました。

先ほど言いましたように、ドストエフスキーはドイツが嫌いでしたが、ドイツに行くとなると、まず、ベルリンが起点になります。最初はベルリンからドレスデンへ、二回目はベルリンからヴィースバーデンへ、といった感じに、いつもベルリンが旅の起点となりました。国際化の時代に入ってからのフランクフルトのような存在です。で、これから読み上げるのは、そのベルリンで起こった出来事です。

「今日（四月十八日）は小雨、だが一日中やみそうにない。ベルリンの人たちは窓をあけはなっている。わたしたちの部屋の窓の下にも菩提樹《ぼだいじゅ》の花がまっさかりだ。雨はあいかわらず降っているが、わたしたちは市内見物に出かけることにした。ウンター・デン・リンデン」——これは大通りのことです。「ウンター・デン・リンデンに出て、宮殿、建築アカデミー、兵器博物館、オペラハウス（今の国立歌劇場）、大学、ルードヴィヒ教会を見物した」——ルードヴィヒは誤訳で、ヘルヴィッヒ教会です。「みちみち、フェージャ（ドストエフスキーの愛称）は、わたしが冬のかっこう(白い毛の帽子)で、みっともない手袋をしていると言った。わたしはひどい侮辱を感じて、みっともないかっこうをしていると思うのなら、いっしょに歩かなければいいわ、と言うなり、すたすたと引っかえしてきた。フェージャは二、三度呼びとめ、追ってこようとしたが、思いなおしたように元来た道を行ってしまった。彼の言い方がひどく失礼なような気がして、わたしはすっかり腹を立ててしまった。いくつもの通りを駆けださんばかりに過ぎて、気がつくとブランデンブルク門のそばまで来ていた。まだ小止《おや》みなく降っていた。若い女が傘もささず濡れるにまかせて歩いているので」——これは自分のことですね。「ドイツ人たちはビックリして見ていた。だが少しずつ落ちついてくるにつれて、フェージャは侮辱するつもりなどちっともなかったのに、自分が勝手に腹を立てたのだと気がついた。喧嘩したことがひどく不安になってきて、どうしていいかわからなくなった。フェージャはもうホテルにもどっているかもしれない、仲なおりしよう、そう考えてできるだけ早く帰ることにした。だがホテルに帰ってみて、フェージャは一度もどってきたが、しばらく部屋にいて、すぐまた出ていったらしいのがわかったときには、どんなに悲しく思ったことだろう。ああ、わたしはさまざまに想像して悩むだけだった。愛想をつかされてしまったのだ、わたしがこんなにおろかで、わがままなのを見て、夫は自分があわれになり、きっとシュプレー川に身を投げたにちがいないなどと思った」――と書いてある。

これは異様です。アンナ夫人の想像力は、次のように展開します。まず、夫が自分を侮辱した。それに腹を立てた自分は、夫を置きざりにしたまま、一人でサッサと歩き出した。夫はこんなどうしようもない妻と結婚したことに失望し、シュプレー川に身を投げてしまったかもしれない……。

異国の町で起こった小さな夫婦喧嘩です。それが、夫の自殺という連想にまで発展する。こんな心理の動きって、果たしてあり得るのでしょうか？　尋常では、あり得ません。

今回のヨーロッパ旅行で、最初の町、ベルリンを訪問中、アンナ夫人とドストエフスキーが、ホテルからどう出て、どの道をどう行ったのかをたどり直してみたんですね。シュプレー川で飛び込むならこのあたりかな、と目星をつけた橋もありました。しかし、待て、なぜこんな小さないさかいが原因で、自分の夫がシュプレー川に身投げするところまで想像するのかと、で、そこで漸く気づいたわけです。

つまり、アンナ夫人には、どこか異様ともいえるほど心配性な一面がある、と。というか、彼女はものすごく母性愛に溢れた人なんだと感じました。そうでなければ、このくだりは理解できないんです。精神的には、ことによると夫よりはるかに強い人だったのかもしれません。夫を子どものように思っているところがあったのかもしれないと。

この後、彼女は生きた心地もせずにホテルで待っていると、ドストエフスキーがふらりと戻ってくる場面が秀逸です。

「わたしはその頸《くび》にすがりついた。涙にぬれたわたしの顔を見て彼はひどくおどろいて、どうしたのかとたずねた。心配したことを話すと、彼は笑いだして、『シュプレー川のようなちっぽけな見ばえのしない川に身を投げて死ぬなんて、すこしでも自尊心があればできはしないよ』と言った。一度帰ってきてトランクをあけたのは、わたしのオーバーを注文しようとして金を取り出すためだった。こうして何もかもわかって仲なおりしたので、わたしはこの上なく幸せだった」

この描写には、嘘がない、真実のみがあるという印象を受けます。これがアンナ夫人だったんだと分かる。先ほどの、何度も自分を一人ぼっちにしたまま、あっちこっちのカジノに通う夫にお金を出してやる。どうせ擦って戻ってくると分かっていて送りだす。

もちろん、若い彼女のことですから、人並みに射幸心はあったはずです。だって自分が筆記した小説には、大勝ちの場面が書いてあります。「なるほど、こういう勝ち方もあるのか。ひょっとして、今度こそ夫は勝って帰るかもしれない」みたいな期待もあってのことでしょうね。しかしそれにしたって、彼女の心に深く渦を巻いているのは、母性愛です。こんなすばらしい女性に会えたドストエフスキーはほんとうに幸運だと思います。

口述筆記は文体を変えたか

駒井　『罪と罰』など、アンナ夫人と出会ってからの口述筆記部分は、自分で書いた部分とは文体が違うとよく聞きますが、亀山さんの目から見ると、どうなんですか？

亀山　本当です。まさにそうなんです。でも、『罪と罰』のエピローグの後半部分については、原稿用紙にして百枚ぐらいですから、おそらくそのうちの五、六十枚分が口述筆記だと思いますが、そこととそれ以前の部分との差は認めがたいんですね。つまり、ドストエフスキーは、口述筆記の原稿に入念に手を入れ、もう一回十分に清書し直させたことがうかがえます。

しかし、六百枚を二十六日間で書いた『賭博者』は、文体なんか意に介さずと言うんでしょうか、ところどころけっこう荒れていますね。「手記」のスタイルというのは、締め切りというか、急ぎを意識した際に出てくる手法なのかもしれません。ただし、『地下室の手記』は性格が異なります。

というわけで、荒れた文体を正確に訳そうとすると、日本語も当然荒れてくるわけですが、先行訳は、その点も敢えて踏まえてというか、引き受けて翻訳したと思うんですね。

しかし、原文が荒れるということは、逆にものすごくリズム感が出ている証拠なんです。作家は勢いで書いていますので、その勢いを再現せずに正確さだけを頼りにして訳そうとすると、時々とんでもない、壊れた日本語になる。翻訳では、文法的に正しいから良い、という口実は成り立ちません。

翻訳が難しいと思うのは、そういった微妙な点です。そのまま訳すと、「何でこう訳が下手なんだろう」と思われてしまうし、上手に訳すと、「原文を歪《ゆが》めている」と批判される。そこのぎりぎりの境界線を歩んでいくのが、翻訳なんじゃないでしょうか。

その精神は、『白痴』の新訳に引き継いだつもりですし、『悪霊』でも、『カラマーゾフの兄弟』でも同じです。『カラマーゾフの兄弟』のゾシマ長老の章などは、かなり古いロシア語で書かれていることもあって口述は不可能ですから、たぶん、いろんな資料に頼りながら、机にむかって自分の手でしっかり書いていったのかもしれません。むろん、これはまだ想像の域ですが。

ドストエフスキーにおける賭博と創作の関係

駒井　話は変わりますが、皆に遺産を残してくれると期待されていたお婆さんが出てきて、賭博で擦っていくシーンの迫真の描写と、そこに投影されているドストエフスキー自身の賭博への惑溺《わくでき》、さっきは実際の賭博のお話もありましたし、「三つの病」のお話もありましたが、なぜドストエフスキーが、これほど賭博に取り憑《つ》かれたのだろうかということはどうでしょう。何か深い理由があるような気がするんですが。

亀山　今のご質問、実は事前にメモをいただいているので、一応答えは用意してあるんです（笑）。カルロス・ゴーンが、ルーレットをやったときの記事をウェブで読んだことがあるのですが、彼が言ったのか、ほかの誰かがコメントしたのか、そのあたりの記憶はあいまいです。いずれにせよ、絶対ルーレットに負けない方法があるんだそうです。つまり、限られたお金の中でやると、ルーレットは必ず負ける。しかし、無限に掛け金を出してくれるスポンサーがいれば、絶対負けないと。

　それを知って、「あ、そうか」と思ったんですね。永遠にゼロに賭け続ければいいわけです。スポンサーが無限なら、最大の勝ちのときにやめればいいのであって、あとは自制心も必要ありません。賭博は、限られたお金の中でやるのが前提になっているから負けるわけで、無限のお金を使うことが許されていたら絶対負けない――どうですか、この話？

駒井　いや、面白いです（笑）。と言うか、本質を突いている話ではありますね。ところで、作家ドストエフスキー自身にとっての賭博とは……。

亀山　そうでした。ドストエフスキーが最終的にルーレットから足を洗うのは、七一年のことです。彼がヴィースバーデンからドレスデンに戻って取り組んだのが、『悪霊』の「スタヴローギンの告白」の章。『悪霊』の「スタヴローギンの告白」は、ドストエフスキーの全作品の中で、最も恐ろしい章です。賭博をやり尽くしたそのカタルシスから生まれたといってもよい。

つまり、ドストエフスキーは、一種アナーキーな精神世界にあって、怖いものなしの状態でこれを書いた。あそこに書かれたモチーフのすべてが作家自身の告白だと思われたら、彼としても立つ瀬がないでしょうが、実際に「スタヴローギンの告白」の部分を読んだ同時代の何人かは、ドストエフスキーがじっさいに少女を陵辱した、その体験を書いていると信じているわけです。その真偽は、もちろん神のみぞ知るです。

しかし、作家本人からすると、それを書かないことには、自分の文学は成り立ちえないとまで覚悟を決めていたはずです。そして、その覚悟が生まれたのは、おそらくルーレットのおかげでしょう。言い換えると、ヴィースバーデンでの二週間での負けのおかげだと私は思っています。

ここでは、まだ種明かしはしません。ルーレットをやめた後に、ドストエフスキーは意外なほどのスランプに陥ってしまう。彼はおそらく、ルーレットに一つの夢のようなものを託していたんじゃないでしょうか。創作意欲を駆り立てる何かとしてルーレットをとらえていたということです。「スタヴローギンの告白」の後、『悪霊』はそれを頂点に段々に冴《さ》えを失っていくような気がします。ジャーナリズムへの接近がそれを物語っています。

『悪霊』の次が『未成年』で、これもたしかに非常に微妙な部分に、ドストエフスキーならではの面白さはありますが、テンションは異様に低い。他の作品と比べてこのテンションの低さは何だろうと考えると、ドストエフスキーがルーレットをやっていないことに思い当たる。これも仮説です（笑）。ドストエフスキーの小説というのは、必ず一カ所、ハチャメチャな盛り上がりを見せる場面があるんですが、それが『未成年』にはないんですね。

逆に言うと、『罪と罰』や『白痴』があれほどすごい作品になったのは、まさにルーレットでの圧倒的負けがもたらしたテンションのおかげと言うことができるということです。敗北のテンションと言うか、負けることによって、ある種の罪障意識が起動し、そのエネルギーが創造に向かっていく――けっこう太宰治的なところがあります。

駒井　作家的なイマジネーションやインスピレーションが湧いてこなくなった。

亀山　そうです。『賭博者』を二十六日で書いちゃう凄いイマジネーションがね。彼は、『賭博者』を書きながら、ルーレット場にじっさいに身を置いているような快感を経験していたと思いますね。実際、『賭博者』を書いたあと、ドストエフスキーはルーレットに本格的に狂い出します。或る意味、執筆は、一種の自慰行為なんですよ。自分の欲望をかき立て、鎮めるために書いているようなところがある。

駒井　要するに、創作と賭博に、実は深い関係があったということですね。創作するときに感じる高揚感と、賭博にのめりこむときのある種の官能的な喜びみたいなものが、表裏一体だという感じでしょうか。太宰が酒を断って無頼な生活をやめたら、きっといい小説が書けなくなったということですね。

亀山　ええ。ルーレットをやるには、ものすごい精神的なエネルギーが必要なんです。先ほどの「システム」という話も、つまりは、運命との対話、運命への挑戦ということです。その対話と挑戦に、一週間も十日も、寝ても覚めても、没頭できるというのは、もの凄い精神的なエネルギーがあるからで、それがあるからこそ『悪霊』が書けた。ところでまだ種明かしをしてはいけませんかね？

駒井　そろそろ大丈夫でしょう。

土産話　その①——彼はなぜルーレットをやめたのか

亀山　今日のイベントの表題は、「偶然こそ真実！　金に群がり、偶然に賭け、運命に翻弄される人間を描いた『賭博者』の魅力」というんですが、実はそれにちなんだ土産話を二つ用意してきました。一つは何が彼のギャンブル狂いを止めたのか。皆さんは当然、アンナ夫人だと答えたいでしょう？　そうじゃないんです。答えは、ドイツです。

　まだ仮説の域を出ていないのですが、今回の旅で私が発見したのは、以下のようなことです。何故ドストエフスキーは一八七一年をきっかけに賭博をやめたのか。その後、『未成年』の執筆時期に、バートエムスというドイツを代表する鉱泉地に出かけていくわけですが、どうしてそこでルーレットに手を出さなかったのか。

　答えは、できなかったから。では、なぜできなかったか。ドイツがカジノを禁止したからです。誰も知らなかったんですよね、この答えを。

ロシア人の知人であるドストエフスキー研究者にそのことを手紙で書いたら、彼も「知らなかった」と言っていました。一八七一年は、世界史では何の年かご存じですか。ドイツ統一の年です。それまでプロイセンと呼ばれた、大きな公国と三十近い小さな国を、ヴィルヘルム一世とビスマルクが協力して一つの大きな国家に統合する。

一八六八年、つまり、ドストエフスキーがベルリンからドレスデンに居を移して暫くした時期に、ドイツ国会はドイツ統一を実現するため、ドイツ国内全てのルーレット場を廃止することを決めているんです。具体的には、一八七二年の十二月末までに国内のすべてのルーレット場を閉鎖すべしと宣言し、その後、五月雨式にあちらこちらのカジノが閉鎖されていったわけです。ルーレット狂のドストエフスキーは、当然のことながらその状況を見守っていたにちがいありません。

ヴィースバーデンも間もなく閉鎖され、今やっておかないと、もうやれなくなるというので、彼は行った。一八七一年四月のことです。つまり、『悪霊』を書くために自分のルーレット熱を鎮めたわけではないということです。アンナ夫人から、「じゃあ行ってらっしゃい。このお金でがんばってきて」と言われたと思います。

ですから、ドイツがルーレットを廃止しなければ、『悪霊』の「スタヴローギンの告白」も、あるいは『カラマーゾフの兄弟』も生まれなかった可能性もあるということです。これが、まず一つ目のお土産話です。ロシアの研究者がこの話を聞いて驚いていたくらいですから、けっこう大きな発見なんだと思います。

ちなみにドストエフスキーは、賭博をやめるとまもなく、ニコチンへの傾斜がはげしくなっていきます。それにともない肺気腫も悪化して、なおかつ気管支喘息の兆候が現れる。その治療のために、ドイツのバートエムスという鉱泉地に向かうんですね。かつてはカジノでにぎわった由緒ある町ですが、七一年以降はそれがなくなっていた。

そのバートエムスで療養に励むドストエフスキーは、しきりにこぼしています。ほんとにツラい、シベリアの牢獄のほうがまだマシだ、とです。

土産話　その②——ナチスとドストエフスキー

亀山　次のお土産話は、ナチスドイツと『賭博者』をめぐるお話です。ドストエフスキーとナチズムの関係はよく言われるところで、たとえば、戦後何年も経たあとの話ですが、ルキノ・ヴィスコンティが『地獄に堕ちた勇者ども』という作品を撮りました。あれはドストエフスキーの『悪霊』を材料の一つにして作られている。

実はナチスドイツ時代にも、ドストエフスキー原作の映画が製作されているんですね。それが、一九三八年に製作された『賭博者（Der Spieler）』です。この映画の製作のイニシアチブをとったのは、ドイツの宣伝相のゲッベルスでした。このゲッベルスの伝記を扱ったピーター・ロンゲリッチという人が二〇一九年に出版した本を読んだら、こんなことが書いてありました。

一九三〇年代のゲッベルスは、ヒトラーがあれほど憎悪したソ連に傾倒し、聖なるロシアとナチズムとの連合を夢見ていたというんですね。ところが、彼のヒトラーへの傾倒が深まるにつれて、その夢を捨てなければならなくなる。ヒトラーは、バルバロッサ作戦（第二次世界大戦中の一九四一年六月二十二日に開始されたドイツによるソビエト連邦奇襲攻撃作戦の秘匿名称。今日では独ソ戦序盤の戦闘の総称とされる場合もある）でソ連を血の海に沈めると明言していたくらいですから。

じゃあ、なぜゲッベルスはロシアとの連合を考えていたかと言うと、根底に彼の猛烈なドストエフスキー傾倒があったようです。とくに『悪霊』が好きだったらしく、『悪霊』に登場する悪の人物スタヴローギンをヒトラーに、スタヴローギンの下で活躍するピョートル・

ヴェルホーヴェンスキーを自分になぞらえて、ヒトラーを神格化していたらしいのです。

そのゲッベルスが一九三八年に『賭博者』を映画化した背景は、その理念の現実化ということ以上に、彼の私的な事情があった。ゲッベルスという人は、幼い頃から足が悪く、身体的なコンプレックスに苦しめられてきたのですが、その彼が、チェコ人のリダ・バーロヴァという女優に恋をして、愛人にするんです。その愛人である女優に、先ほどから何度も出ている『賭博者』の女性主人公ポリーナの役を演じさせるわけですね。私自身、この映画は観ていませんが、観ようと思えば、ウェブ上で観ることができます。

ところが、映画の公開と同時に、リダ・バーロヴァとゲッベルスの不倫が大きく取りざたされる。そして公開三日目にして上映禁止になります。上映された会場では、「大臣の愛人《イロ》は出て行け」というブーイングが館内にこだまし、上映が終わるまで鳴り止むことはなかったと言われているんですね。

ドストエフスキーの『賭博者』がなぜドイツで受け入れられたか、という問題はきわめて暗示的です。ナチズムが掻《か》き立てるニヒリスティックな熱狂と、ルーレットに見られる一種の運命論が、一種のハレーションを起こしたと考えていいと思います。また、宣伝相としてゲッベルスは、ドイツ国内に一種のデカダンな興奮状態を作ることを意図していたかもしれません。
先ほど「ラスベガスに行った」人のお話を聞きながら漠然と考えていたのですが、私の短いルーレット体験の中で得た経験則の一つに、ルーレットは全然興奮しないということがあるんです。どうですか？　興奮しましたか？

男性B　ええ、興奮したら勝てません。要は、ディーラーがどこを狙っているかと考えて、どう置いたらいいのかと……、あれは確かにシステマティックです。

亀山　ですよね。なんかいい話ですね（笑）。皆さんはルーレットと言うと、ルーレット台を囲み、すさまじい興奮にかられながら賭けをしているというイメージがあるでしょう？しかし、現実はそうではないんです。ドストエフスキー自身、何度も何度も通っているわけで、たしかにビギナーズラックの際には興奮したかもしれませんが、そのあとはかなり冷静かつ冷徹にルーレットを楽しんでいたと想像するんですね。ビギナーズラックの興奮ということで、先ほど言ったモスクワから来たお婆さんは、全財産をつぎ込んでしまうわけですが、逆にもし、彼女に三倍の財産があったならばきっと勝てただろうな、とも思います。以上が第二のお土産話です。

駒井　ありがとうございます。ゲッベルスがドストエフスキーのファンだったなんて全然知りませんでした。彼にはある種ニヒルな感じというか、そういう雰囲気は確かにありますね。

ドストエフスキーが『未成年』で描ききったもの

駒井　最後に、お話がダブっちゃうんですけど、『賭博者』の新訳のお仕事で、作品に対するイメージが変わったかどうか。そして、これから先の『未成年』など、どういうふうにお仕事を展開していくかということについてのイメージがあれば、お聞かせください。

亀山　正直申し上げますと、『賭博者』という小説は、苦手な部類に入る作品でした。ルーレットの場面には興奮するところもあったんですが、ワケのわからないところが多く、プロットもいまいち正確につかめなかった。

　しかし、実際に翻訳に取り組んでみて、じつに面白い作品だということがわかりましたね。ドストエフスキーのあとを追いかけてヨーロッパに行ったくらいです――ルーレットには興奮しなかったものの、この翻訳には、ほんとうに熱中しました。

　ドストエフスキーと向かい合う僕の関心は、「何が隠されているのか」を解明することにあるんです。表面上のストーリーを追うだけではなくて、そこにおけるドストエフスキーの生の声と言うのでしょうか。それを聞きたいという執念めいたものがある。今回の旅で、特に関心があったのは、ヴィースバーデンやバートホンブルグに向かう彼の心境です。しかも、愛する妻を置いて。

当時の列車の時速は、四、五十キロぐらいだったと思うんですが、今だと四時間ぐらいで行っちゃうところを、彼は一日かけて、しかも電車を乗り継いで行く。たとえば、ドレスデンからヴィースバーデンに向かう車窓からは、ドイツ南部の風景を眺めていたと思うんですね。そんなとき、彼は何を思い、何を考えたのかなということに想いを馳せる、それが楽しいんです。

どんな邪《よこしま》なことを考えているんだろうか。たとえばアンナ夫人が、「行きなさいよ」とお金をくれて、ヴィースバーデンに行くわけですが、行っている間に、アンナ夫人のもとには、元恋人のアポリナーリヤという女性から手紙が届いていたりする。ひょっとしたらドストエフスキーは、密かに彼女との逢瀬を楽しもうと考えていたのかもしれない。

そんな妄想に耽《ふけ》りながら、小説と彼の生活というのでしょうか、それを繋いでいく楽しみに浸る。それを通じて小説を読むと、何か、物語が物語以上のものに見えてくる。これがドストエフスキーの足跡をたどる醍醐味なんだと感じたりしていましたね。

次に『未成年』について言うと、今、その翻訳に取りかかっているのですが、あと百枚ほどで第一部が終わるんです。ご存じのように、『未成年』も全面的に口述筆記を採用していますから、訳しやすさということでいえば訳しやすいんですが、逆に難しいといえば、難しい。内容的に言うと、非常に室内楽的な作品ですね。リヒャルト・シュトラウスに「家庭交響曲」というのがありますが、そういう趣です。

主人公の語り手であるアルカージーという青年にとくに魅力は感じないのですが、アンドレイ・ヴェルシーロフという、いわば中心となる謎の人物には大いに興味を覚えます。ロシアでは、ソ連時代の一九八三年に連続テレビドラマが製作されているのですが、これは途中で見るのをやめました。ヴェルシーロフを演じている役者にまったく品が感じられなかったからです。このイメージが頭にとりついたら大変と思い、彼が登場すると同時にYouTubeを閉じました（笑）。

そこでふと思うのですが、『カラマーゾフの兄弟』には成熟した大人の物語がないんです。昔『ドストエフスキー　父殺しの文学（上・下）』（ＮＨＫブックス）という本を書いたことがあるんですが、そのなかで僕は、ドストエフスキーは『未成年』で終わってもよかったと主張しました。『カラマーゾフの兄弟』はもう別格の世界で、あまりに偉大すぎる。つまり、人間業とも思えない。それにくらべ、『未成年』はまさに、酸いも甘いもわきまえた最晩年のドストエフスキーの成熟の境地が感じられるんですね。

この物語では、一個の偉大な大人である父親の、或る意味での潔《いさぎよ》さというんですか、正義感とかいうのではなくて、はげしく引き裂かれながらも自分の魂の奥にひそむ良心にしたがう男の物語が語られている。ドストエフスキーが、ある種、老境に入る前の精神世界が描かれているので、まるで自分自身を見ているような、そんな喜びがあります。

一方、『カラマーゾフの兄弟』には、これだけ成熟した大人の登場がない。フョードル・カラマーゾフを円熟の境地にある人間とはとても呼べない。つまり、この人を描ききることができれば、もう後悔はないという思いがあったのではないかと思いますし、ひょっとして、ほんとに『未成年』で終わった可能性だってなくはないわけですから。

『未成年』後の僕の夢としては、『永遠の夫』と『おとなしい女』の翻訳があります。また、『鰐《わに》』も、挑戦したい小説ですね。

『おとなしい女』は、現代的な小説でして、ドイツのあちこちで芝居が上演されたり映画化されたりしています。ロベール・ブレッソンというフランスの監督にも作品がありますが（映画の邦題は『やさしい女』）、非常に多くの映画作家たちが、この『おとなしい女』という小説に注目したことの意味を考えてみたい。男と女の永遠に不幸な愛の物語って言うのでしょうか、結婚した夫婦の物語で、質屋と、その質屋に嫁いだ貧しい女性の話です。女性は最後に自殺するんですが、その自殺がどのような原因で起こったのか、解いてみたい。そのためのチャンスが与えられるといいなと思っています。

駒井　ぜひ、お願いします。『鰐』は森鷗外がドイツ語から訳していますよね。ありがとうございました。素晴らしい時間でした。

（二〇二〇年一月二十四日）

『賭博者』を読んだ人に、さらにお勧めの4冊

1

『白夜／おかしな人間の夢』
ドストエフスキー　安岡治子訳
光文社古典新訳文庫
ペテルブルグの夜を舞台に、内気で空想家の青年と少女の出会いを描いた初期の傑作「白夜」。自殺を決意した男が夢から覚めた後、真理を発見したと信じて、死を思いとどまるという幻想的な短編「おかしな人間の夢」ほか、長編とは一味違うドストエフスキーに出会える。切なくもあるが、そこはかとない明るさが感じられる4作。

2

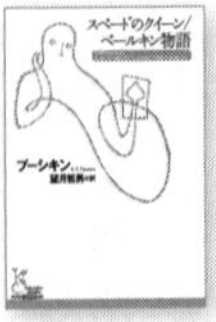

『スペードのクイーン／ベールキン物語』
プーシキン　望月哲男訳
光文社古典新訳文庫
ロシア近代文学の父と呼ばれるプーシキン。「スペードのクイーン」では、主人公・ゲルマンが、伯爵夫人がある人物から授かったという必ず勝つカードの秘密を手に入れるのだが……。『賭博者』はルーレットだが、この作品はカード賭博が主役。皮肉な運命に翻弄される人間たちを描く5作の短編からなる「ベールキン物語」。

3

『ドストエフスキー伝』
アンリ・トロワイヤ　村上香住子訳
中公文庫
歴史的な人物の評伝で名高いアンリ・トロワイヤが書いた伝記。文庫で700ページを超える大部な本ではあるが、飽きることなく読み通すことができる。第一章「試練の青年時代」から終章の「栄光の晩年」まで膨大な資料を駆使して書かれた力作。第三章の「国外放浪と賭博熱」では、まさに賭博者ドストエフスキーの姿が描かれる。

4

『ロシア的人間』
井筒俊彦
中公文庫
井筒俊彦といえば、今日ではイスラーム学者として知られているが、語学の天才的な能力にも恵まれていた。彼が若き日に書いた本書は、教科書風ではなく、ロシアの作家を動かしている精神について語ったもの。「一九世紀ロシア文学は、他国の一九世紀文学とは全然違って、今日の文学である」という認識から書かれている。

日本文学・アフリカ文学・ギリシア哲学の扉

日本文学・アフリカ文学・ギリシア哲学への入り口（駒井）

恥ずかしい話ですが、若い頃、私は日本の古典をほとんど読んだことがありませんでした。こんなにひどい日本文学の古典嫌い、コンプレックスをもたらしたのは、高校の時の古文の授業です（古文の先生方ごめんなさい。でも本当です）。皆さんにも記憶があるかと思いますが、あの文法中心の授業で、すっかり嫌になってしまったのです。近代小説は面白く読めるのに、古典と聞くだけで萎《な》えてしまう。

それでもある時、大和《やまと》和紀《わき》さんの『あさきゆめみし』（講談社）という、『源氏物語』を漫画化したものを読んで、これは面白いと思い、与謝野晶子の現代語訳源氏を読みました。それ以来、日本の古典はまず漫画で読む。面白かったら現代語訳を読んでみる。これが私の日本古典の読書法になったのです。

自分の古典コンプレックスを解消すべく、古典新訳文庫ではなんとか、日本の古典の現代語訳を刊行したいと創刊時から熱望していました。それが最初にかなったのは、詩人・作家である蜂飼《はちかい》耳《みみ》さん新訳の『堤《つつみ》中納言物語』（作者未詳）でした。『虫めづる姫君』は「あたしは虫が好き」となり、こんなに現代的な女性像が中世の日本文学に描かれていたことは本当に衝撃的でした。雅な世界に生きるお姫様の話ばかりなんだろうと思っていたら、毛虫が好きなお姫様が登場。この、同調圧力に強い、存在感ある人物造形は、私の日本文化に対する認識を一変させたのです。

その蜂飼さんに、第二弾としてお願いしたのが、鴨長明『方丈記』です。「ゆく河の流れは絶えずして、しかももとの水にあらず」というあれか、と冒頭の文章を思い浮かべる方も多いと思います。そして、その根底に流れるのは、仏教的な無常観であると、ほぼすべての日本人が思っていると言ったら大袈裟でしょうか。しかし、本当のところ、これを最後まで読んだ人は、ほとんどいないのではないかとさえ思います。

蜂飼さんは問いかけます。「『方丈記』の文字数はどのくらいだと思いますか」。正解は、四百字詰めの原稿用紙で二十数枚くらい。えー、そんなに短いの、と思ったのではありませんか。前半は大火事、竜巻、飢饉《ききん》、地震と、災害の記述が続き、後半はいわゆる小さな庵《いおり》での閑居《かんきょ》生活になります。

なるほど、いろいろな辛い目に遭って、世を捨てたんだな、というステレオタイプな理解を、蜂飼さんは見事に覆《くつがえ》します。達観どころか、俗世間に相当な未練を持っていたことを鋭く指摘するのです。琵琶の上手な音楽家でもあった鴨長明は、当時弾いてはいけない曲をじゃんじゃん弾いてしまう、パンクなミュージシャンでもあったのです。
なんだか、全然違う人物像が浮かんできませんか。さあ、お読みあれ。

次は『崩れゆく絆』です。書いたのはアフリカ、ナイジェリアの作家、アチェベという人です。アフリカは、日本からは非常に遠い土地であるというイメージがありました。しかし、このグローバル化する世界で、二十一世紀にはアフリカは、以前よりずっとリアルな世界になると思います。

この作品は、世界で累計一千万部も刊行され、五十を超える言語に翻訳されている、文字通り世界文学の傑作と認められた作品なのです。まさに二十世紀の古典です。残念ながら、わが国では、これまでは少数の熱心な読者にしか知られることのなかった作品ですが、ここには私たち日本人に通じる問題が提出されていることを、新訳したアフリカ文学がご専門の粟《あ》飯《い》原《はら》文子《あやこ》さんは指摘します。

すなわち、西洋近代との出会いです。特にキリスト教との出会いが、それまであった伝統的社会の秩序を大きく変えていきます。その中で、古典的なヒーローともいえる主人公オコンクウォは、孤立を深めていきます。コンラッドの『闇の奥』に対する激烈な批判でも知られるアチェベの代表作を、ぜひ読んでみてください。

古典新訳文庫には十八世紀、十九世紀のヨーロッパ文学の新訳が多い。これは歴史的必然ともいえるのですが、それ以外の世界の古典文学の新訳にも積極的に取り組んできました。この作品はその代表ともいえるものです。

プラトンの『ソクラテスの弁明』は、誰でも知っていると言っても過言ではない、古代ギリシア哲学の代表的な作品です。お読みになった方も多いでしょう。明治時代から翻訳が始まり、現在では十指にあまる日本語訳があるということです。

私もかなり若い頃に読みましたが、ソクラテスがなぜ死刑にならなければならなかったのか、本当のところよく分かりませんでした。ギリシア哲学はヨーロッパ文明の根幹をなすものだという教科書的な知識はあっても、実際の読書からそのことを感じ取ることは、難しいと感じていました。

死を前にしてソクラテスが話したことは、当然ですが迫力に満ちています。だから「対話篇」の他の作品とは違うエッセンスが詰まっている作品なのです。

冒頭ソクラテスが「アテナイの皆さん」と呼びかけるところで、「国際プラトン学会」の元会長であった、訳者の納富信留《のうとみのぶる》さんは、従来の「陪審員」ではなく「裁判員」という訳語を使っています。これは単なる言葉の変更ではなく、きちんとした根拠があってのことです。なぜ、ソクラテスは毒杯を仰いで死ななければならなかったのか。この新訳と、綿密な解説で、初めて理解することができました。

　哲学の話というと、尻込みしてしまう人が多いのではないかと思います。ましてギリシア哲学、プラトンとくれば、世界史的にみても最重要の著作だということは承知していても、なかなか手が出ません。

　しかし、ここで納富さんにお話しいただいた予備知識をもって立ち向かえば、ソクラテスは、あなたの隣人になるかもしれません。

第12夜

鴨長明『方丈記』

Kamono Choumei / HOUJOUKI

蜂飼 耳×駒井 稔

達観していない作者、災害の記録——予想外の人間臭さの魅力

鴨長明（1155-1216）
歌人。賀茂御祖神社（下鴨神社）の禰宜・鴨長継の子として生まれる。歌人として活躍し、後鳥羽院による和歌所設置に伴い、寄人に選ばれる。琵琶の名手でもあった。1204年、50歳で和歌所から出奔し（河合社禰宜事件）、出家遁世する（法名は「蓮胤」）。『新古今和歌集』に10首入集。幼年時には保元・平治の乱、長じては治承・寿永の乱が起きた。『方丈記』の成立は58歳ごろ。

『方丈記』
災厄の数々、生のはかなさ……。人間と、人間が暮らす建物を一つの軸として綴られた、日本中世を代表する随筆。京都郊外の日野に作られた一丈四方の草庵で、何ものにも縛られない生活を見出した鴨長明の息遣いが聞こえる。和歌10首と、訳者のオリジナルエッセイ付き。飢饉、大火、地震などいくつもの災厄を経験し、仏教と向き合った長明は、現世にも大きな関心を持っていた。

蜂飼耳　1974年神奈川県生まれ。詩人・作家。早稲田大学大学院文学研究科修士課程修了。立教大学文学部教授。詩集『いまにもうるおっていく陣地』で第5回中原中也賞を受賞。詩のみならず、小説、エッセイ、絵本、書評でも活躍。著書に、詩集『食うものは食われる夜』（第56回芸術選奨新人賞）、『顔をあらう水』（第7回鮎川信夫賞）、文集『空席日誌』『おいしそうな草』などがある。

日本の古典文学の新訳は、どのように始まったのか？

駒井　こんばんは。平日の夜にお運びくださってありがとうございます。今日は古典新訳文庫で昨年（二〇一八年）秋に刊行しました『方丈記』をめぐって、蜂飼耳さんにお話しいただきます。

蜂飼　よろしくお願いいたします。

駒井　実は、蜂飼さんには既に以前にも一回、この企画にご登場いただいております。

蜂飼　二〇一五年に出していただいた『虫めづる姫君　堤中納言物語』のときでしたね。

駒井　大変好評でした。あの作品には、短編十編とプラス断章一編の計十一編がありまして、その全部に蜂飼さんの「〜を読むために」という読み応えのあるエッセイがついているという、贅沢な造りでお願いしました。通常の「解説」「年譜」「訳者あとがき」に加えて、「訳者まえがき」まである蜂飼色の強い作品になっています。

今回は、昨年刊行の『方丈記』をテーマにいたしますが、まず、どういういきさつで再びご登場していただくことになったかを、簡単にお話ししておきます。

古典作品の多くは短期間に売れるものではないのですが、この作品に関しましては、発売後たちまち三刷りということで、読者の方に大好評をもって迎えられました。それで、今日の話では、『方丈記』はなぜそれほど人気があるのかということと、蜂飼さんが現代語訳をするにあたってお感じになった『方丈記』の味わいと魅力について、お話しいただきたいと思っています。

古典新訳文庫で新訳を刊行した日本の古典小説は、実は『虫めづる姫君　堤中納言物語』が最初でして、これをきっかけに、我々も日本の古典を本格的にやっていこうと考えました。加えて、河出書房新社から池澤夏樹さんの個人編集で出ている日本の古典シリーズが好評をもって迎えられていたこともあって、我々の文庫にも待っている読者の方が多いだろうと考えて、今回は『方丈記』をお願いしたわけです。

なぜ、『方丈記』だったのか

駒井　そこで蜂飼さんにまずうかがいたいのですが、『虫めづる姫君　堤中納言物語』を新訳していただいた後に、確か編集部からは上田秋成の『雨月物語』とか西鶴の『世間胸算用』とか、江戸期のものを中心にご提案した。その中に『方丈記』も入っていたんでしたっけ。

蜂飼　はい。いろんなラインナップがありました。担当してくださっているのは、佐藤美奈子さんという編集者の方ですが、彼女と、どういうものが可能かなと普段からいろいろと話をしていたんです。その中に『方丈記』もありました。

　私自身にとっても、中学生か高校生の頃に、とくに冒頭部分、この文庫には原文も載せていますが、「ゆく河の流れは絶えずして、しかももとの水にあらず。よどみに浮かぶうたかたは、かつ消えかつ結びて、久しくとどまりたるためしなし」という部分、これが授業で勉強して暗唱させられた箇所だったんですね。それで、作品の根底にはいわゆる仏教的な無常観があるという固定的なイメージが与えられていたわけです。鴨長明には、その当時のものではないにしても肖像画的なものも残っていますし、そういったものを総合した印象として、私の中でも達観した人物という先入観みたいなものがありました。仏教の修行を志して、「ゆく河の流れは絶えずして」と、自分の気持ちを世の中全てが無常というところに収めている人物だという、そんなイメージがあったんです。

　それは私だけではなくて、『方丈記』を習ったたいていの方々は、おそらくそうだったのではと思います。だから、キーワードは「仏教的無常観」。けれども、それ以上のことを詳しく知りたいというか、学ぶ意味合いも含めて、次の企画は『方丈記』をと申し上げたんです。

駒井　『方丈記』は、私もそうでしたが、書き出しはみんな知っているんですよね。

蜂飼　そうですね。これは日本語の文章としては、いわゆる名文として受け取られてきた文章です。言葉の格調と言えばいいのか、緊張感をもって進む響きのよさがある。

駒井　ちょっと話は飛びますが、たとえば佐藤春夫さんに『現代語訳　方丈記』（岩波現代文庫）という本がありますね。それから水木しげるさんが「マンガ古典文学シリーズ」で描いた『方丈記』（小学館）もある。さらに蜂飼さんがこの文庫の「エッセイ」でも触れられた堀田《ほった》善衛《よしえ》さんの『方丈記私記』（ちくま文庫）。中野孝次さんには『すらすら読める方丈記』（講談社文庫）という本がありますし、ＮＨＫの「１００分ｄｅ名著」（ＮＨＫ出版）も『方丈記』を取り上げている。これらは『方丈記』が日本の古典の中でもかなり魅力的だということ、にもかかわらず多くの人が読み通していないことを表しているのではないでしょうか。実は私もそうでして、古典には意外とそういうものが多い。

蜂飼　そうですよね。タイトルと作者名ぐらいは知っていても、全体を通して読みましたという作品はなかなかない。

ところで、皆さん。『方丈記』の全体の分量が、文字数で言うとどれぐらいあると思われますか？　四百字詰め原稿用紙に直すと何枚でしょう？

先日、特別授業の機会があって、広島の高校に行ったのです。そこで同じ質問をしました。

そうしたら、高校生たちから、五十枚とか百枚とか、いろいろ出ました。正解は二十数枚というところです。これは古典としてはホッとするような少なさですよね。

私たちは、『源氏物語』のように長大なものこそが古典だと思い込んでいないでしょうか。『平家物語』などもそのイメージが強いですけども、そんな中での四百字詰め二十数枚。だけど、読んだことがないとか、近寄りがたいなどと皆が思っている。それが『方丈記』なんだ、という認識を新たにしました。

前半は数々の災害のルポ、後半は方丈の庵での暮らし

蜂飼　ですから、まず全体的にどんなことが書いてあるかザックリとお話ししておきます。

前半部分は、長明が見聞きしたさまざまな災害や災厄ですね。都で起きた大火事であったり、竜巻であったり。あるいは飢饉であったり、地震であったり。こういった災害が人間にどんなことをもたらすか。その状況をルポルタージュ的に記していて、古典の中でもルポ的な作品の先駆けと位置づけられています。つまり、非常に描写がリアルだということなんです。

では、後半は何が書かれているかというと、方丈の庵での暮らしと、心に浮かぶさまざま

な思いですね。方丈の庵ですから、計測の方法で幅があるとしても、四、五畳くらいのサイズです。そこでのいわゆる閑居生活というか、山の中の小屋のようなところに独りで住んで、自然に触れてですね、思いを深めるといいますか、それを仏教修行の一環で行っていると長明は考えているのですが、一筋縄ではいかないさまざまな逡巡《しゅんじゅん》や葛藤があるわけです。それが文章に表れていて面白い。そういう作品です。

駒井　私は原文を読んでも分からないのですが、原文は格調が高いのですか？

蜂飼　文章の調子が格別なんです。細かい話になりますが、文章の表記が漢字とカタカナで書かれているのです。カタカナの部分は和語を使っていますが、熟語や漢籍から持ってきた漢語を合わせて成り立っています。典拠もたとえば白楽天の『白氏《はくし》文集《もんじゅう》』とか、漢語と和語の組み合わせでできている文章です。さまざまな要素が響き合い、格調があると評されてきたのだと思います。

駒井　訳されてみてどうでしたか。実際に文章的に見事だとお感じになりましたか？

蜂飼　はい。たとえば、災害の数々を記している描写など。

駒井　ああ。あそこには、大火でどこが燃えたとかいう情報が見事に詰め込まれていますね。

蜂飼　そうなんです。具体的に触れますと、「安元《あんげん》の大火」、これは安元三年、西暦でいうと一一七七年、二十三歳ぐらいの年に、都で起きた大火事です。途中を読んでみます。
「吹きまよふ風にとかく移りゆくほどに、扇《あふぎ》をひろげたるがごとく、すゑひろになりぬ。遠《とほ》き家は煙にむせび、近《ちか》きあたりはひたすら焔《ほのほ》を地に吹きつけたり。そらにははひを吹きたてたれば、火のひかりにえいじてあまねくくれなゐなる中に、風に堪へず、吹ききられたるほのほ、飛《とぶ》が如くして、一二町をこえつゝ移りゆく」といった描写で、まさにいま見ているように書かれている。

駒井　意外に写実的ですね。

蜂飼　ええ。別の言い方をすると、臨場感ある描写ということになると思います。

駒井　なるほど。『方丈記』には、悟りきった人の枯れた心境というステレオタイプなイメージがあるけれど、そういえば前半は災害なんですよね。火事とか竜巻に、遷都、地震――。そのあたりは非常に写実的というか、迫真の描写が続いている。

臨場感あふれる厄災の描写

蜂飼　そうです。そして、他にもたとえば「養和の飢饉」。養和元年、西暦でいうと一一八一年です。この頃、長明は二十七歳ぐらい。食べ物が足りなくなって、家族の間ではどういうことが起きているかと書いている文章があります。

「いとあはれなる事も侍《はべり》き」。これは、非常に心動かされることもあったよということです。「さりがたき妻、をとこもちたる者は、そのおもひまさりて、ふかき物、必《かならず》先立ちて死ぬ」。「ふかき物」の何が深いかというと、気持ち、愛情が深い。そういう者が先に死んでしまう、と。「その故《ゆゑ》は」その理由は、「わが身はつぎにして」自分は二の次にして「人をいたはしくおもふあひだに、まれ〱えたるくひ物をも」くい物は食べ物ですね、「かれにゆづるによりてなり」。愛情がより深いほう、たとえば親が子どもを優先して食べ物を譲るので、譲った方が先に亡くなってしまうという、こういったことを書いている。

それから、ちょっと凄まじい描写の箇所ですけど、京都の仁和寺の隆暁法印《りゆうぎようほういん》というお坊さんが、「数も不知死《しらずしぬ》る事をかなしみて、その首《かうべ》のみゆるごとに、ひたひに」、つまり人の亡骸《なきがら》の額《ひたい》に「阿字を書きて」これは阿吽《あうん》の阿ですね。始まりという意味を持たせた阿という文字を、道端いっぱい、河原いっぱいに放置されている亡骸の額に仏と「縁を結ばしむるわざをなんせられける」、つまり成仏するようにと書いたと、そういった描写まで出てきます。

あとは、そこよりちょっと戻るんですけど、同じ飢饉の場面で、こんなことが書かれています。これも非常に印象に残る箇所です。「あやしき事は、薪《たきぎ》の中に、あかきにつき、はくなど所々にみゆる木あひまじはりけるをたづぬれば、すべき方《かた》なき物、ふる寺にいたりて仏をぬすみ、堂のものゝ物具をやぶりとりて、わりくだけるなりけり。濁悪世《じょくあくよ》にしも生《うま》れあひて、かゝる心《こころ》うきわざをなん見侍《はべり》し」。

どういうことかと言いますと、薪を燃やしていると、おかしなことにその薪の中に赤い色がついていたり、あとは金箔・銀箔の箔ですね、ところどころに箔が見える。そういう木が薪に混じっている。それは何かと言うと、古いお寺で仏具や寺の建材を盗んできて、それを割って薪にしていると。このようなひどい世の中に生まれたせいで、こんなことまで目にする情けないことになってるよと、そう長明は書いています。たとえば、これらの例に見られるような、非常に臨場感のあるリアルな描写が出てくるわけです。

鴨長明は、どんな先人や先行作品から影響を受けているのか？

駒井　鴨長明の時代には、いろいろな厄災が続いたようですね。

蜂飼　そう。二十代から三十代にかけて、さまざまなことを経験しています。

駒井　『方丈記』の前半には、それがずっと書かれている。

蜂飼　そうです。で、なぜ書いたのかと考えると、立派なお屋敷を建てても、人間が死んでいくように、建物も滅んでしまう。だから、あくせく考えても……というニュアンスの文章があるのです。仏教的な無常観という言い方は、そんな視点から出てくるんだと思います。

駒井　彼が今生きていたら、タワーマンションには住まないだろうな（笑）。要するにこれは、中野孝次さんの『清貧の思想』（文春文庫）にあるような、日本文化の特色の一つなのかもしれないですね。

　仏教的な部分ももちろんあるでしょうが、西洋だと大きな屋敷になりがちなところを、そういうふうに小さく普通に生きようとする文化は、その頃からあったんでしょうか。

蜂飼　そうですね。文学の領域でいうと、白楽天、つまり白居易の詩にあるような、中国の伝統としてのそういう生活、「閑居」と言いますけども、俗世から離れて思いのまま自然に触れて、ひっそりと独りで暮らすのを理想とする考え方があったのですね。

　それから、日本のことで考えてみると、慶滋《よししげの》保胤《やすたね》という、鴨長明の出自でもある鴨氏の先祖にあたる人物が書いた『池亭記《ちていき》』という書物がありますが、そこに人里離れて暮らす理想の生活が描かれていて、それらの影響を受けているのは間違いないとされています。

　まとめますと、いつか消えてなくなる世間のお宝みたいなものにこだわるよりも、心安らかに生きた方がいいという「仏教的無常観」的な思想があったはずです。その一人として長明がいるし、『方丈記』はそれを突出した形で作品化したものだと言えると思いますね。

駒井　面白いお話ですね。結局、「竹林の七賢」のように俗世を離れて生活をするとか、詩人たちが世を捨て去ってとか、文体の問題にしてもそうですけど、そういう中国文学の影響もあったわけですね。

蜂飼　ええ。ものを考えたり書いたりすることには、先行する作品、あるいは言葉があって、そこに則って書く部分がどうしてもありますから。

　近代以降は、個性のオリジナリティとその価値が際立ってきますけれども、古典の世界ではまず先人に学ぶ。和歌など、とくにそうです。知識が要るんですね。知らないと、それまでの蓄積に学ばないと、何もできない世界だと思います。ただ、『方丈記』は、原文が漢字とカタカナで書かれていて、あの文体で災害などの描写をするのは、それまでにないスタイルだと言われていますが。

駒井　和漢混交文の先駆けと言われているようですが。

蜂飼　『平家物語』や能の詞章《ししょう》などには、『方丈記』の文体の影響が入り込んでいると受け取られていますので、いろんな先人や先行作品の影響がありつつも、やはり鴨長明によって初めて実現した文章の姿を伝える、そういう本だったと言えると思います。

波瀾の人生——彼は達観などしていなかった

駒井　話は変わりますが、『方丈記』を最初にお読みになったのは高校の古文でですか？

蜂飼　いや中学生のときだったかな。暗唱したのを覚えています。さっきの冒頭部分を。

駒井　そうですか。じゃ、全体を読んだのはいつなのでしょうか？

蜂飼　全体は、受験勉強のときに古文がありますから、そこでザーッと目を通したという感じだったと思います。『方丈記』に限らず、『枕草子』とか『徒然草』とか、試験に出るような作品を全体的に、現代語訳を見ながら一応は読んだ。それが『方丈記』を自分の目で細かく読むことをしなかった理由かもしれません。

　でも、改めて向き合ってみると、とにかく鴨長明って人が面白かったですね。これは大きな発見で、この人が大好きになっちゃいました（笑）。本当に面白い人物です。八百年も前の人という気がしなかった。

駒井　今の話の延長で、鴨長明がどういう人生を送った人なのか話していただけますか。

蜂飼　もともとは下鴨《しもがも》神社、京都の下鴨の禰宜《ねぎ》の家に生まれ、十代で父親が亡くなったので、その後は祖母が持っていた屋敷に住んでいたらしい。それで理由ははっきりしないんですけど、その家を出ないといけなくなって、そのあたりから不遇の人生が始まってしまう。で、そういう一族に生まれたという気持ちがあるので、下鴨の禰宜もしくはそれに近い仕事をしたいと願っていたら、苦労の末にチャンスが巡って来る。今度こそそういうポストに就けると自分も思い、周りも思っていた。そうしたら、親戚の横槍が入って、自分の息子の方がふさわしいと言う人が出現し、結局、禰宜の位に就けないということが起きたんです。

その頃の長明は、後鳥羽院に非常に可愛がられていたので、その顛末《てんまつ》を知った後鳥羽院が、じゃあ別の神社の仕事を用意するからと提案したらしい。だけど、もういいですと、その仕事を受けなかった。そういうところの意志は通すというか、嫌なものは嫌だと言う人だったようです。

駒井　蜂飼さんは本の中でこうお書きになっています。長明は方丈の世界に入って悟り切っていたような人ではない、達観どころか、相当俗世間を気にしていたのじゃないかと。

蜂飼　そうです。どうしてそう思うかと言いますと、もし達観していたら、そもそも『方丈記』は書かれなかったと思うからです。達観していたら、俺は運がない、なんてわざわざ書くことはないと思うんです。でも、どういうことで上手くいかなかったとか、どんな気持ちでいるかなどと、自分の来し方の不遇について書き連ねていて、こう言ったら長明さんに悪いですが、読者としてはそこが面白い。それが八百年という時を越えて、いま生きている私たちにも響いてくる、『方丈記』の最も面白い部分じゃないかと思います。

短い作品であるのに、さまざまな受け取り方ができる

駒井　素朴な疑問ですが、今の出版の世界だと、編集者がいて「これを書いてくれませんか」という話になりますよね。『方丈記』を書いているときの長明には、誰かに読ませるとか、後世に残すとか、そういう思いはあったのでしょうか。

蜂飼　どうなんでしょう、わかりませんね。誰かに読んでもらう、あるいは読まれてしまう可能性は考えたのかなと思いますが、結局は、ゆかりのあるお寺の僧侶たちに渡ったんじゃないかと思うんですよね。でも、現代的な意味で言う読者ってものを考えたかというと……。当時は手書きで、最初は一冊しかない。それを読んでもらいたいとか、読まれてもいいと考えたのか、その辺りは研究などを見ても、推測の域を出るものがありません。

　これがたとえば『源氏物語』だったら、みんなで読んで聞いて楽しむという、そういう舞台を想像できるじゃないですか。それに対して『方丈記』のような作品は、どういう享受の

され方をイメージしたか、想像するのが意外と難しい。しかし、そこを飛び越えて八百年経ってから光文社の文庫に入っているわけで（笑）。

駒井　蜂飼さんが現代語にお訳しになって、鴨長明も泉下《せんか》で喜んでいると思います。宮廷文化の中で筆写されたりして読まれるものであれば別ですが、この作品は、方丈の中で書かれたものが残って、こうやって生きている。古典の中でも、一味違う力を強く感じます。

蜂飼　後の『平家物語』にも影響があるわけですしね。そうなると、やはり、伝わる力を当時から持っている作品だったんだと思います。

　ただ、受け取った人が、どういう部分に対してどういう感じ方をしたかということは、現代人には想像が難しいかもしれません。『方丈記』の最後の部分に、自分は仏道修行で山の中に籠《こも》っているのに、こんなことを書き連ねていてはいけないと自戒する箇所があります。だから、そういうことを含め、仏道修行に入った人の手記みたいなものとして当時の受け手は受け取ったんだろうなとは思うんです。

　それに対して、現代に読むときに、読者がどのような要素を通して『方丈記』を受け取るかと考えると、先ほども触れた、自分自身では運がないと思っている人の個人的な来歴や気持ち、それに自然描写の美しさ、そして災害の記述が持つある種の臨場感、そういった要素で受け取るわけですよね。ですから、まあ、さまざまな受け取り方に対して開かれている作品と言っていいのかなと思いますよね。たった二十数枚の短めの作品であるにもかかわらず、いろんな近づき方ができると。

長明は『方丈記』よりも先に、まず和歌の人だった

駒井　彼の生涯を遡ると、方丈に住む前は、禰宜の地位に就きたいとか、ひょっとしたら歌のお師匠にだとか、ずいぶん俗っぽい夢を持っていたようですね。最初から人生を捨てて解脱していたとか、そういう人ではなかったということですよね。

蜂飼　そうですよね。とくに、自分の亡くなった父親に関わる下鴨の禰宜の職には、相当こだわったようです。それが実現できないということは、大きかったのかなと思います。

駒井　ある種の挫折感のようなものがあったのでしょうか。

蜂飼　ええ。挫折ですけど、自分では、運がないという言い方をしています。原文の言葉だと「おのづから短き運を悟りぬ」。ただ、私、この文庫に寄せた文章の中でも書きましたけれども、この人は自分自身で運が悪いと言っていますが、外面的に考えれば、人間関係ではわりといい人たちに恵まれた部分があったと思う。

駒井　恵まれていますよね。

蜂飼　たとえば、長明の歌の先生は俊恵《しゅんえ》という歌人です。俊恵から与えられたアドバイスについては、長明が書いた歌論書の『無名抄《むみょうしょう》』にいろいろ出てきますが、俊恵のもとにいたときの思い出話なども記されていて面白いですし、長明自身に魅力があったからこそ身のまわりにそういう関係ができたんじゃないかと思います。

　彼は、琵琶が上手な音楽家でもありました。琵琶の先生は中原有安《なかはらのありやす》という人ですけど、この人も長明に目をかけている。そんなところに注目すると、本人は不遇だったと言うけれども、ただそればかりではなかっただろうと思うのです。

駒井　本人がそう思っても、歌の先生が優れた人だったり、琵琶の師匠がよくしてくれたり、客観的に見ると結構、恵まれた人間関係の中を生きた人じゃないですか。

蜂飼　そうです。あと、さきほどの後鳥羽院。後鳥羽院も長明にはかなり目をかけていた。彼が『新古今和歌集』を企画して、そのために設置した和歌所《わかどころ》という機関があります。そこで働くメンバーの一人に選ばれているんです。他のメンバーはみんな貴族で、長明は地下《じげ》の人（昇殿を許されていない官人や身分の人）なんですけど、大抜擢されてそこに入って仕事をしている。

そうなると、歌に命を懸けている人ですから、一生懸命仕事をしたらしい。私たち現代人は、長明をまず『方丈記』の作者だと思いますけど、彼はまず歌人なんですよ。それで、和歌所の事務方の長にあたる仕事をしていた源《みなもとの》家長《いえなが》という人が書いた『家長日記』の中に、長明の精勤ぶりは素晴らしいとある。そういうところに、長明の物事にかける情熱というか、人間臭さが表れているなあと思うんです。

あるとき、彼はロック・ミュージシャンのように振る舞った

駒井　私も、四畳半にこもったお爺さんみたいなイメージを持っていましたが、どうしてどうして。控室でうかがったんですが、今ならロック・ミュージシャンにでもなったんじゃないかという人だったらしいです。何をしでかしたかと言うと、琵琶で弾いちゃいけない曲を弾いてしまう。

蜂飼　そうなんです。「秘曲づくし事件」と言います。「啄木《たくぼく》」とか「流泉《りゅうせん》」とか、師匠から免許皆伝されていないと弾いてはいけない曲があったんですよね。それを長明が企画してですね、名人を集めていろんな秘曲を弾こうというイベントを主催したんです。そこで弾いちゃうんですよ、許可されていない曲を。

そしたら、また変な横槍が入る（笑）。ある貴族が後鳥羽院に告げ口したんです。後鳥羽院としては、長明を応援しているわけですが、決まりは決まりなので処分はしないといけない。それで、長明を呼び出して注意する。それが「秘曲づくし事件」ということで記録に残っている。だから、達観して四畳半に住み、世は河の流れの泡みたいと言っているだけの人では全然ありません（笑）。

駒井　達観の人というイメージばかりが先行していたんですね（笑）。

蜂飼　和歌と音楽こそが、もともとの彼の人生です。言ってみれば、アーティスト。

駒井　ですよね。今生まれたら、「ザ・スターリン」の遠藤ミチロウみたいになるんじゃないかという感じです。だって、弾いちゃいけない曲を弾いちゃうわけでしょ。

蜂飼　そういう決まりは、その場になると吹っ飛んじゃう。そんなノリがある人だと知ったのは、私にとって大きかった。『方丈記』の作者はこういう人だったんだ、あの「無常」は、いろいろあった上でのことなんだと思いました。

未練、後悔……「心の揺れ」に感じる親近感

蜂飼　『方丈記』には葛藤があります。山の中に独りで住んで、自分はこの暮らしに満足し

ていて、自然の移り変わりも素晴らしいとか書いておきながら、そういう言い方の中に、俗世への未練が逆に読み取れると思うんです。『方丈記』には冒頭部分のあの名文だけではなくて、この世に生きていることから来る、なんというか心の「揺れ」が書かれている。

最後の部分で、仏道修行に入ったはずなのに、つらつら書いているのは無駄でよくないみたいなことが書かれていますけども、それも含めてこの人の「揺らぎ」があると思うわけです。それも含めた『方丈記』全体が素晴らしいんだと思う。単に名文とか、調子がいいとか、素晴らしい思想だというよりも、まさに現代の私たちに通じるような、後悔はしていないと言いながら実は後悔していたり、気にしてないよと書いていること自体が気にしている証拠だろうっていう点、これが面白い。それを知ることができたというのが、一語一語と向き合って、いろいろ調べながら作っていった今回の新訳という仕事の、私自身にとっての大きな収穫でした。

駒井　何度もハッとさせられたと「訳者まえがき」にあるのは、今のようなことだったんですね。イメージと全然違う人物像が浮かび上がってきたということですよね。

蜂飼　と言うか、その辺にいる人という感じ（笑）。そう思うぐらいに身近な印象を持った。

駒井　山の中に入ったと言うけど、すぐ京にいける距離だったという話もありますね。

蜂飼　そう。日野というところですが、そこは都にも行かれる場所です。街中に出て行って、庵に戻って来てホッとするという記述もある。隔絶した自然界の中に行ってしまったわけではなくて、都を気にする距離の場所に住んでいたんです。都にいた頃に知り合いだった貴族たちもだいぶ亡くなったらしいみたいなことも書いていますし、自分の関わった過去とか身近な環境だった場所に対しても、気にしてるじゃないかという記述があって、面白い。

駒井　新訳の仕事と、長明に関する気づきが、シンクロナイズした面白さだったんですか。

蜂飼　ええ。何か一語一語めくっていくような感じでした。一語とか一行をどういうニュアンスで訳せるかと頁をめくっていって、そのときに初めて明らかになることがあったというか。自分の中で、この言い方はこうもできるかなというふうに置き換えたときに初めてクリアになる部分があって、それが現代語訳を手がける喜びというか、面白味だと思います。

日日古典翻訳の苦労とは

駒井　現代語訳の話が出ましたけど、たとえば英語とかフランス語から訳すのではなくて、翻訳すると言っても同じ日本語なわけですよね。その作業は、自分の中でどういうことが行われている感じだったのですか？

蜂飼　最初はまず『方丈記』を訳してしまっていいのだろうかと迷う気持ちがありました。それで最初の一行が、何カ月も出てこなかったんです。

駒井　現代語訳が出てこなかったということですね。

蜂飼　そうです。つまり、「ゆく河の流れは絶えずして」という格調ある古文の代表みたいに思われている冒頭の部分。それを置き換えるってどうなんだろうと戸惑いました。意味の難しい部分があるとしても、いわゆる名文を別の言葉に置き換えるのはどうなのかと。

どれぐらいの長さで区切るかとか、どれぐらいのトーンで言い表すかってことをずっと探したんです。何でもないことのようなのに、そこに何カ月かかかりました。逆に言うと、その部分ができたらあとは気持ちの上では少し楽になった。今回はこれぐらいの調子で書こうと決まってきて、あとは続けて書くことができました。ともかく、最初の部分を置き換えるのが一番大変だった。

駒井　書き出しですね。わかるような気がします。

蜂飼　あまりにも原文が素晴らしいし、人口に膾炙《かいしゃ》しているものなので。

駒井　なるほど。それは『堤中納言』のときとは、ちょっと違ったんじゃないですか？

蜂飼　ちょっと違うかもしれません。やはり『方丈記』が人口に膾炙しているということと、冒頭部分がとりわけ素晴らしい文章だというのが大きいのかなと思います。

『堤中納言』のときの苦労はそれとは違いました。王朝物語というものは、みなさんも『源氏物語』をご覧になっているとわかると思うんですが、現代の感覚で読むと一文一文のセンテンスがわりと長いんです。『堤中納言』は平安末期から鎌倉初期の作品群ですから、やはり王朝物語の系譜に属していて、センテンスが途切れずに続いて、それによってできる文章の調子や、浮かんでくる情景などがあるので、さて、これをどうするかと考えた。要は、文章を句点で短く区切っていいのかどうかと。

研究者の方々の訳文では、そういうところはなるべく区切らないですよね。区切ると、言葉のかかり方とか意味が変わってくることもあるから、なるべく元の通りにしておく。でも、古典新訳文庫が目標とすることは、通して読める読みやすさです。

駒井 そうです。

蜂飼 読者が作品を通読してどういう作品かわかるってことに古典新訳文庫の生命線があるので、そのためにはあまりズラズラ書くよりは、受け取れるように区切るという判断も一つの方法かなと考えました。いろいろ試したので、その結論に至るまでかなり時間はかかりましたね。

『方丈記』とワーズワース、『方丈記』と中勘助

駒井　ところで、夏目漱石が『方丈記』を英訳しているという話がいろんなところに書かれています。みなさん興味があると思うので、そのお話もお願いできますか。

蜂飼　はい。漱石がまだ学生だった頃、帝大で教えていた英文学のジェームズ・ディクソンという研究者から頼まれて訳したと言われています。

　ディクソン先生は何をした人かというと、イギリスの湖水地方の自然をうたった詩人・ワーズワースと鴨長明を比較する論文を書いているんです。そういう視点で『方丈記』を眺めるとどうなるかというと、前半部分の災害の記述は端折《はしょ》ってしまって、後半の庵で独りで暮らして自然を賛美する記述を残して、ワーズワースと比べるという、そういうことになります。漱石はその一環で『方丈記』の翻訳を手がけたということです。

駒井　なるほど。いま出たのは後半の話ですが、後半で言えば、蜂飼さんは鴨長明が嫌なことがあればすぐに場所を移動できるようにしていたことについてもお書きになっているし、もう一つ、鴨長明が十歳の少年と散歩するといういいシーンがありますが、あそこもお書きになっていますね。

蜂飼　ええ。後半の、長明が方丈の庵で暮らすようになってからの生活を書いた部分には、山守《やまもり》に——山をいろいろ管理して見回ったりする人です——十歳の息子がいまして、その子と一緒に散歩をする記述があるんです。他にも、峰伝いに山を歩いていって、歌人の蝉丸の跡地を訪ねたり、猿丸大夫の墓を訪ねたりすると書いています。帰り道には、季節によって春は桜を、秋なら紅葉を求める。わらびを折りとったり、木の実を拾ったりして仏前に供え、家にも持ち帰る。そんな記述があります。なんかもう近代文学の中にある随想みたいですよね。中勘助《なかかんすけ》の『島守《しまもり》』という作品が好きなんですけど、それを思い出しました。

　ナウマンゾウの骨が出た長野県の野尻湖の中に小さな島があって、そこにある小屋に、中勘助が何カ月かぽつんと独りで住んだ。そのときの暮らしを記した作品です。日記風の体裁で書かれています。自然の表し方が素晴らしくて、一時期すごく好きでくり返し読みました。筆致としては『方丈記』にも通じるような、自然の中に身を置いて歩く様子などを書いている作品です。読むたびに、いいなあと思いますね。

『方丈記』のその部分には、災害の記述の部分と違って、自然界の様子とか季節の移ろいとか、それを心ゆくまで味わっていることがわかる言葉が、いろいろ記されている。

駒井　こうしてうかがっていると、『方丈記』にはさまざまな読み方があり得ることを学んだような気がします。冒頭しか知らなかったら、こうはいかない。漱石のワーズワースの話はとても面白いですが、ディクソン先生も前半はちょっと要素が違うと捉えたのでしょうね。

蜂飼　たぶんワーズワースを基点に考えたのでしょう。自然の中で独り暮らす例を日本文学に探したら、『方丈記』にそうした記述があったということでしょうね。

方丈の庵の中を細かく描写——長明、図を描くのが好きだった!?

蜂飼　その方丈の庵ですが、これは文庫の中に図を載せてもらいましたが、実は、『方丈記』の本文から起こしたものなんです。つまり、本文の中に、どこに何が置いてあるかが細かく書いてあるわけです。これも、とても面白い。

　まあ、これ、誰に知らせているのかなって思うぐらいです。自分でただ手元に置いておく覚え書きとして記しているのかなとも思いますけど、まるで誰か知り合いに近況を伝える手紙のような感じもするぐらいに、細かく書き込んである。

駒井　それも面白いなぁ。ここまで読んでくると、まるで違う書物に思えてくる。

蜂飼　そうですね。この文庫に付録として入れた、同じく長明が書いた『発心集《ほっしんしゅう》』という仏教説話集の巻五に入っている話に、「貧男差図《ひんなんさしず》を好む事」というのがあります。現代語訳としては、「貧しい男、設計図を描くのが好きだった」としました。

ある男が紙の上に、門はこうだとか、建物はこうだとか言って設計図を描くのがすごく好きだと。周りの人たちは、「あいつ、何をやっているんだ。バカだな」みたいなことを言うんだけども、彼はいつも何かを手元の紙に描いている、と。そういう紙の上の建物だから、雨風に壊されることもないし、火事の心配もない。使うものといえば、たった一枚の紙。だが、心を住まわせるには十分だ。そういう文章が、長明の『発心集』にあるのです。

ちなみに『発心集』も、時期としては方丈の庵に住んでいるあいだに書かれたと言われています。ですから、そんな男の話を書き記しているということは、長明自身にもそういう部分があったと当然考えられると思うんですよね。『方丈記』に住まいの様子を細かく書いているのも、そこに通じるのではないかなと思います。

駒井　わかります。繰り返しになりますが鴨長明は、我々が持っていたイメージとはまるで違う人なんですね。

通読できるという素晴らしさ

蜂飼　仮に長明が悟っていたら『方丈記』は存在しなかった。これが今日の結論です。

駒井　それって、ある意味で、今までの日本の古典文学のステレオタイプな解釈から、本来の姿を取り戻す作業だったとは言えませんか。われわれは、古典といえど日本語だから、何だかわかっているような気がしてしまうので、新訳でそういう先入観を拭《ぬぐ》い去ってもらえると有難い。この新訳を読んでいると、鴨長明が現代語でブツブツ呟《つぶや》いているような気がします。そういう意味で、日本の古典の現代語訳は、誰もが読める可能性があるので面白い。

蜂飼　ええ。もちろん原文は大事ですよ。だけど、現代日本語で育ってそれを日々使っている人間にとっては、古文の原文には古語の文法や単語を学ばないと近づけない。そうなった場合に、原文でないと読んでも仕方ないと考えてしまうならば、作品に触れる機会がないことになってしまう。

　ですから、やはり、その作品が何を表しているか、どういう考えが盛り込まれているか、まずはその全体像を受け取れるようにできればいいなと思うんです。その意味で古典文学の現代語訳には、大きな役割があると思っています。

駒井　そうですね。古文の文法で「ず・む・むず・まし・じ・まほし・り」、これ正しいのかな（笑）、とか覚えさせられちゃうと、もう、それだけで「ああ、もう力尽きた」みたいになっちゃいましたから。

蜂飼　原語のリズム感とかテンポとか音の響き。たとえば平安時代の発音は今と違うと言われます。でも、正確にはわからない。にもかかわらず、原文が示す言葉の世界や音の響き、調子というものがあるとは思うんですよ。ただ、それだけでは現代人には受け取れない場合に、現代語に置き換えてみて、それで楽しんだり、受け止められる部分を抽出していくというか。そういうことはとても面白いですし、日本語の中で可能な状態にあると思います。読むことと書くこと、どちらの立場から言ってもそういう可能性があるというのは、言葉の豊かさを実際に示す一つの優れた方法なんじゃないかなと思いますね。

駒井　頼もしいです。では最後に、今後新訳で取り組んでみたい作品がありましたら。

蜂飼　実現するのは難しいかもしれませんが、古代のものを新訳したいという気持ちがあります。語釈がかなり必要になるので困難でしょうけれど、古代の説話関係のものなどができたらと思っています。

駒井　ありがとうございます。というところで時間が来てしまいました。今日は面白いお話をいろいろうかがいました。残念ながらこの辺で終わりということにさせていただきます。

（二〇一九年五月二十七日）

『方丈記』を読んだ人に、さらにお勧めの4冊

1

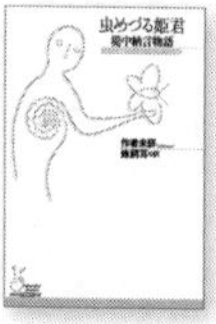

『虫めづる姫君　堤中納言物語』
作者未詳　蜂飼耳訳
光文社古典新訳文庫
風流な貴公子の失敗談、「花を手折る人（花桜折る中将）」。年ごろなのに夢中になるのは虫ばかり。お歯黒もせずに白い歯を見せて笑う現代的なヒロインが登場する「あたしは虫が好き（虫めづる姫君）」。一人の男をめぐる二人の女の明暗をあぶり出す「黒い眉墨（はいずみ）」。無類に面白い物語集。全編に訳者のエッセイ付き。

2

『梁塵秘抄』
後白河法皇編纂　川村湊訳
光文社古典新訳文庫
これまでの『梁塵秘抄』の現代語訳は、古典であるがゆえに高尚になりすぎていると訳者の川村さんは指摘する。原典に収録されている歌は、いわば当時の歌謡曲である。そう考えると、既訳は本来の姿を伝えきれていない。遊女を含む庶民の哀切な歌声を、現代の流行歌として新訳した画期的な訳業。今様の“今様”訳である。

3

『これで古典がよくわかる』
橋本治
ちくま文庫
『桃尻語訳枕草子』の革命的な新訳で知られる橋本治さんの古典入門。第7章「どうすれば古典が『わかる』ようになるか」のなかで「『古典を読みこなすには知識がいる』というのは本当です。でもその前に必要なのは、『古典に慣れる』なんです」と述べている。細かい知識に振り回されてばかりの読者には目から鱗の一冊。

4

『マンガ日本の古典　全32巻セット』
中公文庫
文字通り日本の古典をすべて漫画として読めるシリーズ。石ノ森章太郎『古事記』から、横山光輝『平家物語』、さいとう・たかを『太平記』、牧美也子『好色五人女』、黒鉄ヒロシ『葉隠』、里中満智子『心中天網島』など、日本を代表する漫画家が手がけた古典の漫画化。ここから入門すれば、きっと本物の古典が読みたくなる。

第13夜

アチェベ『崩れゆく絆』

Chinua Achebe / THINGS FALL APART

粟飯原文子×駒井 稔

世界的ベストセラーに見る、アフリカ社会の近代との出会い

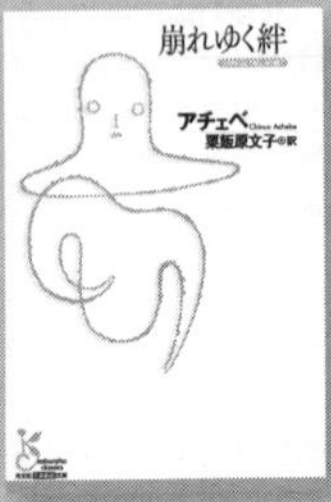

チヌア・アチェベ（1930-2013）
ナイジェリア出身のイボ人作家。熱心なキリスト教徒の両親に厳しく教育される一方、日常的には現地の文化や宗教儀礼に慣れ親しんだ。現地の、ロンドン大学ユニバーシティ・カレッジ・イバダン（現イバダン大学）で学び、大学卒業後はナイジェリア放送協会に勤務。1958年『崩れゆく絆』が出版されると、世界中で賞賛された。その後も作品を発表、「アフリカ文学の父」と称された。

『崩れゆく絆』
古くからの呪術や慣習が根づく大地で、黙々と畑を耕し、獰猛に戦い、一代で名声と財産を築いた男オコンクウォ。しかし彼の誇りと、村の人々の生活を蝕み始めたのは、凶作でも戦争でもなく、新しい宗教の形で忍び寄る欧州の植民地支配だった。アフリカの伝統的社会に生きる人々の姿、そしてヨーロッパの植民地支配を痛烈に批判した作品は、世界の作家たちに大きな影響を与えた。

粟飯原文子　ロンドン大学東洋アフリカ研究学院博士課程。法政大学准教授。アフリカ文学専攻。訳書にヴィジャイ・プラシャド『褐色の世界史』、アルンダティ・ロイ『ゲリラと森を行く』、ウォレ・ショインカ「狂人と専門家」、チゴズィエ・オビオマ『ぼくらが漁師だったころ』がある。

なぜ『崩れゆく絆』だったのか――英語圏では誰もが知る名作

駒井　こんにちは。古典新訳文庫には世界の文学が入っていますが、やはり英仏独露がメインになってしまい、その他の地域では中国文学やイタリア文学などはあるものの、残念ながらアフリカ文学はありませんでした。

今日はそこに初めて入ったアフリカ文学、チヌア・アチェベ『崩れゆく絆』を取り上げます。世界で一千万部も刊行されているという有名な作品ですが、その翻訳者の粟飯原文子さんに来ていただきました。

アチェベという作家は、編集の過程で初めて読んだのですが、なんて面白いんだろうと思いました。彼がアフリカ文学の父と呼ばれている意味もよくわかりましたし、この物語世界に魅せられました。アフリカ文学は、まだまだ日本人には少し遠いものという感覚が残っている一方、グローバル化された今の時代には、これからきっと身近なものになっていくという予感もあります。今日はそんなことも含めて、お話をお聞きしたいと思います。

粟飯原さん、最初にお目にかかって何をお訳しになりたいかとうかがったときに、この『崩れゆく絆』を挙げていただきましたね。ちなみにこの作品は、門土社というところからすでに一つの訳が出ている作品です。にもかかわらず、粟飯原さんは最初から強く推しておられた。その動機、なぜこの作品を新訳してみたいと思ったかをまずお聞かせください。

栗飯原　ご紹介いただきました栗飯原文子と申します。駒井さんのご質問にお答えする前に、小説の舞台について簡単にお話しさせていただきます。

　アフリカ大陸の西側、ギニア湾岸に位置する巨大な国、ナイジェリア。現在では、人口二億人以上を抱え、経済規模も大きいことから、「アフリカの巨人」などとも言われます。一九〇〇年からイギリスの植民地支配下に置かれていましたが、一九六〇年に連邦国家として独立を果たしました。

　その南東部、主としてイボ民族が暮らすイボランドという地域、ここがアチェベの生まれ故郷であり、小説の舞台です。ちょうどキリスト教会や植民地勢力が到来して社会が激震する、歴史的な大転換期の十九世紀後半が背景になっています。

　それから、新訳への思いをお話しする前に、まず個人的なアフリカ文学との出会いを少し説明させてください。大学二年生のとき、ケンブリッジ大学出版局の『イギリス文学史』という分厚い本をたまたま手に取ったのですが、その最終章「二十世紀半ばの英語圏文学」において、英語圏のさまざまな作家が紹介されるなか、最後の最後でアフリカやカリブ海、旧植民地地域の作家のことが触れられていました。当然ながら、チヌア・アチェベの名もあがっていました。

それまで欧米露以外の文学作品として、ラテンアメリカの文学は翻訳で読んだことがありましたが、アフリカ文学というものは私にとって未知の世界。ぜひどういうものなのか知りたいと思い、ハイネマン社が一九六二年から手掛けていた「アフリカ作家シリーズ」の作品を片っ端から読んでいきました。シリーズ第一作が『Things Fall Apart（崩れゆく絆）』、初代の編集顧問を務めていたのがアチェベ。ですので、私にとってもアチェベが出発点となりました。それからというもの、ますますアフリカ文学の魅力にとりつかれていき、いつのまにか研究者になってしまいました。

さて、新訳にアチェベの小説を推薦させていただいた理由です。私はこの作品を簡単に入手できる英語のペーパーバック版で読みました。その後、七〇年代に日本語訳が出ていたことを知ったのですが、全国の大学図書館を調べたところ、わずかな数しか所蔵されていなかった。一番大きな公立図書館には辛うじてありましたが、当然ながら閉架書庫に置かれていて、すぐには閲覧できない状態でした。それで結局、翻訳を手に取ることを諦めてしまったのです。

アフリカ文学と言えば『Things Fall Apart』というほどの作品、英語圏ではおそらくだれもが知るような名作であるのに、日本ではその翻訳が図書館の片隅に眠っていて、読まれないどころかほとんど知られてもいない。それが非常に残念でした。アフリカ文学の古典中の古典であるこの作品が「古典新訳」シリーズにもっともふさわしいと考えたのは言うまでもありません。しかしそれ以上に重要に思えたのは、この作品が気軽に手に取って読める文庫という形で出版されること、それによって、数多くの日本語読者へと開かれうるということでした。

「世界文学」の傑作としてのアチェベ文学の魅力

駒井　確かにアフリカ文学を読む機会は、普通の人にはなかなかありませんからね。

次にお聞きしたいのは、世界的なベストセラーであるこの作品の最大の魅力は何かということです。これは、ロンドン大学などで研究なさっている時も感じていたことだと思いますが、西欧では、この作品は世界文学における傑作であると、普通に認められているわけですよね。

粟飯原　おっしゃる通りです。魅力はたくさんあって、それをひとつひとつ挙げるのは難しいのですが、まずは作品の「普遍的」な側面についてお話しししたいと思います。

この作品は世界の五十以上の言語に翻訳されていて、たとえばインドネシアなどでも読まれているそうです。なぜナイジェリア、そしてアフリカという枠を超えて広く人々に読まれ、世界文学として重要な位置を占めているのかというと、これは最初に読んだときの印象というよりも、のちに考えたことではあるのですが、一つに、日本も含めて世界のほとんどの地域で経験された、西洋近代との出会いという歴史的なモメントが、非常に細やかに、しかもごく普通の人々を通して描かれていることが大きいのではないでしょうか。

古くから存在する共同体に、キリスト教と植民地勢力が入ってくる際の村人たちの反応が、実にリアルに描写されている。この点が、大きな共感を得てきた最大の要因ではないかと。日本と西洋の出会い、日本の近代化の過程と比べてみても、想像可能な物語ではないかと思います。

「普遍性」の観点でももう一つ。この小説の主人公は非常にインパクトが強く、作品の重要性もあいまって、アフリカ文学の主人公といったらオコンクウォというくらい象徴的にとらえられてきました。一見して男性主義的で暴力的な人物ではあるのですが、その描き方が興味深い。働き者で社会的な成功者。激情的で荒々しく、一家の強い主であろうとするが、愛情表現が下手で不器用な男。時代の流れについて行けず、古いものを守り抜こうとする頑固者。

名誉欲や出世欲があり、しかし、それが行き過ぎるために悲劇的な結末を迎える。

　こういう、口下手でキレやすく、悲哀すら漂っている頑固親父は、世界のどこにでも存在するように思える。ある意味、親しみやすい主人公なのかもしれません。

「伝統的社会」にやってきた「近代西洋キリスト教社会」

駒井　お読みになっていない方もいらっしゃると思うので、少し補足させてもらいます。

　物語は三部構成になっていて、一部では、イボ人の伝統的な社会の中でどういうふうに人々が生きてきたか、伝統社会のあり方とか生活の仕方、妻との関係、そういう習俗のようなものが細かく描かれています。それは一種の寓話のようにもとれるし、それから伝統社会という自分たちの神がいる世界、そういう世界にあって、オコンクウォという主人公が非常に魅力的に描かれる。

　それと、お読みになった方はお気づきになったと思いますが、古典新訳文庫は栞を入れているんです。登場人物の名前を書いて、簡単な説明をつけてあります。これが、この作品にはとくに必要でした。

　人名がオコンクウォとかエクウェフィとかエズィンマとかあまりにも馴染みのない名前な

ので、いまどんな人物が話しているのかが分からなくなる。栞はロシア文学など人名に馴染みのない地域の文学でも入れていますが、今回読み直しながら、この作品ほど栞に助けられたことはないと思いました。主人公のオコンクウォは、古い社会の中ではいわゆる働き者で強い男ですが、それこそが男が尊敬される条件なのですね。

栗飯原　そのようです。

駒井　こういう人はアフリカだけではなく、日本の前近代にもいたのかなと思うようなタイプです。それから三人の妻がいます。なぜ三人もいるのかと思う方も多いでしょう。当時の社会的背景の中でのオコンクウォという主人公のあり方を説明していただけますか。

栗飯原　この小説を読むと、いわゆる伝統社会が非常に緻密かつリアルに描かれているため、「これがアフリカの、イボ人社会の現実だ」と思ってしまいがちなのですが、まずはフィクションという大前提のもとで作品を味わったほうがいいように思います。

　というのも、現実をありのままに映し出した民族誌のように読んでしまうと、小説としての魅力が減じられてしまうからです。それではもったいない。ぜひともフィクションとしてのさまざまな仕掛けの中にある、複雑な点に気づいていただきたいと思います。もちろん、当たり前のことではあるのですが。

それを前提として、次のように申し上げたいと思います。

確かに、一夫多妻は男性中心的な社会の権力や権威の表れのようにも見えますし、複数の妻を持つことは力の象徴であるのかもしれません。しかしそう単純なものではないですし、男性主義的であると一方的に断罪することもできない。たとえば、責任の感覚、共同体の知恵や、独自の論理のもとで機能していたとも考えられるのではないでしょうか。

それに、小説では女性たちがともに働き、協力して家族を支えていることがわかります。別の妻の子どもたちも同じように自分の子として一緒に育てる。そんなふうに女性同士の結びつきがあり、大家族として助け合いながら生活を分かち合っていたということも容易に想像できます。

社会的背景ということで、もう一点付け加えさせてください。小説の舞台は十九世紀後半、歴史的事実としても、ナイジェリアにキリスト教が入ってきて、人々が次第に改宗していくことになった時代。このとき突然、外からやって来たキリスト教会に「野蛮な信仰や慣習を捨てろ」などと頭ごなしに批判されるわけです。小説でも少し触れられていますが、キリスト教から見た「悪習」は次第に放棄されていった。

非常に興味深いのは、ただ単に外から来た人々の言い分に屈していったのではなく、共同体の内側にも、さまざまな矛盾や問題に疑問を投げかける視点があったこと、つまり内在的な変革の可能性があったということが、しっかりと書き込まれているところだと思います。
お答えになっていますでしょうか？

駒井　なるほど、要するにキリスト教は近代だったわけですよね。しかしながら、ただ暴力的に折伏《しゃくぶく》していったのではなく、呼応する内在的な問題があった。

チヌア・アチェベの描く世界の二面性

駒井　それから、これはフィクションとして読んでほしいという粟飯原さんの言葉がありましたが、私はその意味を、オコンクウォの二番目の妻の娘であるエズィンマという少女が、夜中に巫女《みこ》に連れていかれるという幻想的で怖いシーンからよく理解できるような気がするのです。そういうところに、先ほど、アチェベは民族誌そのものを書いているわけではないとおっしゃったことが出ていると思います。

ただ、こういうレトリックはアフリカの作家にしか書けないと思うのは、「夜に月の出が遅いと、夫婦ゲンカで機嫌を損ねた夫が妻の食事を突っぱねるみたいに、月が食事を拒んでいるとよく言われたものだ」みたいなところです。こういう描写には、アフリカの諺とかそういったものの感覚が、西洋的な小説の手法で活かされていると思いますが、どうでしょう。

粟飯原　その通りです。語註をいろいろと付けていますが、今紹介してくださったような箇所など、細かいところにも、少しつまずきを覚えるような譬《たと》えや表現がちりばめられています。それはイボ語独特の言い回しであったり、譬えであったりするのだと思いますが、そういう聞き慣れない、違和感すら覚えるような表現が多用されていることが、やはりアチェベの、あるいはアフリカ文学全体の、大きな魅力の一つだと言えるのではないでしょうか。

駒井　もう一つ付け加えると、さっきの巫女というのが、普段は二番目の妻の親しいお友達なんですが、見事なくらい巫女そのものに変身をして娘を連れ去る。不安に駆られたお母さんが追いかけるわけですが、オコンクウォがちゃんとついて来る。ラストシーンには、大丈夫だったと二人がホッとするシーンがあります。これなどは、非常に近代的な小説の手法を採っている。

粟飯原　そうですね。

駒井　古い伝統的社会を描く中で、ここは、男と女がきちんと向かい合っている感じがします。これは解説にもお書きになっていた大切なポイントだと思いますけど、要するに、西洋小説として書いているということがある。二人の夫婦の互いに自立した一方の個としてのオコンクウォが、「いや、もうおまえは帰っていい。俺があとを見ておくから」と言う。結果として、夫婦は和解するわけですよね。そのへんはすごく現代的だったりする。先ほど申し上げたアフリカ的なレトリックの面白さがある一方で、そういう近代的な男女関係に近い部分が現れる。この複雑さが非常に面白いと思います。そんな読み方はどうでしょう。

栗飯原　正しいと思います。一九三〇年、イギリスの植民地時代に生まれたアチェベは、幼少のときから西洋式の教育を英語で受けてきた。しかし同時に、イボの伝統的な文化にも浸っていた。そういう二重性が彼の描く世界にも巧みに表されていると思います。

駒井　さらに言えば、近隣の村に出かけて行った女性が殺され、代わりにその村から少年と少女が捕虜として連れてこられる。その少年をオコンクウォが可愛がって三年ぐらい育てる。しかし、お告げがあって殺さなければいけない。これも衝撃的なシーンでした。

　種明かしになりますけど、彼の首をはねてしまうわけです。動機は、自分の男らしさが損なわれるのが嫌だったからと書かれていますけど、本当にそんな理由で、息子のように可愛がっていた少年を殺したのでしょうか。

栗飯原　どうなんでしょう。解釈の仕方にもよると思うのですが、ここではそのように語られていますね。「少年を殺せ」という神のお告げを受けて、共同体の原則からすると、背くことができないわけです。我が子のように可愛がってきた少年を殺すのは残酷であると思いながらも、やはりお告げに従ってしまう。

しかしオコンクウォの場合、それだけではなく、個人的な考えから、男らしくありたい、軟弱者と見られたくない、それで殺した。もちろん他の読み方もできると思いますが。その後すぐに、弱ってしまってまる二日食事が喉《のど》を通らなくなったという記述があります。つまり、男らしく強くありたいと思う一方で、夜も眠れず、食べることもできなくなったという、人間的なところが描かれているわけです。

駒井　この作品の魅力は、そういう主人公の内面の複雑さを描いたところにあるのでしょうね。

日本のアフリカ文学受容史

駒井　私が初めてアフリカ文学を読んだのは、エイモス・チュツオーラの『やし酒飲み』で、岩波文庫と、池澤夏樹さん編の河出書房新社『世界文学全集』に、同じ土屋哲《さとる》さんの訳で入っていますが、そこから他のアフリカ文学までは、なかなか手が伸びなかった。九四年に出た土屋さんの『現代アフリカ文学案内』（新潮選書）という本を面白そうだと思って読んだのですが、現実の作品に触れようというところまではいかなかった。

世界文学が好きな方たちにも、まだアフリカ文学は遠いかなとも思います。ラテンアメリカ文学は七〇年代から翻訳が出ましたし、アジア文学もかなり訳されるようになっていましたけど、アフリカ文学はなかなか――。我々が世界文学を読むときに――池澤さんは慧眼《けいがん》の持ち主で全集にも一つ入れたわけですが――バイアスがかかった接し方をしてきた分野の象徴のようなところがあります。日本におけるアフリカ文学の受容史を話していただきたいのですが。

粟飯原　はっきりとした根拠があるわけでもなく、調査したわけでもなく、あくまで私の印象になるのですが、受容に関しては、少なくとも何点かに分けられるように思います。

一つ目は最も重要な点で、アフリカ文学は、一九五五年のアジア・アフリカ会議（バンドン会議）から続く植民地独立の時代を象徴する文学であったということです。

アジア・アフリカの時代の幕開けとともに、アジア・アフリカ作家会議が作られました。日本では、堀田善衞、野間宏、加藤周一、伊藤整《せい》、遠藤周作などが関わっていました。六〇年代、七〇年代を通じて、アジア・アフリカ、そしてラテンアメリカも加えたＡＡＬＡという、世界で勃興《ぼっこう》する新しい勢力としての第三世界の文学に希望を持った読者は多かったのではないか。この流れをくんださまざまな世代の人たちが、アフリカ文学に携わってきたように思います。

　それから同じころ、五〇年代から六〇年代にかけて、ご存知の通り、アメリカで公民権運動が活気づきました。この時代以降、アメリカの黒人文学に新たな注目が集まるわけです。アフリカン・アメリカンの文学や運動への興味から始まって、アフリカ文学へとたどり着いた、または、黒人文学という枠組みで全体をとらえていた方々がいらっしゃるかと思います。

　さらに、これは比較的近年ですけれども、南アフリカがまだアパルトヘイト体制であった頃、反アパルトヘイト運動が日本においても盛り上がりを見せました。その関係でもアフリカ文学、とりわけ南アフリカの文学への関心が広まったと言えるのではないでしょうか。

　ちなみに南アフリカの作家では、ナディン・ゴーディマ、Ｊ・Ｍ・クッツェーの二人がそれぞれ、一九九一年と二〇〇三年にノーベル文学賞を受賞しています。どちらの作家の作品も日本語訳で読めます。

その他の作家、エイモス・チュツオーラとグギ・ワ・ジオンゴ

粟飯原　ところで、さきほど駒井さんが挙げられた『やし酒飲み』のエイモス・チュツオーラは、ナイジェリアのヨルバ系作家です。翻訳者の土屋哲さんは、アフリカの大学で日本語

と日本文学を教えられていたそうで、その後、アフリカ文学の紹介者になられた。確かに日本には体系的な入門書がなく、土屋さんの『現代アフリカ文学案内』のみではないでしょうか。他には福島富士男さんによる『アフリカ文学読みはじめ』（スリーエーネットワーク）。南部アフリカ文学が紹介されていて、とても勉強になる本です。

それから、受容に関してもう一点。大学でのアフリカ研究の場を挙げなければなりません。分野を問わずアフリカ研究を志す人が、文学も読んでみようということになる。

そこでご紹介したいのは、大阪外国語大学（現大阪大学）で教鞭をとっておられた宮本正興《まさおき》先生です。スワヒリ語、アフリカ文学をご専門とされていますが、ケニアの作家で、ノーベル文学賞候補と囁《ささや》かれてきたグギ・ワ・ジオンゴという作家の紹介者として知られています。長くグギに関心を持っておられて、翻訳も手がけられ、研究書も出版されました。

一九三八年生まれ、アチェベの八歳年下のグギ・ワ・ジオンゴは、六〇年代に作家としてデビューし、瞬く間に名を馳《は》せました。しばらくは創作の言語に英語（つまり植民地支配の言語）を用いていたのですが、アフリカの作家は自分たちの言語で書かなくてはならないという提言をします。グギ自身もギクユ語で書くことを実践してきました。ギクユ語で書いてケニアで出版し、それから英語に翻訳して（最新作は自ら翻訳）国際的な市場に乗せるということをしています。

自分たちの言語で書く素晴らしさと、困難

駒井　第三世界、とくにアフリカの作家にはその苦労がありますね。

粟飯原　アフリカ文学の中で一番力を持ち、世界に広まったのは、当然と言えば当然ですが、旧宗主国の言語で書かれた作品です。主に英語やフランス語、そしてポルトガル語。こうした言語で書いていた作家の作品が国際的に有名になり、読まれるようになりました。

では、アフリカ文学はそれだけかと言うと、もちろんそうではありません。

まず、今お話ししたヨーロッパ諸語で書かれた文学。私たちが簡単に手に取って読めるものです。それから、アフリカ諸語で書かれた文学。東アフリカで多くの話者がいるスワヒリ語の文学には独自の豊かな歴史があって、著名な作家もたくさんいます。ハウサ語、ヨルバ語、アチェベのイボ語など、ナイジェリアでもさまざまな言語で書かれた文学が存在する。多くの言語はもともと文字を持たなかったのですが、書記法が確立され、書き言葉としても広まっていったものもあります。それから、アラビア語の文学です。アフリカではアラビア語を使用する地域もありますので。

「書かれた」文学と逐一申し上げたのは、「口伝え」の文学の長く豊饒《ほうじょう》な歴史が存在するからです。叙事詩、賛歌、民話などが挙げられます。アチェベやグギもそうですが、多くのアフリカの作家たちが、この「口伝えの芸術」を重視していて、作品の随所に盛り込んでいます。もう少し話してもいいですか？

駒井　どうぞ、どうぞ。ご遠慮は無用です（笑）。

粟飯原　話がズレますけれども、アチェベに関して言えば、イボ語で書こうと試みたこともあるようなのですが、六〇年代には創作の言語として「私には英語しかない」と言っていた。

確かに、西洋の教育を幼少期より受け続け、書き言葉として英語を勉強する。そして、学ぶのはヨーロッパ文学ということですから、そういう状況において、日常で話している言葉で「書く」ということが非常に困難であるのは想像がつきます（もちろん、アフリカでは日常の言葉が英語やフランス語ということもありますが）。

ただ、英語を「歴史によって無理やり私たちの喉《のど》に押し込まれた」言語と表現する一方で、この「与えられた」言語を用いて新境地を切り開いていくのだという決意もうかがえる。英語はアフリカの経験の重みを担いうる、しかしそれは、アフリカの土地に根差すとともに、新しい状況を表現するのにふさわしい「新しい英語」でなくてはならないと。

また、アチェベは英語で書くメリットの一つとして、言語の壁で分断されたアフリカ人同士が共通に理解できる言語を使えば、互いの作品を読み合えるとも言っています。

グギはそれに異を唱えていました。自分たちの言語で書いてこそアフリカ文学だと。言語を学習することは思考に関わってきます。そこで彼は、我々は精神的な植民地化から脱しなければならないと言ったわけです。そして、アフリカの言語間の翻訳を促進して、我々の言語を豊かなものにしていこうと。

非常に素晴らしい見解ですが、いわゆる民族語を選びとること、アフリカの言語間での翻訳を実践することには、さまざまな困難がつきまとう。現在の若手作家の多くは、アフリカ諸言語の発展、アフリカ文学の多言語性を支持し、翻訳が開く可能性を重視しながらも、あまり自分の創作言語について悩んでいないような感じもします。もちろん、言語について敏感で、実験的であろうとしている人たちもいますけれど。

マフフーズ、ショインカ、クッツェー、ゴーディマ、そしてアディーチェ

粟飯原　ここで、その他の有名な作家もご紹介したいと思います。まず、エジプトのナギーブ・マフフーズ。エジプトをアフリカと考えるかどうかは異論があるところですが、ひとまずアフリカに含めたいと思います。一九八八年にノーベル文学賞を受賞しており、複数の作品がアラビア語から日本語にも翻訳されています。

そしてナイジェリアの劇作家・詩人、ウォレ・ショインカ。一九八六年にアフリカ大陸で初めてノーベル文学賞を受賞しました。残念ながら、日本語では一九九二年に『神話・文学・アフリカ世界』（彩流社）というエッセイ集の翻訳が出ているだけです。実は知る限り私が初めてショインカの戯曲を翻訳しました（「狂人と専門家」）。翻訳が出ていないことにどういう理由があるのかは分かりませんが、確かにショインカの作品は難解ではあります。

それから、みなさんご存知かと思いますが、Ｊ・Ｍ・クッツェー。南アフリカ出身で、今は移住してオーストラリアに住んでいます。数多くの作品が日本語に翻訳されていますので、是非お読みになられたらいいと思います。私のお薦めは『マイケル・Ｋ』（岩波文庫、ちくま文庫）という作品です。さらにナディン・ゴーディマ。南アの反アパルトヘイト運動を支えた作家です。『ジャンプ』（岩波文庫）という短編集からお読みになるのがいいかと思います。

もっと下の世代では、チママンダ・ンゴズィ・アディーチェがいます。イギリスで何度かトークを聞いたことがありますが、お話が上手で、国際的にも非常に人気の高い作家です。

くぼたのぞみさんが何冊かお訳しになっています。お薦めは長編小説の『半分のぼった黄色い太陽』（河出書房新社）ですが、短編集から始めるのがいいかもしれません。アディーチェは優れたストーリーテラーですので、どなたでも十分に楽しめるのではないでしょうか。ちなみにアチェベと同じナイジェリアのイボ系の作家です。

　他にもターハル・ベン＝ジェルーンというチュニジアの作家、南ア出身でボツワナに移住したベッシー・ヘッドなども翻訳で読めます。調べてみると、これまでにかなり多くのアフリカ文学の翻訳書が出ていることがわかりますが、残念ながらすでに入手困難なものがほとんどのようです。

駒井　アフリカ文学にこんな広がりがあるとはちょっと驚きましたし、日本でもこんなに読めるなんて意外でした。ノーベル賞を受賞している四人の作家も、クッツェーを除いては、日本ではなかなか読まれることがないので、是非、読んでみたいと思いますし、クッツェーには『恥辱』（ハヤカワｅｐｉ文庫）という素晴らしい作品があるので、個人的にお薦めしておきたいと思います。

冗長に見える第一部の仕掛け

駒井　今日は「アフリカ文学の父」と言われるアチェベを手始めに、アフリカ文学の多様な魅力を語っていただいておりますが、この辺で、翻訳していただいた苦労話といいますか、新訳を終えられて感じたことを教えていただけますか。この作品には英語の中にイボ語が出てくるといったこともあって、語註を付けるなどの苦労も多かったと思います。

あと、個人的に印象に残っているものに亀の話というのがありまして、亀が鳥と一緒に空に飛んで行って、空の宴会で自分だけがご馳走を食べたので、鳥たちに翼を取られて地上に帰ってこられないという話ですが、そういう話が非常に生き生きと描かれていて素晴らしい新訳だと思います。その辺に触れていただければと思います。

粟飯原　すでに申し上げたように、私はこの小説を大学二年生のときに原書で読みました。英語をお読みになる方であれば、かなりすらすらと読めますし、文体も非常にシンプルであるように感じます。

ですが、簡単に読める、理解できると思ったら、それこそアチェベの術中にはまることになります。実は読めば読むほどわからなくなってくる。つまり、細部を考えて熟読すればするほど、難解になっていく。それで、私はどんどん迷路に入り込んでしまいました。

初めて読んだときにも、確かに凄い作品だと深い感動を覚えました。しかし、正直に打ち明けますと、私は村の様子を細々と描いた第一部があまり好きになれなかった。緻密に描かれているけれども、なぜここまでだらだらと描くのだろうと。のちに専門的に学んでからもまだ同じように考えていました。アフリカの共同体について知らしめたいというアチェベの気持ちはわかる。しかし冗長ではないか。

今回、翻訳作業を進めるなかで、それは間違いだと気がついた。ゆっくりと話が進んでいく第一部が、全体の構造にとって不可欠だとわかったのです。

第一部ではプロットというプロットもなく、のんびりとした村の様子が描かれる。そして二部、三部へと進むうちに、どんどんスピード感が増していく。そのコントラストが非常に印象深い。要するに、回りくどくゆっくり進む第一部があるからこそ、二部、三部のスピード感、一気に話が展開していき、あっという間に結末を迎える流れ、ラストの衝撃がよりいっそう強く感得できると気づきました。

ご指摘いただいた亀のエピソードですが、あのような物語や伝承、歌などが、全体の構造につながっていくことにも気づきました。実にさまざまな暗示がなされていて、一見、回りくどい部分が、単に村の様子を描くだけではなく、全体を読み解く仕掛けにもなっているとわかったのです。熟読に熟読を重ねて、漸く気づきました。

翻訳の中で苦労したのはやはり語註です。奥深い意味がありそうなところは文献を読んで徹底的に調査しました。調べてわからないことは、イボ社会をよく知るナイジェリアの人たちに質問しました。しかし伝承については、複数の地域に伝わる例がミックスされていることもあり、なかなかすっきりと一つの説明にならないというのが難しいところでした。

訳語について悩んだ箇所は数えきれません。まず、アフリカ特有の植生です。日本語の読者にとって馴染みのない植生をどう伝えるかという点。

たとえば、「bush」という単語が頻繁に使われており、私も別の場所ではブッシュとカタカナで書いたり、訳したりしています。しかし日本で暮らす我々にとって、ブッシュと言われてもイメージがわきません。そこで「藪」や「茂み」のほうがまだピンとくるのではないかと思い、この小説では「茂み」を多用しています。ブッシュは大きなものも小さなものもありますが、だいたいは低木があって下生えが茂っている場所のことのようです。では、林や森とどう違うのか、というとなかなか説明が難しい。「茂み」で本当にいいのかと最後の最後まで悩みました。

それに、私はレスリングとレスラーを「相撲」や「力士」とは訳さなかった。アフリカにおいていわゆる相撲は広い範囲で存在しており、たとえば日本語でも「セネガル相撲」という表現は普通に流通しています。しかし相撲と言ってしまうと、字面だけではどうしても日本の相撲を想像してしまうため、ニュートラルなイメージになるように、そのままレスリング、レスラーとしました。

翻訳という「悩み」――アフリカ特有の習俗をどう伝えるか

粟飯原　家の描写も難しい点でした。私は「compound」を「屋敷」と訳しました。周囲に塀を巡らせた複合住宅のことです。どの表現が最も適切かいろいろと考えて、屋敷しかないという結論に至りました。小説中、それがどういう様子であるかは説明があります。主屋《おもや》と訳した、家長がいるオビと呼ばれる建物。塀で囲まれた敷地にその主屋があって、三人の妻がそれぞれ離れを持っている。三つの離れは半月形に並んでいて、納屋やヤギ小屋、雌鶏用の柵がある。私の父の実家にも母屋や離れがありましたので、これらはそのままでも伝わるだろうと思いました。

　それから、ヤム芋という、我々には馴染みのない芋が作中で重要な位置を占めています。大きく立派な芋を作れば作るほど、男として社会的に認められる、芋が男の力の象徴とされているのです。ヤム芋の貯蔵の仕方がよくわからなくて懸命に調べたところ、どうも納屋に吊るすらしいということが判明しました。しかしその納屋というのがまたわからない。日本語で言う納屋とは違うだろうとは思っていたのですが、どうやら縦一列に紐か何かで芋を結びつけ、それを吊るして並べるようなのです。納屋が大きければ大きいほど、内部には芋が大量に積み重なっていて、その所有者は一目置かれるという感じでしょうか。今では貯蔵の仕方も昔とは違っているかもしれませんが、小説ではそのように描かれています。

食べ物の描写も非常に興味深いですが、伝えるのが難しいところです。ヤム芋を臼と杵でついてお餅にしたものをフフと言います（ただし、今では手軽なミックス粉があるので、それをお湯で溶いて練るほうが一般的であるようです）。アフリカでしか手に入らないビターリーフという、その名の通り苦みのある葉野菜がありますが、このビターリーフのシチューに、手でちぎったお餅を浸して食べるわけです。これらには語註で説明が必要なのだろうか、説明をつけたら伝わるだろうか、などと思いながら作業をしました。小説に出てくるお料理はだいたい食べたことがありますが、全部とても美味しいです。

また、作中に出てくる「お話」をどうすればわかりやすく、子どもに語って聞かせるような感じにできるのかとかなり考えました。大地と空がケンカしたというお話は、調査したところ、ハゲワシが屍《しかばね》にたかる習性を説明している起源神話の伝承であることがわかりましたけれど、それが判明するまで全体のイメージがつかめず、とても難しいところでした。

そして、すでに触れましたが、鳥と亀の物語。アフリカではストーリーテリングが大切な文化です。家族やお友達同士で、お話をし合う遊びと言いますか、そういう日常の触れ合いを母子でおこなう場面があるのですが、そこはテンポよく、会話がスムーズに流れるよう意識して訳しました。

さらに「仮面の精霊」が登場する箇所。この仮面は先祖の霊を表しています。ちょうど、秋田のなまはげを思い浮かべていただければよいのではないでしょうか。少なくとも外見が似ています。これはエグウグウというイボに特有のもので、小説では村の有力者たちが仮面と藁《わら》の装束を身に着け、精霊＝先祖に扮して、村の重要事項を決定していくという話が出てきます。たとえオコンクウォがその一員であるのがわかっていても、村人たちは皆「あれは精霊だ」と考えるようにしている。当然、中の人が誰かは承知しているのだけれども、これはご先祖様であり精霊なのだというように扱われるわけです。仮面の精霊による裁判のシーンは私のお気に入りの箇所で、訳語に工夫を凝らしました。昔、テレビで見た時代劇での裁きのシーン、その際の人びととの身振りなどを想像しながら訳しました。

エグウグウの言葉は霊が語っているということで、共同体の論理では神聖なものと理解されています。ですが、オコンクウォとわかっていても誰もそうは言わない、という説明が加えられていて、そこにはアチェベの近代的な視点が入り込んでいるわけです。先にも申し上げた通り、その二重性が興味深いところだと思います。

キリスト教の両義性をも緻密に描く、チヌア・アチェベの魅力

駒井　この小説は、今ご説明いただいたようなアフリカ世界の肌合い、生活や習俗、そういうものを見事に表現した作品だと思います。と言いつつも、アチェベという小説家は、西洋的な小説の作法もよく知っている。それで、二部、三部で何が起きるかと言うと、要するに、伝統社会の豊かな生活が、キリスト教という宗教が入ってくることによって破壊され、宗教が植民地主義的な侵略の道具として機能したことが書かれている。

　そしてオコンクウォという主人公の息子が、『崩れゆく絆』というタイトルそのままにキリスト教に改宗するわけです。日本の社会もそうでしたけれども、共同体として営まれていたところに西洋というものがガツンとぶつかってくることにより、社会が急速に変わっていくわけですが、アチェベ自身はキリスト教徒ですから、この小説の複雑なところはその辺り

にもあると思います。

キリスト教によって伝統社会が壊され、主人公はそれに抵抗するわけですが、その微妙な均衡が内側から崩れていく。そこに先ほどおっしゃったアチェベの小説を書く上手さ、二部、三部の劇的な構成につなげていく見事さがあって、だから、お訳しになっているときに、初めて読んだときには退屈だった第一部が退屈ではなくなって、いったい何が壊されていくのかがよくわかるということになっていると思うんです。

キリスト教と他の共同体の出会いと衝突は、世界史的に言えば日本を含み、中国を含み、それ以外の後進地域を含んで、さまざまに展開されてきた。アチェベがキリスト教の力によって西洋化されていくことをどう考えていたのか、キリスト教国の侵略で、書く言語が英語やフランス語になったことなどを含めて、教えていただけないでしょうか。

粟飯原　アチェベはキリスト教徒として厳しく育てられました。両親が非常に信心深い人で、お父さんは伝道師を務めていました。しかし、キリスト教教育、西洋のエリート教育を受けてきた人物である一方で、周囲にはまだ、古くから続く伝統的な信仰や行事、祝祭などが残っていたわけです。キリスト教的なものと伝統的なものの狭間《はざま》に置かれたと言いますか、その両方を跨《また》いでいた人物だった。

キリスト教は植民地支配の論理と結びついて、伝統的な共同体を崩壊させる大きな一因になりました。要するに、侵略の片棒を担ぐことになったわけです。しかしアチェベは、キリスト教会を完全なる悪、共同体の経験を単なる悲劇としては描いていない。それがこの作品の優れたところであると思います。

確かにキリスト教の到来は、古くから続く社会や関係性が瓦解していくきっかけとなった。しかし同時に、伝統社会の暗部を炙《あぶ》り出すことにもなり、作品中では、それまで共同体において抑圧され、排除されてきた人々の存在が明らかになっていきます。

たとえば、双子（不吉なものとされていた）を殺された母親、「賤民」と訳した被差別民などがそうです。共同体の外側、いわば内なる外に置かれた人々にとっては、新しい信仰と帰属がある種の救済になる。そうした複雑さ、両義的な側面を描いているところが素晴らしいと思います。

外部勢力の侵入は、さまざまなものを一方的に否定し、暴力的に破壊していった。では、古くからある共同体はユートピアだったのかと言うと、そうは描かれていない。伝統社会とキリスト教（つまり近代）が、単純な善と悪の二項対立で把握されてはいないのです。

このように過去の歴史を複雑にとらえ、揺らぎや矛盾、さまざまな葛藤を緻密に描いているところが、この小説の大きな魅力だと思います。

アチェベの文学修業

駒井　我々日本人が、アフリカを考えたときに、第二次大戦後の独立戦争の時代があったり、東西冷戦ではその代理戦争の舞台になったりということがあったけれども、『崩れゆく絆』はステレオタイプにそういうものを告発している小説ではないですね。言ってみれば非常に複雑なアフリカ社会と、現代につながる世界史的なテーマをリンクさせて描いたものです。

　その辺りのこと、アチェベはどういう小説作法をもって、どういう文学的な修業をしてこの作品にたどりついたのかということを最後にうかがいたいのですが。

粟飯原　アチェベは、ロンドン大学のカレッジである、ユニバーシティ・カレッジ・イバダン（現イバダン大学）の医学部に入学しました。医学部に入るというのは、おそらくエリート中のエリートです。それからどういうわけか、医学部から文学部に移りました。植民地時代の英文学科では、シェイクスピアをはじめ、とにかく古典を叩き込まれたようです。そういうことが一つ。

　二つ目は、大学でアフリカを描いたヨーロッパ人作家の作品に出会ったこと。アチェベ自身が言っていることですが、ヨーロッパ人によるアフリカの描写は間違ったものばかりだと思ったそうです。こうしたことが、自らの手でアフリカを描きたいという、大きなモチベーションになりました。

解説でも触れましたが、アチェベは古典新訳文庫から新訳が出ているジョゼフ・コンラッドの『闇の奥』を正面から批判したことで知られています。『闇の奥』は人種差別的であり、アフリカ人の人間性を奪い取っていると言い切りました。七〇年代半ばのことです。

裏を返せば、それまで『闇の奥』は、アフリカを具体的に描いているとか、アフリカにおける人権を擁護している、帝国主義批判の書である、などと見られていたということです。アチェベのこの批判はよく知られており、賛同と同時に多くの批判もあった。アチェベの「読み」は単純すぎるなどとも言われてきました。しかし重要なのは、これ以降の『闇の奥』の読み方を、ある意味、決定的に変えたことではないかと思います。

そして、もう一つ面白いのが、アチェベの学生時代、文学部の学生たちに古典以外の作品にも親しんでもらいたい、ということで、教員がモダニズム作品を多く紹介したそうです。先ほどお話ししました、ショインカもその学生の一人なのですけれども、主に一九三〇年代生まれの学生たちが、イギリスやフランスのモダニズム作品に触れて、その斬新で自由な形式から大きなインスピレーションを受けたということです。

　こうしたモダニズムとの出会いがある意味、突破口になって、若者たちが新たな文学を切り開いていくステップになったとも言われています。

まだまだある紹介すべきアフリカ文学

駒井　ありがとうございます。では最後に、今後アフリカ文学でどんなお仕事をしたいかということをおうかがいして終わりにしたいと思います。

粟飯原　もし翻訳させていただける機会があれば、自分の好みよりも作品の重要性を重視したいと思っており、紹介されるべき作品に優先順位をつけてやっていきたいと考えています。

　アチェベはあまり多くの作品を書かなかった作家ですけれども、実はこの『崩れゆく絆』以上に玄人ウケしている作品が二作ほどあります。

　一つは、六四年に発表された三作目の『Arrow of God（神の矢）』という小説。私の指導教官のガーナ人の先生も、『崩れゆく絆』はアフリカ文学の象徴として重要だけれど、作品としては『神の矢』のほうが素晴らしいと言っていました。

　二つ目は、二十年以上小説を書かなかったアチェベが、漸く一九八七年に出した作品、

『Anthills of the Savannah（サバンナの蟻塚）』です。心に秘めているはこの二作です。

あとは女性作家の作品もぜひ手掛けたいです。七〇年代、八〇年代に書かれた作品が古典的な「フェミニズム文学」として読まれています。たとえば、ジンバブエのツィツィ・ダンガレンバの小説『Nervous Conditions（ナーヴァス・コンディションズ）』、ナイジェリアのイボ系の作家、ブチ・エメチェタの『The Joys of Motherhood（母の喜び）』などでしょうか。

現在進行形で次々と素晴らしい作品が発表されていますので、新しい作品もどんどん日本語にしてみたいと思っています。

駒井　有難うございます。今日はお話をうかがって、アフリカの文学世界がいかに豊穣かということがわかりました。その世界にまだ訳されてない多くの作品があるというのは、我々編集者のこれからの課題かなというふうに思います。

今日はここまでにしたいと思います。粟飯原さんに大きな拍手をお願いいたします。

（二〇一七年一月二十七日）

『崩れゆく絆』を読んだ人に、さらにお勧めの4冊

1

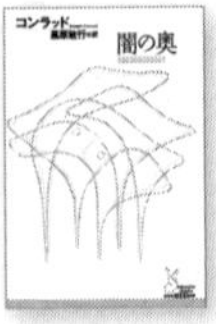

『闇の奥』
コンラッド　黒原敏行訳
光文社古典新訳文庫
船乗りマーロウはかつて、象牙交易で絶大な権力を握る謎の人物クルツを救出するため、アフリカのコンゴ河を遡る旅に出た。森に潜む黒人たちとの遭遇、沈黙する密林。ついに対面したクルツの最期の言葉とは？　著者自身の強烈なコンゴ体験をもとに書かれた本書は、アチェベによって痛烈な批判の対象とされたことでも有名だ。

2

『やし酒飲み』
エイモス・チュツオーラ　土屋哲訳
岩波文庫
「わたしは、十になった子供の頃から、やし酒飲みだった。わたしの生活は、やし酒を飲むこと以外には何もすることのない毎日でした」。意表を突く書き出しで始まる小説。読み進むうちに民譚を読むような、幻想文学を読むような、そして、神話を読むような気分になる不思議な小説。アフリカ文学の醍醐味が味わえる傑作。

3

『恥辱』
J・M・クッツェー　鴻巣友季子訳
ハヤカワepi文庫
クッツェーは南アフリカ・ケープタウン生まれ。2003年にはノーベル文学賞を受賞した。この物語は、1999年に発表。離婚歴のある52歳の大学教授デヴィッド・ラウリーが主人公。ごく軽い気持ちで関係を持った女学生に告発され、辞任に追い込まれる。仕方なく娘の住む片田舎の農園へ行くことにしたが、そこでも新たな問題が――。

4

『青い眼がほしい』
トニ・モリスン　大社淑子訳
ハヤカワepi文庫
1993年にアメリカの黒人作家として初のノーベル文学賞の栄誉に輝いたトニ・モリスンの作品。誰よりも青い眼にしてください、と黒人の少女ピコーラはひたすら祈る。何故ならば、青い眼になれば、周囲の人たちが私を愛してくれるかもしれないから。アフリカン・アメリカンの視点で、白人たちの価値観を根底から批判する。

第14夜

プラトン『ソクラテスの弁明』

ΠΛΑΤΩΝ ΑΠΟΛΟΓΙΑ ΣΩΚΡΑΤΟΥΣ

納富信留×駒井 稔

哲学二千年の謎を解く
——死の理由、そしてプラトンの戦略とは

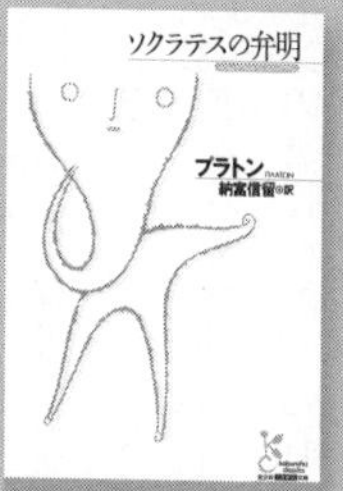

プラトン（427B.C.-347B.C.）

古代ギリシアを代表する哲学者。アテナイの名門の家系に生まれる。師ソクラテスとの出会いとその刑死をきっかけに哲学の道に入り、40歳ころには学園「アカデメイア」を創設して、晩年まで研究・教育活動に従事した。ソクラテスを主人公とする「対話篇」作品を生涯にわたって書き続け、その数は30篇を超える。その壮大な超越哲学は、後世の哲学者たちに多大な影響を及ぼした。

『ソクラテスの弁明』

「ソクラテスの生と死は、今でも強烈な個性をもって私たちに迫ってくる。しかし、彼は特別な人間ではない。ただ、真に人間であった。彼が示したのは、『知を愛し求める』あり方、つまり哲学者（フィロソフォス）であることが、人間として生きることだ、ということであった。」（「訳者あとがき」より）。ソクラテスの裁判の真実を、プラトンは「哲学」として後世に伝える。

納富信留　1965年生まれ。東京大学大学院教授。英国ケンブリッジ大学古典学部にてPh.D取得。西洋古代哲学・西洋古典学専攻。国際プラトン学会元会長。著書に『ソフィストと哲学者の間　プラトン『ソフィスト』を読む』『ソフィストとは誰か?』『プラトン　哲学者とは何か』『プラトン　理想国の現在』『プラトンとの哲学　対話篇をよむ』『プラトン哲学への旅　エロースとは何者か』など。訳書にプラトン『パイドン——魂について』。

たくさん翻訳されてきた『ソクラテスの弁明』

駒井　こんにちは。お忙しいところ有難うございます。今日はこの回が初めてになる哲学をテーマに進めていきたいと思います。プラトンの『ソクラテスの弁明』を新訳していただいた、国際プラトン学会の会長を務めた納富信留《のうとみのぶる》さんに来ていただきました。

古典新訳文庫のプラトンの著作には、これも納富さんが訳される予定の『パイドン――魂について』（＊この後二〇一九年に刊行）の他、『饗宴』『プロタゴラス――あるソフィストとの対話』『メノン――徳（アレテー）について』『テアイテトス』とありますが、今回の『ソクラテスの弁明』は、もっとも人口に膾炙している作品ということもあり、まずここから始めていきたいと思います。

それでは納富さんにまずうかがいたいのですが、『ソクラテスの弁明』には多くの既訳があります。今でも簡単に手に入るものだけで、岩波文庫（久保勉《まさる》訳）と講談社学術文庫（三嶋輝夫訳）、それから新潮文庫（田中美知太郎訳）などがあります。納富さんには、この三冊を乗り越えていこうという編集部の求めに応じて新訳していただいたわけですが、ご著書の『プラトン　哲学者とは何か』（ＮＨＫ出版）の中で、岩波文庫の訳は古いというご指摘がありますし、慶應義塾大学出版会でお出しになった『プラトン　理想国の現在』の中でも、『ポリテイア』の新訳が待たれると、翻訳についてかなり細かく言及なさっています。その辺りを踏まえて、本書との出合いから語っていただけないでしょうか。

納富　『ソクラテスの弁明』は明治の頃から訳されていまして、数えたら十種類はあります。それなのに、なぜ今、新訳するのか、それから、ほかの訳とどう違うのかということについて、考えていたことをいろいろな形でご紹介していきたいと思います。決してこの訳だけ読めばよいというものではありません。何種類も翻訳が出ていて、新しい訳もあれば古くても良い訳もありますので、いくつかを読み比べることをぜひお勧めしたいです。

　私自身がいつこの作品を初めて読んだかというと、たぶん高校生のときに岩波文庫でだと思います。あまり覚えていないのは、その時はちょっと古臭く、お説教染みた印象があったからで、その後、この本にはそれほど関心が向かなかった時期があったのを憶えています。

　大学に入ってからは、田中美知太郎先生の訳で何度か読んだと思いますが、たぶん岩波の「プラトン全集」に入っている訳だったでしょう。田中先生は何回かお訳しになっていて、少しずつ変えていらっしゃるようです。それも興味深いですけれど、いろいろある翻訳の中で、これが一番、私としては今でも通用する名訳だと思っていて、今回も、田中訳に引きずられないようにと意識して、そこは工夫しながら、田中先生とは違うふうに日本語にしたいと考えていました。憶えているのはその二種類で、先輩の三嶋輝夫さんの訳は、その後に出たものです。

いまは大学の一年生とか二年生の授業で『弁明』をテキストにすることがあります。そうすると、学生に本を買わせて授業をするわけですが、私は自分の訳を作る前には、だいたい三嶋さんの翻訳を指定して学生と一緒に読んでいたのです。もちろん優れた訳ですが、ところどころ私と解釈が違うところがあって、どうしても他人の翻訳を使いながらその翻訳に文句を言うという、失礼な授業になってしまう。

それで、プラトンを読んで学生に話す時には、やはり自分の翻訳が望ましいと感じました。今回、機会をいただいて、『ソクラテスの弁明』を二〇一二年に出した背景には、そんな事情もあります。

ギリシア哲学は、大学に入ったころから勉強しようと思っていましたが、二年生のときに、この『弁明』をギリシア語で初めて読みました。非常に難しい本で、ギリシア語としてはプラトンの中で一番難しいものの一つではないでしょうか。凝縮された文体で、とにかく密度が濃い。専門家でも悩む箇所もいろいろあって、今回の訳でさえ完璧だとは思えないのですが、大学のときから三十年ほど経ち、少しは分かってきたかなという感じをもって訳したというのが正直なところです。

『ソクラテスの弁明』はドル箱

駒井　一九九八年に出た三嶋さんの講談社学術文庫が、今、三十何刷になっていますね。

納富　ええ。三嶋さんはドル箱だと言っていました。なぜかというと、私の場合もそうですが、『弁明』は哲学の必読書なので、大学や高校で教科書として使ってもらえるのです。ちなみに久保勉さんの翻訳は、一九二七年に岩波文庫が創刊したときの一冊でした。当時、夏目漱石などと一緒に三十冊ほど出ていますが、岩波文庫の歴代で一番売れた本だと聞いたことがあります。

　久保訳は、実はその前の一九二一年に単行本でまず出ました。阿部次郎という、有名な『三太郎の日記』を書いた人と共訳でしたが、阿部さんがドイツ語で読み、久保さんがギリシア語原文で読んで突き合わせるという共同作業でした。その後で、久保さんが独力で表記などを改めたのが今の版で、基本的には今から九十六年前（二〇一七年時点）の翻訳です。名訳ですが、私が学生にあまり薦めないのは、日本語で躓《つまず》くと思うからです。一世紀も経つと、解釈もいろいろ進歩していますので、解説なども含めて、すこし気をつけて読む必要があります。個人的には、田中美知太郎さんの訳の方が好きです。

ところで、『ソクラテスの弁明』だけで一冊にしたのは、私の本が初めてです。今までは全部『クリトン』などとの組み合わせですが、私は必ずしもセットにする必要はないと思っています。『クリトン』はそれ自体で重要な作品ですし、『弁明』もこれ自体で完結した作品なので、その意味で今回は、多少の体裁上の新しさがあったかなと思います。

プラトンの中でも特殊な作品

駒井　ギリシア哲学には、皮膚感覚として日本人には少し遠いものがありますよね。大学でギリシア哲学を専攻されたのには、どういうキッカケがあったのでしょう。みなさんもお読みになったことがあると思いますが、私などは一知半解にも及ばないと言いますか、なかなか理解が届かない。ドイツの観念論哲学みたいに、難しい用語が出てくるわけではないので、誰でも読めますけども、なぜか読み終わったあとにフーッとタメ息が出てしまう。『ソクラテスの弁明』をお読みになって、それを専攻するまでの経過を教えていただけますか。
納富　『ソクラテスの弁明』は、プラトンの中でもやや特殊な作品です。つまり、『国家』という日本語標題のついた『ポリテイア』や『ゴルギアス』などを読むと、魂の善さとは何かとか、正義とは何かといった主題を論じているので、いかにも哲学的に感じます。でも『ソクラテスの弁明』は、ある意味では一番重要なのに、一番捉えにくい。

私がギリシア哲学を専攻することになったのは、高校生のころからギリシア悲劇が好きだったことが影響しているようです。ギリシア悲劇を読む一方で、大学では哲学を学びたいと思っていた。それで、カントとかライプニッツとかウィトゲンシュタインなどを読む中で、どの哲学者が肌に合うのかなと考え、結果的にギリシア哲学がマッチしました。

それから学生のとき、ギリシア哲学に素晴らしい先生が多くいらっしゃり、授業が面白かったことがあります。同世代では、結構、ギリシアを専門にした人たちがいます。そんなわけで、ギリシア哲学でなければダメだとは思わなかったけれども、一番、肌に合っているという感じで選びました。

駒井　面白いですね。ちなみに敢えて一言つけ加えておきますと、『ソクラテスの弁明』の著者はプラトンで、ソクラテスではありません（笑）。孔子も「子曰く」と言うくらいで、一行も書いていないわけですけど。

ソクラテスはいろいろな人と話をする「対話篇」がメインだけれども、『ソクラテスの弁明』だけは法廷で一人弁明をしている。そういう意味でも特殊ですし、そこが難しいのでしようが、納富さんは、これはプラトンの創作だと考えていると、文庫の「解説」をはじめ、いろんな書物で強調していらっしゃる。

そこで、そのことを踏まえた上で、この作品の位置をどう考えたらよいかをお話し願います。

納富　私はこれからもいろいろと翻訳しようと思っています。ですが、プラトンを研究していて一番に取り組むべき、重要だと思っていた作品が、この『ソクラテスの弁明』です。口はばったい言い方ですが、この翻訳を出すことは、プラトン研究者冥利《みょうり》に尽きると思っています。

プラトンは生涯で三十以上の「対話篇」を書きました。「プラトン全集」という形でその全部が残っていますが、その中で『ソクラテスの弁明』が特殊な点は、今、おっしゃった形式の問題もありますが、それだけではありません。『ソクラテスの弁明』を理解するのに鍵になるのは、次のような事情です。

「ソクラテス文学」とは何か

納富　プラトンの時代には、彼が書いた三十以上の作品、そして残っているところではクセノフォンが書いた四つの作品、そして、現在は残っていないプラトンと同時代のソクラテスの弟子たちが書いたものも合わせて、計二百から三百に及ぶ作品がありました。ソクラテスを主人公にして、彼が対話をしているという設定で書かれた哲学の本です。昔から「ソクラテス文学」と呼ばれているものです。

なぜそんなにたくさん書かれたのかと言うと、これら「ソクラテス文学」は、基本的にはソクラテスがなぜ裁判で殺されたのかという問題から始まるからです。

ソクラテスは変わり者でしたが、当時はとても有名な知識人で、仲間や弟子がたくさんいました。プラトンもその一人です。ところが、ソクラテスは、神を敬わない、若者を堕落させるという罪で死刑になる。皆さんもよくご存知の大変な事件で、それから十年ぐらいは、その話題がくすぶっていたことがわかっています。たとえば、ポリュクラテスというソフィストが書いた『ソクラテスの告発』というパンフレットには、ひどい奴だから死刑になって当然だとあったようで、そういう文書が出回っていました。

そんな状況で、弟子たちは「ソクラテスは有益な助言をくれた立派な人だった」などと、社会に対してアピールしたのだろうと想像されます。それが今言った、タイトルだけしか残っていないものも含めて二百とか三百とか言われる「ソクラテス文学」になった。当時は巻物ですが、アテナイの知識人たちはそれらを読んでは、「いや、ソクラテスは、こんな感じじゃなかった」とか「あちらに書かれたソクラテスが正しい」といった感じで議論していたはずです。

十年経って、ソクラテスの真実をフィクションで表現しようとしたプラトン

納富　そのように見ると、『ゴルギアス』とか『メノン』とか『ポリテイア』などの、ソクラテスが誰かと議論している設定の作品を、プラトンが何のために書いたものかがわかります。それは、ソクラテスの言ったことを、そのまま逐一語るということではなく——もちろんそういうことも入っているとは思いますが——ソクラテスが生前に行った対話の本質は何だったのか、彼は何をやろうとしたのかを、死後に著したものです。そこでは、他の弟子たちとのライバル関係も反映していました。

クセノフォンという人の作品が四つ残っているので、プラトンと比べてみると、二人の著すソクラテスが全然違うことがわかります。クセノフォンは、ソクラテスは立派な人で、どんな状況でも素晴らしいアドバイスをくれるという見方で書いています。ですが、プラトンの書いたソクラテスを読むと、だいたいが意地悪で、相手に「あなた、知っているんでしょ」とか言っておいて、最後は知らないことを暴き、結果として憎まれるパターンです。どちらが本当かは単純には言えませんけれども、ともかくそういったさまざまな姿を描く文学作品が多数存在していました。

プラトンは八十歳まで生きましたが、生涯にわたるほぼすべての作品でソクラテスを登場させ、ソクラテスと誰かが対話するパターンで書いた。なぜそんな形で哲学したかと言うと、原点は紀元前三九九年の裁判にありました。つまり、『ソクラテスの弁明』なくしてプラトンの対話篇はたぶん理解できないのです。

そこで、ここに何が書き込まれたかが問題になります。ソクラテスがさまざまな人と対話した事実と、こういう議論をしたという創作とは質が違うわけですから――。プラトンの書いた作品は、基本的にフィクションです。プラトンが生まれる前の話が出てくるし、実際に会ったはずのない人との対話もある。

ただ、『ソクラテスの弁明』については、古い翻訳の解説を読むと、裁判で言ったことをほぼ忠実に再現していると皆が書いている。現在の欧米の研究者にも、そう言う人が多い。なぜかというと、プラトンが裁判に出ていたからです。裁判で先生の言ったことを勝手に変えるなんてあり得ないと、近代的な発想で言うわけです。

私は逆だと思っています。裁判には五百人からの人が出ていて、みんな知っているのですから、別にそのまま記録に残す必要はない。そうではなく、おそらく十年後ぐらいに書いたわけですが、その間の論争を受けた上で、ソクラテスが本当は何を言いたかったのか、主張のエッセンスは何かをまとめあげた。語った事実そのままというより、フィクションとしてです。

ソクラテスは、死を前にして喋っているので迫力満点ですね。自分の生きてきた意味は何だったのか。自分はなぜ訴えられたのか。自分はなぜ皆さんに裁判で判決を仰ぐのかということを、おそらく一時間半か二時間で喋った。それをプラトンがそのような喋りにまとめてみせた。だから他の「対話篇」とは違う。プラトンがソクラテスに見たエッセンスがここに詰まっているわけです。

ただし、これも「ソクラテス文学」の一つです。だからこれを、ソクラテスが言ったことをそのまま記録したものだと考えるのは、私は間違いだと思っています。これはプラトンがソクラテスから受け取ったものを、自分なりの言葉で書いた、私の説明では「真実のフィクション」ということになるわけです。

通常、私たちは、「真実」と「フィクション」は両立しないと思っています。つまり、真実だったらフィクションではないし、フィクションは真実とは違うと思っていますが、ここにあるのは、真実を語るためにあえてフィクションにするというやり方です。つまり、ソクラテスの真実を語るために、彼が言ったことを、ただテープレコーダーのように筆写するのではなく、プラトンが自分の言葉で作り直してしまったのではないか、私はそう考えているわけです。以上が私なりの位置づけです。

ソクラテスはどの弟子にとっても「自分を映す鏡」だった

駒井　誰でも思うのは、それはプラトンが自分の思想を表すために作った理想のソクラテス像ではないかということです。小林秀雄は「悪魔的なもの」というエッセイの中で、明確にこれを否定していますが、読み手にとっては、やっぱり疑問として残ります。

　プラトンは二十八歳で、この裁判に参加しているわけですけれども、プラトンにとって、ソクラテスとは何だったのかという問題には、なかなか理解しがたいところがある。

納富　そうですね。おっしゃる通りで、それぞれの人に違って見えることは、当然あるでしょう。

　でも、ソクラテスの場合は印象の違いがかなり極端です。つまり彼が快楽主義者だと思うアリスティッポスという弟子がいて、「ソクラテスほど楽しく生きた人はいない、お酒も女も男も、すべてエンジョイした人だ」と言うかと思うと、一方でアンティステネスという別の弟子は、彼は禁欲主義者だったと言う。どんな労苦にも耐え、同じ服一枚を冬でも着つづけ裸足だった。戦争でも勇敢に振る舞ったではないかと。

　つまり、ソクラテスは謎の人で、私は「鏡」という比喩を使うのですが、誰にとっても自分が映し出されてしまう人物だと思うのです。つまり、ソクラテスと対話することによって自分が問われ、それによって彼について書かざるを得なかったのでしょう。私の立場は一見歯切れが悪く聞こえるかもしれませんが、ソクラテスとプラトンをきっぱり分けるのではなく、プラトン・ソクラテスやクセノフォン・ソクラテスというセットで考えたい。

　どこからプラトンで、どこまでがソクラテスかという点については、実は昔から論争がありまして、アリストテレスは、イデア論はプラトンが作ったもので、ソクラテスにはないと言っていました。それ以来、『ソクラテスの弁明』はまだソクラテスの言葉であり、『パイドン』とか『ポリテイア』にはイデア論が出てくるからプラトンの思想だと、そこで線引きをする人が多いのです。

　私はそれには懐疑的で、この「解説」に書いた「魂の配慮」という箇所を読んでいただくとわかりますが、イデア論までほぼ一直線につながるというふうに読んでいます。つまり、プラトンがソクラテスの真実のメッセージは何かを考えて『弁明』を書いた段階で、もうプラトン哲学のイデア論はほぼ入っていると。そういうふうに言う人は、研究者にはあまりいないのですが、私は二人をそれぐらい一体化して見ています。だから、プラトンの創作には違いありませんが、だからと言ってソクラテスでないということにはならない。

選挙よりも抽選が公平——アテナイの過激な民主政

駒井　なかなか難しいですね。納富さんのご著書の中に、プラトンは歴史的な年代設定とか、そういう外形的な事実に関する限り、非常に正確だったという記述があります。つまり、創作ではないと思われているのはその辺のことが担保になったのではないかと私は読みました。『ソクラテスの弁明』は、ソクラテスがポリスの神を敬わないという理由で告発され、裁判の投票に負けて死刑判決が下るというプロットで書かれていますけど、これは簡単なようで、当時の裁判制度も含めて古代ギリシアの知識がないと理解が難しい。納富さんはそんな理由でソクラテスが死刑にされたんじゃないとお書きになっていますが、ソクラテスが置かれていた状況をわかりやすく教えていただけますか。

納富　これは、二千四百年ほど前の民主政アテナイで行われた「不敬神」という裁判で、現代の私たちの感覚から言うと、理解しにくいところがあるかもしれません。

　従来の翻訳には事前の説明がありませんが、いきなり本文の「アテナイ人諸君」から始まると、何が起こっているかがわからないでしょう。私は「訳者まえがき」で多少説明しましたが、アテナイがどんな国で、当時の裁判がどういうものかの理解は必要だと思います。ただ、それを踏まえた上で言いますと、それほど現代と違いがないとも思っているのですが。

アテナイは、今の日本と比べたら規模は小さいです。せいぜい数万人の市民団で営まれた直接民主制のポリスで、市というよりは、アッティカ地方で暮らした人々の共同体で、それでもギリシアで一番大きなポリスでした。

アテナイの民主政は、私たちの民主主義の大本になったものですが、今とはだいぶ違うところがありますし、もっと過激なところもあります。たとえば彼らの直接民主制は、選挙よりも抽選によるものでした。投票にすると、買収されたりしておかしな力が働くので、公平にするには抽選で決めます。だから偉い役人とか大臣の役職とかが抽選で決まるわけです。そういった意味で、現代とだいぶ違うところもありますが、基本的には、市民が建前上は平等という社会の中で、みんなで話し合い、政治を行い、裁判もやっていくということです。

今回、「アテナイ人の皆さん」という冒頭の呼びかけで、私は「裁判員」という単語を使いました。これまでの翻訳では「陪審員」と訳していたと思います。裁判員は日本の実際の裁判にもいます。アリストテレスの定義によれば、民主政では「市民」とは、行政と司法に参与する者のことです。ですから、私たちは投票で政治家を選ぶことによって、次の日本をどういうふうに作るかという行政に参画し、税金も払い、もう一つ、裁判にも参加しないといけない。

これは民主主義の根本理念でして、その意味で、アメリカやヨーロッパには裁判員の制度がある。二〇〇九年でしたか、日本でも裁判員制度が導入されましたよね。その点で言えば、今の日本にも近いと思っていますが、ただ、アテナイは私たちより過激で、基本的にその都度選出される何百人という裁判員の投票ですべてを決めていた。

ソクラテスを死に追いやった「不敬神」の罪とは

「不敬神」の罪について、なぜ神を敬わないと訴えられるのか、説明は簡単ではありません。宗教裁判のようだと思うかもしれませんが、ギリシアの社会は、お祭りをしたり、神さまに祈ることで、国を守ってもらっていると信じていました。だから、アクロポリスのパルテノン神殿におわすアテナ女神に、豊作や平和をお願いします。

各ポリスの守護神は、何人かいます。その神々のご加護があってアテナイは繁栄している。よその国と戦争する場合は戦勝祈願をするし、神のご加護がないと当然負けて、国は衰退するわけです。

ところが、その国のメンバーが、俺はこの神を信じないとか、この神は偽物《にせもの》だとか言ったら、これは単なる宗教問題ではなくて、社会の不安定要素、場合によっては破壊要素になります。それが「不敬神」です。だから、この罪は、中世キリスト教の異端審問と違って、社会の和を乱し、しかも神のバチが当たるかもしれないから人々は恐れたのです。

つまり、私たちの中に破壊分子がいて、お互いにテロを起こすならまだしも、直接神に向かって悪いことをして、神からポリス全体に対して罰が下るようなことがあったら、これは本当に困る。政治的な問題でもあり社会的な問題でもあるということで、「不敬神」という罪が導入され、その罪で有罪になった場合は、死刑だと決まっていた。

これも誤解があると思うのですが、ソクラテスはひどい裁判で殺されたと思っていらっしゃる方が多いかもしれません。ですが、あれはひどい裁判ではありませんでした。前からあった法律に従って訴状を出し、事前に予備審査が行われた上で、五百人ないしは五百一人の裁判員が公平に二度評決して、ソクラテスは死刑となった。だからソクラテスは、私は逃げませんと言って毒を飲むのです。ソクラテスは陰謀や悪い制度、まして「悪法」などで殺されたのではなくて、自身が従ってきたアテナイの法律に基づく、正当な手続きによる完璧な投票の結果、死刑に処されたのです。

そう考えると、この罪状は理解不能ではないと思います。日本でも、治安を乱す行為をしたら裁判に掛けられますよね。それと似たような嫌疑で裁判に掛けられた。でも、なぜソクラテスが、という点は問題です。格別悪いことをしたとは思えないのに、裁判に引っ張り出された背景には、もしかしたら部分的に政治的な理由があったのかもしれません。

哲学二千年の謎

駒井　おっしゃったことは非常に重要だと思います。もちろん、ちゃんとした裁判だったのでしょうが、ソクラテスはなぜ殺されたのか、今一つ腑に落ちなかった。表面上は神を敬わない「不敬神」ということですけど、納富さんの「解説」を読むと、結局、ソクラテスに対する民衆の長きにわたる憎悪があったと書かれていて「なるほど」と思いました。大事なのは、なぜ、彼はそこまで追い込まれたのかということです。

納富　ちゃんとした裁判だから、逆になぜかとなると思うのです。つまり個人的に恨みを持った誰かが、ソクラテスという嫌な奴を暗殺したわけではない。なぜちゃんと裁判をして殺されてしまったのかは、プラトンにとっても大問題だったのだと思います。

つまり、こんなに素晴らしい人はいないと思っていた自分のお師匠さんが、死ぬ必要はないと思える裁判で、堂々と死んでいった。そこでプラトンは悩んだのではないでしょうか。ソクラテスは、なぜ死ななければならなかったのかと。

そうしてプラトンは、この本で自分の答えを出した。ソクラテスは哲学をして生きようとしたから、最後に死んだという答えです。

普通、私たちは思いますよね。哲学したら死ななくてはいけないなんて、なぜなのかと。ところが、哲学をするということの内実を考えて、哲学することは、ある意味で神を敬わないと見られる、あるいは社会的に人びとの憎悪をかきたてることもあるという認識に至る。ソクラテスはそれでもなお「私は哲学を捨てません。哲学して生きていきます」と言って、死刑になってしまう。

今、駒井さんがおっしゃったような、なぜソクラテスが七十歳でいきなり裁判に掛けられこんな死に方をしたのかという疑問は、当時のアテナイの人たちの、おそらく多くの人が持っていたと思うのです。もしかしたら有罪投票をした人たちにも、なぜ自分は有罪投票したのか説明できない人がいたかもしれない。けれど、ソクラテスの生き方や言葉を聞いたときに、許せないと思った人も多いはずです。それがどうしてなのかと解釈し解明して、プラトンは答えを出した。

　彼の答えをどう評価するかは別にして、この答えがある意味で二千年の間哲学を作ってきた。つまり「哲学とは何か」という問いは、「ソクラテスのように生きることだ」という転倒した答えで応じられてきたのです。人々はこれまで、ソクラテスをモデルに、哲学とはこういうものだと考えてきたわけですね。

「無知の知」という言い方

駒井　大変興味深いお話です。納富さんの訳と「解説」を読ませていただいた後に、私自身が裁判員としてそこに座っているという状況で、ソクラテスがこちらに語りかけていると想像してもう一度読んでみました。そうすると、ソクラテスという人が、人々に嫌われた理由が分かると言うか、非常に特殊な人間であるという感じがしました。

　彼は、「死を恐れることは、知恵がないのに、あると思うことにほかならない」と言う。「それは知らないことについて、知っていると思うことなのです」と。こういう言い方とロジックには、「えっ?」と思ってしまう。

　納富さんが『哲学の誕生』（ちくま学芸文庫）で言及なさっているソクラテスの「無知の

知」と、今、私が読み上げたところは照応している部分だと思います。「無知の知」と言うと、何かわかったような気分でいましたが、それがまったくの間違いであるとここでは書かれていました。日本のプラトン受容も含めてちょっとその辺りのご説明をいただければ。

納富　短く話すのは難しいのですが、「無知の知」という、あの言い方が間違っているのだとまずお考えください。何が間違っているかと言うと、「無知の知」の「の知」が間違っているのです。

どういうことかと言いますと、普通の説明では、ソクラテスは無知ということを知っていたと言う。ソクラテスは「正義については知りません。善については知りません」と言い続けていただけなのですが、「私は自分が、今、知らないということは知っています」という意味なのだと普通は説明されます。

ところが、そんなことは一行も書いていないし、逆に非常に非ソクラテス的な言い方なのです。にもかかわらず、歴史の屈折から、日本だけではなく、ヘレニズム時代からの経緯で、ソクラテスは「無知ということを知っていた知者だ」という、そういう解釈が出ているのです。

日本では、「無知の知」という単語を使いだしたのは、私が調べた限りでは昭和に入ってからです。ある特定の時点から使われるのですが、日本人はこれに凄い勢いで飛びついた。

禅の雰囲気がするからです。「無知の知」という言い方は神秘的ですし、それゆえ広がって、偉い先生も専門家も皆が使ってしまった。海外ではこういう言い方は使われません。日本と同じような誤解はありますけど、少なくともそういう言い方はない。

つまり、ソクラテスについて説明するときに、「無知の知」といった聞こえのよい、禅問答に似た言い方で、まず説明してしまおうという日本人のメンタリティがあったのです。とりわけ教育学の分野で好んで使われ、ソクラテスは人類の偉大な教師として扱われました。「知らない」とばかり言っている哲学者を、権威ある教師に見せたかったのでしょう。

生徒たちを教えて、立派な先生になりなさいと言っておきながら、自分は何も知らないとしか言わない先生には意味がありません。その辺りに屈折があって、ソクラテスは知らないことを知っている最大の知者だと祭り上げ、それが日本に一番フィットしたのです。

プラトンは「無知の知」などとは言っていない

納富　どこが屈折してしまったか、そこはソクラテスの言葉を丁寧に翻訳したつもりなので、今回の本をそのまま読んでいただければよいですし、「解説」にも書いてあります。翻訳で言うと、三十一ページの最後に、「私はこの人間よりは知恵がある」とあります。この知恵は、ややアイロニカルな表現ですが、「それは、たぶん私たちのどちらも立派で善いことを何一つ知ってはいないのだが、この人は知らないのに知っていると思っているのに対して、私のほうは、知らないので、ちょうどそのとおり、知らないと思っている」と言っています。

　この引用の最後、「思っている」というのが重要です。ソクラテスは「私は知らないので、知らないと思っています」と、毎回繰り返します。「不知の自覚」と私は呼んでいますが、ソクラテスはこういう言い方をしていて、「私は知らないということを、知っています」という発言は一回もしていません。

　ここは、専門家も含めて、飲み込んでいただくのが本当に難しいところなので、繰り返し言うしかないのですが、「無知の知」のように「の知」と入れることによって、ソクラテスに対する変な誤解が生じていると私は考えています。

　つまり、ソクラテスは、たとえば、「私は死について知りません。まだ死んでいないから死がどういうものかを知りません」と言うだけなのです。ところが、それが「知らないことを知っているんだから、すごい知者だよね」みたいに、捻《ね》じ曲げてしまったところが、日本の近代のソクラテス解釈にはある。だからいまだにソクラテスは偉人だと持ち上げられ、「無知の知。ほら、こんなにすごい」などと言われます。

そうではなくて、私たちの誰一人、本当に重要なことは知らないんだ。だから、あなたも知らない。私も知らない。でも、あなたは知らないのに、もしかしたら、ちょっと知っていると思い込んでいるのではないですか？　私は知らないから、そのとおり知らないと思っているんです、と言うのがソクラテスです。

　そこの微妙な、と同時に決定的な違いが見過ごされてしまうと、ソクラテスが権威化したり、正反対の像が生まれたりします。ソクラテスは傲慢で、自分は知っているのに知らないふりをして、相手をやり込めるだけの人みたいに思われてしまう。

駒井　実際は、そういう風に思っている人も多いですね。

納富　そうですね。そう思われてしまうことがあるのじゃないかと。

　そこのところは、専門家の間でもいろいろな見方があり、私のように強く解釈しない人もいますが、やはり、間違っているものは間違っていると、きちんと言ってほしいと思います。

　私は、先ほど紹介していただいた本（『哲学の誕生』）の最終章で、三通りの証明をしています。

　一つ目は、プラトンの対話篇の中で、「無知の知」という言い方は使われていないこと。二つ目が「無知の知」のような考え方に対して、プラトンがそういう一つ次元の高いレベルの知を否定する、哲学的な議論をしていること。三つ目は、歴史的にいつ、どのようにこのような誤解が生じたのかを提示し、「日本で最初にこの表現を使ったのは、何年のどの文章です」という調査結果を示しました。

ですから、もし気になる方は読んでいただいて、納得するかどうか試してください。

訳文はニュートラルに、その分「解説」には納富流の読み筋を提示

駒井　しかし今でもソクラテスと言うと、やっぱり「無知の知」というのが出てきますね。私は友人に、納富さんとプラトンの翻訳について話すので、今、勉強中だと言ったら、早速メールが来て、「無知の知」でいけと言われました。

納富　いや、そうです。高校くらいから皆習いますからね。

駒井　そのぐらい、ソクラテスと言うと「無知の知」という理解が日本の中に定着している。今回は、過去の訳を読んで最後にこれをあらためて読んだときに、決定的に新しい訳だなと思いました。ソクラテスは、これをみんなの前で実際に弁明しているわけで、声に出してわかる訳文を心掛けたと「あとがき」にありましたが、二千何百年も前のソクラテスが、まるで目の前で語っていると思うくらいにリアルに受け取れました。何か他に、今回の新訳で気が付かれたことがあれば、教えていただけますか。

納富　古典新訳文庫は、今の日本語で語りましょう、難しい言葉は使わずにやりましょうというポリシーで続いているシリーズですから、それがうまく嵌《は》まったと言うか、私にもちょうど良かったし、勉強になったというのが第一の感想です。

　プラトンの対話篇が全部、これと同じ方針で訳せるわけではなく、非常にテクニカルな対話篇もありますから、このように耳で聞いてわかることはないと思います。通常は、私も、ルビを振ったり、漢字で見せて意味を伝えてお終《しま》いにしがちですが、今回は、耳で聞いてわからなかったら法廷での「弁明」にならないと思ったので、できる限りの努力はしました。

　ここで二つほど簡単にお伝えしたいことがあります。学術レベルの整合性は、気にしました。というのは、この本は、今までこの主題を論じてきたような専門家も読むわけです。ですから、ちょっとでも間違えたらコテンパンに批判される。幸い、それほどのことはありませんでしたが、学術レベルでクリアにすべきところは妥協せずに気を使っています。

　もう一つは、「解説」との関係です。本文が九十ページ程度なのに、百ページにわたる「解説」が付いています。これは、先ほど申したように、今までの翻訳だと、ソクラテスの言いっぱなしで、わけがわからないままで終わりがちなので、それでは不親切です。その意味で、どれくらい深く読めて、どのようなトリックが仕掛けられているかについて、専門家として説明するのが「解説」の趣旨でした。ですから、皆さんが一読して、とても読みきれないようなところについては、こういう読み方があるんじゃないですかと書いたのです。

ただし、あまり自分の解釈を押しつける訳文にはしたくないという矛盾した気持ちもあって、訳文は私の解釈でなくても読めるように、心がけました。つまり、私の考える意味でないと読めないような訳文にはしませんでした。

ですから、「解説」には、納富の強い読み筋が出ていますけれども、翻訳の本文は、私と違う読み方をする人にも自由に使っていただけるようにしたのです。

駒井　その辺のバランスは非常に上手く取っていただいたと思います。確かに「解説」は、納富さんの解釈が出されていると思いますが、訳文はとても滑らかで、読んでいるとソクラテスが毒づいている姿が自然に浮かぶ感じでした。俺をちゃんと食事に招待しろとか、ソクラテスのある種モンスターのような語り口が、よく表れていると思います。

ソクラテスとソフィストはどう違うのか

駒井　ここで、ソフィストについても触れていただけますか。『ソフィストとは誰か？』（ちくま学芸文庫）というご著書がありますが、ソクラテスもソフィストの一人だと目されていたとお書きになっている。ソフィストにはいいイメージがないこともあって、興味深く思ったんですが、『ソフィストと哲学者の間』（名古屋大学出版会）というご著書では、プラトンの中に現れるソクラテスもソフィストだと思われていたとありました。哲学者とソフィストとはどう違うのですか。

納富　ソクラテスは哲学者、ソフィストは人を騙す詭弁家だというイメージを、皆さん、持っていらっしゃるはずです。で、実は、二〇一六年の秋に『Early Greek Philosophy（初期ギリシア哲学）』という資料集が、ギリシア語とラテン語の古典を扱う「ロエブ（Loeb）叢書」（ハーバード大学出版局）から全九巻の新しい編集で出ました。その最後の二巻がソフィストの巻で、プロタゴラスとかゴルギアスとかが入っていますが、今回初めてその三番目にソクラテスが入りました。

日本では、ソクラテスがソフィストと同じに扱われるのは衝撃だと思いますけど、海外の研究では、以前からそういう動きがありました。つまり同時代の人から見たら、ソフィストと言われている知識人がいて、ソクラテスもその一人だったのです。それで、ソフィストを研究する者には、ソクラテスも一緒に扱うべきだと言う人もいましたが、さすがに今までは抵抗があったのです。ところが今回、その一線を越えた本が出ました。編者は知り合いの研究者なので、そうする方針だと前から聞いていましたが、実際に目にすると、驚きとともに、ああ、これは良かったと感じています。

問題は、今、駒井さんがおっしゃった質問にあります。本当の哲学者とソフィストは違うのかという質問です。私たちは、ソクラテスは本物で、ソフィストは偽物だと思って区別しようとするわけですが、その区別自体が、実はプラトンの創作なのです。それがどういうことかは、さきほどもご紹介した『哲学の誕生』（ちくま学芸文庫）という本の「補論」で詳しく書いています。

同時代の人たちから見て、ソフィストは、ある意味では、いかがわしいところもあるけれど、知識は持っているし、役に立つ弁論術とか政治術とかを教えてくれる優れた教師でした。ソクラテスは、授業料は取っていないので、彼らとまったく同じわけではありませんが、彼らと一緒に議論して、新しい考えを若者たちに聞かせるという意味では、基本的にはほぼ同じグループの知識人だったのです。むしろソクラテスは、その中で大活躍して、ほかのソフィストに一歩も引けを取らない論客でした。

プラトンによる、哲学者とソフィストとの戦略的な区分け

納富　先ほどの話に戻りますが、裁判でソクラテスが死刑を宣告されるときの一つの嫌疑が、若者をたぶらかして堕落させたのではないかということだった。そこで多くの人たちには、「ああ、プロタゴラスとかゴルギアスみたいなソフィストたちと、同じようなことをやっているんだ」という負の連想があったのです。

　それに対してプラトンがどんな戦略を取ったかというと、哲学者とソフィストを区別して、両者は正反対だと定義しようとした。ソクラテスこそが哲学者であり、彼は誤解されているけども、ソフィストたちとはまったく違うのだ、彼らの方は、もしかしたら人々が批判するようなことをやっていたかもしれないと切り分けた。ですから、『プロタゴラス』などの対話篇で、ソクラテスとソフィストがいかに違うかを示していくのです。

　ところが、クセノフォンとかアイスキネスとかアリスティッポスといった他の弟子たちの「ソクラテス文学」を見ると、プラトン以外に、ソフィストと哲学者を対比している人は一人もいない。さらに驚くべきことに、アイスキネスやアリスティッポスは、自身がソフィストなのです。いや、ソクラテスの弟子がソフィストであってもまったく問題はなかった。アリスティッポスには、「お前はソクラテスの弟子なのに、人からお金を貰っていていいのか」

と言われて「ソクラテスだって貰っているじゃないか」と答えたというエピソードがあります。ソクラテスはそんなに裕福ではないので、お友だちのクリトンらが援助していました。それをいいことに彼は開き直って、「いや、俺だって全然悪くないよ」と言っている。

つまり、プラトンは、ソクラテスとは何者かを自分なりに作り上げた。そして真実は何なのかを見極めるときに、哲学者とソフィストとの区別にヒントを見出したわけです。ソクラテスが本当の哲学を行っていたとして、彼の正反対に当たるソフィストはどうかということを、実在のゴルギアスとかプロタゴラスという人の言論を検討して考えたのでしょう。

だから、ご質問にあった、「哲学とは何か、ソフィストとは何か」という問い自体が、プラトンがソクラテスに関して提起した新しい問題なのです。それが二千年続き、哲学とは何かと言うと、ソフィスト的な活動ではない、ソクラテスのような営みだ、とされてきたのです。

話を戻しますと、新しい『初期ギリシア哲学』の資料集で、ソフィストの中にソクラテスが入ったのは衝撃ですが、歴史的には以上のような事情があります。おそらくソクラテスという人は、アリストファネスが喜劇でからかったように、同時代の人から見るとソフィストと五十歩百歩、彼だって人を騙すようなおかしな議論をしているじゃないかという話だったのに、プラトンは、この人こそが哲学者だという形で弁護しようとした。その対極の、いわば対比軸がソフィストでした。たぶん真相はこうだろうと思います。

駒井　ソクラテスは、プラトンの才覚によって、いわゆる哲学者になった部分があるということですか。

納富　私は「哲学者ソクラテスの誕生」という言い方をしますが、ソクラテスが実際にそうだった可能性は否定しません。それでも、プラトンがいなかったら、今のようなことはなかったでしょうね。

日本にとってのプラトンとは一体何だったのか

駒井　『ソクラテスの弁明』を中心にお話をうかがってきましたが、『プラトン　理想国の現在』という慶應義塾大学出版会から出た納富さんの本は、プラトンの受容史という観点からも、非常に刺激的でした。日本におけるプラトンの受容史は、今も生きている岩波文庫が最初ですね。

納富　ギリシア語からの原典訳ではそうですね。

駒井　ええ。それで、このときに、先ほど名前の出た久保勉さんと阿部次郎さんの間に翻訳を巡る対立があった。読みやすい日本語を目指したのが久保さん、日本語は多少無理させてもと考えたのが阿部さんだった。そういう意味で、日本は西洋化の過程で、ギリシア哲学にもプラトンにも、大きな興味を持って貪欲に吸収した。

「理想国」というのはプラトンの『国家』ですよね、そういう部分での影響となると、北一《いっ》輝《き》や大川周明《しゅうめい》、それから北村透谷《とうこく》、彼については藤澤令夫《のりお》さんがお書きになった『プラトンの哲学』（岩波新書）の中にも出てきますけども、他にも納富さんがお書きになっている一般には名を知られていない人々も含めて、強い影響を与えている。日本人は百年以上も前からなぜ必死にプラトンを訳してきたのか。プラトンは日本にとって何だったのか。ちょっとその辺のお話を。

納富　プラトンの受容史は、私が初めて本格的に調べました。なぜそんなことをしたかというと、二〇一〇年に、三年に一度の国際プラトン学会大会を日本で開催したからです。世界中のプラトン研究者が日本に参集するので、日本のプラトン受容はどうなっていたのか疑問に思って調べ出した。

　すると、驚きました。私は学生のときから田中美知太郎や藤澤令夫のような人が、日本のギリシア哲学研究を始めたと思っていたのですが、そんなことはなかった。実はそれより前、明治から行われていて、翻訳も二十世紀初めから、百年以上の歴史があると知ったわけです。

で、その間、何が起こったのかを調べ出して、戦後の私たちよりも、明治や大正や昭和前期の人のほうが、よくプラトンを読んでいたということがわかってきました。

実際にそうなのです。現在、一般社会の中でプラトンを読む人は、官僚や役人や政治家を含めて、あまりいないと思います。けれど、昔の知識人や文化人は、プラトンを愛好していて、大隈重信が開国五十年の記念演説で持ち出したり、「プラトン社」という万年筆の会社があったり、そんな話がいくらでもある。

つまり、日本の近代化にあたって、プラトンは非常に大きな意味を持ってきた。しかし、それにはプラスだけでなく負の意味もあった。「理想国」というのは「ポリテイア」の訳語で、明治の木村鷹太郎という人の訳では、『国家』ではなく『理想国』と呼ばれていた。木村鷹太郎は一九〇六年に自費でその翻訳を出版していますが、翻訳していたのは日露戦争の真っ最中でした。なぜかというと、日本が一等国になるためにはプラトンを読まなくてはならない。プラトンを読まないのは途上国であるという、凄い意気込みと危機感があったからです。

消された「プラトン受容」の歴史

納富　そのときに、「理想」という単語が鍵になります。これはもともと「イデア」の訳語ですが、「理想」こそが、我々日本人が持つべきものだと木村は主張します。そして、理想を語った理想の哲学、「イデアリスムス」がプラトンなのだと。それで戦前の「理想主義」――現在では「観念論」と呼んでいますが――を抱いて、明治の人たちは近代国家を作ったわけです。

ところが、あのような軍国主義になってしまって、しかも敗戦を迎える。そこで、プラトンをタブー視する歴史があったことを、私は発見したのです。つまり戦前にプラトンが読まれていた歴史が、いっさい無かったことにされたわけです。田中さんなどは、もちろんそれをよく知っていたはずですが、自分たちがすべて一から研究を始めます、といったことを言ってしまう。それは、いったい何だったのか、これが私の感じた疑問です。

これは、単なるプラトン研究という小さな話ではなくて、日本人としてのアイデンティティに関わる問題です。つまり、日本が明治から歩んできたプラトンの理想主義という道が挫《くじ》けたときに、世間からプラトンを一切消し去って、象牙の塔の中だけでプラトンを研究しましょうという話になっていた。これが、私が育ってきた状況だとすると、そのタブーとは一体何だったのかに疑問を抱きつつ、今、その歴史を細かく見直そうとしています。

ですから、戦後のプラトンの扱いも、当然、見直しを始めています。田中美知太郎などをあらためて読んでいますが、基本的に私の関心は、明治・大正・昭和の歴史にあります。一番最近に知ったネタですと、谷崎潤一郎がプラトンを大好きで読んでいたと聞いて、「えっ?」と思ったんですが、小説でプラトンを読んでいるシーンなどを探してもらうと、中勘助のどこそこにあるとか、皆が見つけてくれます。

ですから、私たちはプラトンをあまり読まない時代に生きていますが、昔はプラトンを読まなかったら日本は一流国になれない、理想国は作れないと言っていた時代があった。ただし、そこで目指された哲人王が天皇制になってしまった。ナチスでも似たことが起こっていましたが、それがプラトンの持っている怖さではないかと思います。

駒井　それは実に刺激的なお話ですね。

「対話篇」の重要性――言葉で対話する中で対決していくのが哲学

駒井　もう一つ納富さんがお書きになっていて驚いたことがあって、マイケル・サンデルとかカール・ポパーとかロールズの正義論とか、現代の西洋思想にも触れていらっしゃる中で、驚いたのがイランのホメイニ師のことでした。彼がプラトンに精通していたということです。我々は現代のイスラム文化に対してなかなか理解が届きません。でも彼らもプラトンを深く理解しているということで、プラトンが世界に与え続けるインパクトについてお書きになっている。

それからもう一つ、納富さんの『プラトンとの哲学　対話篇をよむ』（岩波新書）を読むと、終わりのほうに、ケンブリッジでプラトンを勉強なさったときの指導教授との対話の話が出ています。要するにプラトンの「対話篇」は人と人が話して、そこから生まれる子どもみたいなものだと語っていらっしゃる。我々日本人は、そういう意味での対話が苦手です。だから、日本人にとっての対話や「対話篇」の重要性があると思うのです。

孔子などは、師が語って弟子が聞くという東洋的な世界ですよね。それとは違う、ここを淵源《えんげん》として作られたヨーロッパの考え方、民主主義もそうでしょうけども、これは私にとって非常に興味深いエピソードだった。その辺りをまとめてお話しいただければ。

納富　トピックが盛りだくさんなので、最後の話題からお話しします。忘れてはいけないのは、ソクラテスは対話して殺されたということです。生温く皆で合意して握手するのではなく、ソクラテスと対話すると、だいたいもうこんな奴、顔も見たくないというふうに別れて行く。

つまり、ぶつかり合いを通して言葉で話していくというのが、プラトン以来の西洋哲学のエッセンスになっていて、徹底して議論しないところに哲学はありません。

それと比較すると、仲間だけで和気藹々《あいあい》やるとか、反対の意見の人の言うことは聞かないとかいうのは正反対の態度ですから、まず対話についてはそうご理解ください。私たちの中には、とても理解できない人とか、言ってほしくないことを言う人もいます。けれども、彼らと言葉で対話する中で対決していく。その中で、状況や人生が変わったり、あたらしく生まれたりするということに、対話や「対話篇」の面白さと重要さがあると考えています。

現在の世界は、アメリカやヨーロッパを含めて対話がやり辛くなっていて、排他的になって相手にレッテルを張り、反対する奴は寄せ付けないという態度が目立ちますが、これは危険だと思います。自分に都合のいいことにしか耳を貸さない人が真実を言っているとか、自分に反対する人の言うことは嘘だというのは、非常に非哲学的態度です。プラトンの『弁明』を出発点とする「対話とは何か」ということを、今あらためて、決して綺麗ごととしてではなく考えるべきでしょう。

もちろん日本の政治家や知識人にも期待しており、是非テレビの中継などで、若い人たちを絶望させないような対話をしてもらいたいと思いますね。

今でも、問い掛ければ答えるプラトンがいるはずだ

駒井　納富さんは、『プラトン　哲学者とは何か』という本の中で「哲学するというのは、今を生きることである」と繰り返し書いておられて、ただの知識ではなく「哲学する」ことの重要性を主張なさっています。最後にそれについて語っていただけますか。

納富　哲学の中で西洋哲学と私たちが括っているものは、ギリシアから始まったとされています。現代のさまざまな哲学も、基本的にはその枠組みで動いています。そのときに、昔の哲学は今と関係ないというのではなくて、西洋哲学のアイデンティティは、いつもプラトンらギリシアに戻って、彼らの問いにどう答えるかを考えていくことにある。つまり、西洋の哲学者たちはプラトンを読みながら、ウィトゲンシュタインでも、ラッセルでも、あるいはもっと新しいデリダでも、皆そういう形で哲学を行ってきたのです。

それが唯一のやり方だとは私は思っていませんが、そうやって積み重ねてきた文明の意味はやはり重要ですし、私たちがヨーロッパや、あるいはヨーロッパ以外の場所、アジアやアフリカの人たちと対話する場合にも、やはりこのやり方を取ります。とすれば、プラトンを読むことで哲学をするというやり方は、一定程度、有効ではないかと感じています。

その意味で言うと、私自身は、今ここで哲学をするのにプラトンが必要だということにそ

れほど違和感はなく、実は当たり前だと思って書いているわけです。でも、二千四百年前のものを読んで、なぜ「今」と言えるのかという、当然の疑問があると思います。

ソクラテスは日々、対話で人生を吟味しながら生きました。特定の状況で、その都度相手と真剣に向き合って言葉を戦わせました。

ただ、その対話はその場で終わってしまう。プラトンはそれを書きとめた。フィクションを交えて書いたわけです。書かれた対話、つまり「対話篇」は、二千年を経て私たちの前に残っていて、さまざまな人がさまざまな言語に翻訳し、人々が繰り返し読むことを可能にしています。私はそこに、哲学の普遍性があると思っており、時代を越え、人を越え、あるいはシチュエーションを越えて、問い掛けられ答えるという意味での哲学の営みのユニバーサリティもそこにあると考えています。『ソクラテスの弁明』はそれを始めた最初の本であり、繰り返しアップデートされてきた古典です。

つまり、古い訳で読んだらリアリティが薄いところを、新しく訳すことによって、今の状況でも読み直せるようにし、あるいは今の問題に答えるという形で読めるようにしていくのが、私たち専門家の仕事だと思うのです。これは意識して実行しなければならない。それに応じて、プラトンが答えてくれるという気がします。

今後の心づもり

駒井　『ソクラテスの弁明』に関しては、これが一番新しい訳なので（＊この対談の後、二〇一七年に京都大学学術出版会「西洋古典叢書」で朴一功さんの訳が出ている）、ソクラテスのある種の怖さとか、凄さとかが、あらためて伝わってきました。私は原稿の段階で読んだときに気が付いたのですが、ソクラテスが最後に弁明しているのは、裁判員が帰ろうとしているときなんですね。弁明は座っている皆の前でやっているのとばかり思っていたら、聞く人は聞いているだろうみたいな状況の中で話している。

納富　第三幕はね。そうです。

駒井　そこで最後に子どものことを言ったりする。ですから、何て言うんでしょう、非常に悲劇的なシチュエーションではあるけれど、現在の人にとってもスッと胸に入ってくるように翻訳されているので、そういうリアルな話として読めるという現代性を今回は感じました。

では、最後に古典新訳文庫で、今後おやりになりたいことを教えていただければ。

納富　私は、翻訳は数えるくらいしかやっていないのですが、私が勝手なことを書く本よりも、翻訳の方が、ある意味で長い命と広い効果を持つので、とても大事に思っています。

いまは、一応『パイドン』（＊光文社古典新訳文庫、二〇一九年刊行）を訳す準備をしていて、あと、いくつか研究と直接結びつく「対話篇」を訳そうと思っています。
ただ、私自身は、翻訳と専門の研究書と一般的な概説書とのバランスを取って書いていきたいと希望しています。なぜかというと、翻訳だけでは、なかなか痒《かゆ》いところに手が届かないところもあって、専門の論文とか解説書とか、そういうものと組み合わせてやらないと、うまくいかないからです。

もう一つ、先ほど言いましたように、翻訳は一カ所間違えると鬼の首を取ったみたいに言われるのが常ですし、それに私は翻訳が速いほうではないので時間もかかります。けれども、プラトンを学んでいる以上は、ぜひいくつか好きな「対話篇」を訳しておきたいですね。『パイドン』は、ソクラテスが死ぬ有名な場面があり、特別だと思っています。何とか訳したいと思いながらも、松永雄二先生の素晴らしい訳（岩波「プラトン全集」版）があるので、それを超えようと苦労しています。そういうふうに少しずつやっていこうと思っています。

駒井　有難うございます。『パイドン』のほかにも、『理想国』、つまり今で言う『国家』ですね。あれも翻訳していただけたらと思います。

（二〇一七年二月十七日）

『ソクラテスの弁明』を読んだ人に、さらにお勧めの4冊

1

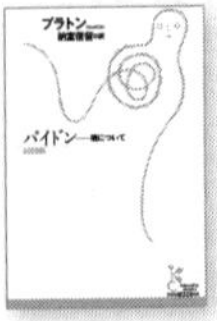

『パイドン——魂について』
プラトン　納富信留訳
光文社古典新訳文庫
本書の哲学的な主題は「死とは何か。魂がそれ自体であるとはどういうことか」ということ。ソクラテス最期の日、獄中で弟子たちと対話し、威厳をもっておだやかに死を迎える崇高な「知を愛し求める人」の姿。訳者の納富さんは言う。「ソクラテスが死を迎える場面は、その簡潔な描写で美しい一幅の絵画のようである」。

2

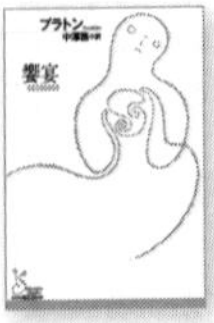

『饗宴』
プラトン　中澤務訳
光文社古典新訳文庫
なぜ人間は他者を愛するのか？　愛の神エロスとは何か？　ソクラテスをはじめとする才人が集う飲み会で、それぞれがエロスを賛美する演説を行う。「本作は、エロスをめぐる文学性あふれる物語の中に、高度な哲学的考察を有機的に溶け込ませ、一つの完成された哲学的物語を構築することに成功しているのです」（訳者解説）。

3

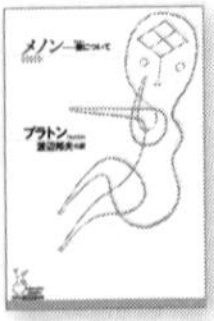

『メノン——徳（アレテー）について』
プラトン　渡辺邦夫訳
光文社古典新訳文庫
「徳は教えられるものでしょうか？」というメノンの問いかけに対し、ソクラテスは逆に「徳とは何か？」と切り返す。さらには、「徳」を定義する試みから、知識と信念、学問の方法、魂、善をめぐって二人の議論は進む。西洋哲学の豊かな内容を形作る重要な問いがここで生まれた。対話篇を文芸作品としても読み解いた新訳。

4

『ソクラテス　われらが時代の人』
ポール・ジョンソン　中山元訳
日経ＢＰ社
本書の作者は、イギリスの歴史家、ジャーナリスト。光文社古典新訳文庫でカントをはじめ、たくさんの哲学書を新訳している中山元さんが翻訳者。中山さんはこう解説している。「本書では当時のギリシアの歴史的な状況なども生き生きと描写しながら、おそらくそうであっただろうソクラテス像を描き出すことに成功している」。

イベント会場の隅から

宇《う》田《た》川《がわ》信生《のぶお》
（二〇二〇年六月まで紀伊國屋書店に勤務）

『紀伊國屋書店 Kinoppy』の「中の人」として

本書に収録された Readers Club イベントは、まえがきでも紹介されていますが、光文社さんと紀伊國屋書店の電子書籍サービス Kinoppy の共同イベントとして始まり、現在に至っています。私は紀伊國屋書店で Kinoppy サービスの立ち上げとその後の運営に携わった裏方（ネット業界風には「中の人」）にすぎませんでしたが、駒井さんからご依頼があり、本イベントをめぐる経緯などを簡単にお話ししたいと思います。

Kinoppy サービスは、スマホやタブレット向け電子書籍サービスとして、日本では比較的早い時期といえる二〇一一年六月にスタートしました。準備に約一年を要しましたが、その間もっとも苦労したことの一つがコンテンツ集めでした。電子書籍という新しい媒体での出版に、書店・出版社とも、色々な面で十分追いついていませんでした。

毎日のように出版社を回りながらも、なかなかコンテンツが集まらず、焦っていたなか、全面的な協力をいただいた数少ない出版社、それが光文社さんでした。当時ライツ事業部長をしておられた前嶋知明さん（駒井さんの御著書『いま、息をしている言葉で。』に登場する「M部長」です）がうわさを聞きつけて会社に乗り込んで（?）こられました。前嶋さんは、書店という、本のことを一番よく分かっている人たちこそが電子書籍を扱うべきなのだと力説し、「ぜひやってください。全力で応援しますから」と、他の出版社とはひとケタ違う数のタイトルを提供してくれたのです。Kinoppyにとってはまさに干天《かんてん》の慈雨《じう》。お蔭で何とか体裁を整えてサービス・インすることができました。

紙 vs. デジタル

電子書籍で先頭を走っていたアマゾンやアップルが持っていないもので、当時Kinoppy（紀伊國屋書店）が持っていたものといえば、（当然ながら）店舗と、そこへ足を運んでくださるお客様です。もともとサービスを立ち上げた当初から「電子書籍コーナー」を新宿本店に作り、専任スタッフがタブレット片手にデモや説明を行って、電子書籍の利点を説明する体制を整えていました。在庫を検索する店内端末に電子書籍の情報も入れて、お求めの書籍がお店にないときは電子版をお勧めするといった工夫も加えました。

それでも、お店に来てくださるお客様の大多数が、いうなれば「紙派」だということは否定しようのない事実でした。紀伊國屋書店のもう一つの強みである学術雑誌や、コミックの分野では、今やデジタルが紙を逆転しましたが、一般の読みもの・教養書では依然として紙が主流というのが現実です。

Readers Club の発足

どうすればもっと多くのかたに Kinoppy のことを知ってもらえるだろうか。書店は利幅の限られた商売ですから、広告費を湯水のように使うわけにもいきません。悩んでいたところへ、ふたたび前嶋さんの登場です。

二〇一四年七月、前嶋さんが会社へ来られ、駒井さんを紹介してくださいました。お二人とも、出版業界ではつとに有名なフランクフルト・ブックフェアで商談するなど、海外事情にも明るく、私も一九八〇〜九〇年代に英米に駐在していたので、そのころにも英米で盛んにおこなわれていた、作家による巡回朗読イベントのことが話題にのぼりました。これは、出版社や作家のエージェント事務所が企画して、新作を出した作家自身が全国の主要都市の書店をまわり、自作を朗読するという催しで、「Author Tour」とか「Book Tour」と呼ばれています。

この会話があってまもなく、光文社古典新訳文庫とKinoppyのタイアップ・イベントをやりませんか、と前嶋さんからご提案があり、今に続くReaders Clubの発足へとつながった次第です。

書店での催事というと、ふつう「紙の本」のサイン会とからめた即売がおなじみで、Readers Clubイベントでもそれにならうとして、いったいKinoppyはどのようにからんだらいいのか。あれこれ考えた末に、月並みではありますが、各回のご来場者に、その回のテーマとなった光文社古典新訳文庫作品の電子版をダウンロードできるクーポンをさし上げることにしました。光文社さんのご好意で、イベント期間中のみ、テーマ作品の値段をクーポンの金額まで下げていただき、ご来場者が「実質ゼロ円」で電子版を読めるようにしたのです。ふだん紙の本に親しんでいるお客様に、たまには電子書籍の世界ものぞいてみてほしいと願って、今も続けています。

軌道に乗ってから

初めの頃こそ、会場にイスを並べながら、今日は何人お客様に来ていただけるだろうかと考えることもありましたが、訳者のかたと駒井さんとの熱のこもったやり取りに、ご来場者は順調に増えつづけました。駒井さんの、豊富な読書経験に裏打ちされた的確なナビゲーションに魅了された「駒井ファン」もお見受けします（私もその一人ですが）。十回目を過ぎたあたりから、申し込みの数が席数に達し、開催日に先だって受け付けを終了する回まで出てきました。古典作品をテーマにしたイベントで、そのような回が実に十四回を数えたのです。

また、その回のテーマとなる光文社古典新訳文庫の作品をあらかじめ買い求めてからご入場されるかたや、トークのあとのサイン会に移ってから、出口でその本を求め、もう一度会場に戻ってサインの列に並ばれるかたも増えてきました。ふだんお客様とのあいだにウェブをはさんでいる自分にとって、イベントの生み出すダイレクトな熱気を肌で感じる貴重なひと時でした。

ひとりの Readers Club ファンとして

Readers Club イベントの開催が二十回を数えたところで、私は異動により現場から離れましたが、担当をしていたころ、会場の一番うしろで、それこそ仕事そっちのけで聴いていたトーク内容の面白さに魅せられて、そののちも聴衆のひとりとしてしばしば会場に足を運んでいます（担当した回数に近い数は行っていて、次の回の告知が出て最初の申込者が社員の私だったということもあったようです）。

駒井さんが訳者のかたへ投げかける質問の一つ一つが、あたかも池に投げ入れた小石が水の波紋を作り出すように、訳者のお話を幾重にも引き出して、お客様が身を乗り出すようにそれに聴き入る様子はまさに圧巻。今は新型コロナウィルスの影響でいったん中断していますが、そう遠くない将来、作品にまつわる様々なお話を一人でも多くのお客様がお聞きになり、それをとば口に新訳で読む古典の奥深さ、面白さを味わっていただける日がふたたび戻ってくることを願っています。

あとがき

駒井　稔

本書を読み終わった感想はいかがでしょうか。六百ページもある「大著」（笑）ですから、読了に少し時間がかかったかもしれません。しかし、意外なほどすんなりと読むことができたのではないでしょうか。内容は高度なことが語られていますが、すっと頭に入ってきませんでしたか。

それこそがこの本の目指すところなのです。まえがきにも書いたように、いまだに古典は、敷居の高いものと捉えられがちです。しかし、いったん読み始めてしまえば、思っていたよりもずっと身近で、面白いものだということが、きっとお分かりいただけたと思います。

これは、もちろん登壇いただいた翻訳者の方々のおかげです。この場を借りて感謝の意をお伝えしたいと思います。毎回、事前に、小学生のように予習を欠かさなかったとはいえ、わたしの発言部分にはきっと誤りがあるはずです。どうぞご海容のほど。

最初に本書の著者名について触れておきたいと思います。読み終えた方はお気づきのように、この本の本当の著者は、イベントにご登場いただいた十四人の翻訳者です。光文社古典新訳文庫の面倒な仕事を引き受けていただき、世界的な古典作品の優れた新訳を刊行することができたのは、この方々の創意溢れたお仕事のおかげなのです。

それなのに、なぜ、駒井稔＋「光文社古典新訳文庫」編集部編著となっているのか。そんな疑問をお持ちの方もいることと思います。「著」が入るのはすこし傲慢ではないか、と。

しかしながら、もし、これを「編」だけにすると、まるで他の本や雑誌に掲載された文章を集めただけの本という印象になってしまう。そのことを恐れたからというのが本当のところです。ご納得いただけましたでしょうか。まえがき、それぞれの文学の序文、「お勧めの4冊」の文責は、もちろんわたしにあります。

本書の企画を考え始めたのは、昨年二〇一九年の夏のことでした。紀伊國屋書店でのイベントが来年一月には六十回を迎えることになると、編集部のメンバーと話したことを覚えています。六十回という数字は、個人的には信じられない数字でした。このあとがきの前に置かれた、紀伊國屋書店でこのイベントを立ち上げていただいた宇田川信生さんの文章をお読みいただければ、書店という場所で、このようなイベントが企画され、継続されてきた最初の段階の緊張と高揚がご理解いただけると思います。

正直なところ、最初は不安の連続でした。それが、宇田川さんをはじめとする紀伊國屋書店のスタッフの皆さんのおかげで、徐々に軌道に乗っていき、このような形で一冊の本を編むことができるようになったことは、とても幸福なことだと思っています。スタッフの方々にはなんとお礼を申し上げたらよいか。いちいちお名前は挙げませんが、深い感謝の念を捧げたいと思います。

その中のお一人が、打ち上げの席でわたしがふと漏らした「いったい何回続けることができるだろう」との言葉に対して、「駒井さん、百回続ければいいのです。そう思ってやることです。実際に百回以上続いたイベントもあります」と言ってくれたのです。百回。当時の私には、それは遠い遠い、決して辿り着けない目標のように思えました。しかし、回が進むにつれ、やがて具体的な目標となっていったのです。

宇田川さんからバトンを渡されたのは秋山孝夫さんです。藤井絵里佳さんと高橋愛実さんの三人でその後のイベントを支えていただきました。登壇いただいたゲストの方々と遅い夕食を共にする席にも必ず参加いただき、その日のイベントの感想や聴衆の反応についても、有益なお話を聞くことができました。そして、以前と同様にたくさんのスタッフの方々にもご支援をいただきました。ここに記して感謝いたします。

現在のコロナ禍で、亀山郁夫さんの第六十回をもって一旦は休止を余儀なくされていますが、なんとしても目標を完遂したいと考えております。その折には本書の続巻も刊行したい。ただし、わたしは、ただ百回達成を叫んでいるのではありません。書店におけるイベントの重要性を肌身に染みて感じているからです。編集という、ともすれば、内にこもりがちな仕事をしている人間にとって、会場の皆さんの反応や質問は、重要なヒントを与えてくれることが多いのです。それは翻訳者の方々も同じだと思います。

話は変わりますが、今回のような対談原稿をまとめるという仕事は、実はかなり大変な作業です。毎回、対談を音声記録として残してはおいたのですが、それを書籍化するかもしれないということは、翻訳者の方々には一度もお伝えしたことはありませんでした。

ですから、この度の刊行に関して、翻訳者の方々からすぐにご快諾いただいたことは、本当にありがたいことでした。しかし、対談というもの、あるいは会話というものは、実際に文字に起こしてみると、飛躍が大きく、なかなか内容が理解できないことも多いのです。

古典新訳文庫の創刊前、二〇〇四年から一緒に仕事をしてきた編集者・ライターの今野哲男さんは、自身も何度もイベントに足を運んでくれました。企画の趣旨も十分に理解している今野さんに、文字起こしした原稿をまとめてもらったおかげで、作業はスムーズに進みました。


すべての校正原稿を読み終えた時、わたしは、このような充実した時間を過ごすことができた幸運に感謝しました。それには、イベント現場での社内スタッフの大きな協力があったことを申し添えておきます。

この企画を宇田川さんと共に立ち上げてくれた前嶋知明さん。毎回参加して、素晴らしい感想をわたしに伝えてくれた平井信一さん。ホームページを運営している真野直美さんもツイッターにイベントの模様を上げてくれます。古典新訳文庫のＰＯＰのイラストを担当している谷澤茜さん。電子書籍担当の佐藤由布子さん。編集長の中町俊伸さん、編集部の小都一郎さん、宮本雅也さんはもちろんのこと、社内のたくさんの方々に支えられてきました。

そして、古典新訳文庫で長年お世話になってきた萩原印刷株式会社に本書の印刷を引き受けていただいたことを、とてもうれしく思っております。

最後になりましたが、光文社新書編集長、三宅貴久さんに御礼を述べたいと思います。この企画を提案した時にも、迷わず「面白いですね」と言って即決してくれました。わたしの作業の遅れで、刊行まで多少時間がかかりましたが、その決断の速さに感謝しています。実際の作業を担当してくれたのは草薙麻友子さんでした。草薙さんとのメールのやり取りは、ユーモアに満ちた楽しいものでしたが、勘所を押さえた厳しい指摘もあり、おかげで安心して仕事を進めることができました。これはわたしの二冊目の本となりましたが、編集者とのお付き合いを学ぶ（笑）、よい機会になったと思っております。ありがとうございました。

この本が刊行される頃には、わたしは小さなひとり出版社の設立準備を始めているはずです。ふたたび船出することを決めたのは、まだ編集者としてやり残したことがあると感じているからです。紀伊國屋書店のイベントで熱心にお話を聞いて下さる方々から感じる熱気がある限り、文学は読まれ続けると確信しています。失敗するかもしれませんが、それはそれで楽しいではありませんか。

あのスティーヴ・ジョブズがスタンフォード大学で学生に語りかけた言葉、「Stay Hungry, Stay Foolish（ハングリーであれ、愚かであれ）」は若者向けですし、格好良すぎますが、人生百年時代と言われる今日、早々にリタイアした日本の若いお爺さん、若いお婆さんに言いたいのです。まだまだやれること、やることがあるはずですよ！

本書のタイトルは『文学こそ最高の教養である』です。最後の最後に、ささやくような小声で伝えておきたいことがあります。それは「文学は芸術である」ということです。当たり前のことかもしれませんが、何故か最近、誰も言わなくなってしまったように思います。大切なことなのに。

本書で取り上げた作品には、今日の観点からすると不適切とされる呼称・用語が用いられているケースがあります。作品が成立した当時の社会状況と未成熟な人権意識に基づくものですが、作品の文学的価値を考慮したうえで、そのような時代とそこに成立した物語を深く理解するためにも、古典新訳文庫編集部では原文に忠実に翻訳することを心がけ、当時の呼称・用語を使用しています。そのため、それらの作品をめぐる本対談のやりとりの中で、同様の呼称・用語を使用していることがあります。また「第3夜　フローベール『三つの物語』」中には、癩病、癩者等の呼称が使用されています。癩病は伝染性の強い病と見なされ、患者は隔離されるなど、差別的な生活を強いられていました。また第二次世界大戦後、特効薬が普及し完全回復が可能になったのちも、日本では平成八年（一九九六年）に「らい予防法」が廃止されるまで、同様の政策がそのまま残っていたのはご承知のとおりです。現在ではハンセン病と表記しますが、作品の時代背景及び文学作品としての意味を尊重して、当時の言葉を使用しました。差別の助長を意図するものではないことをご理解ください。

光文社新書編集部

駒井稔（こまいみのる）

1956年横浜生まれ。慶應義塾大学文学部卒。'79年光文社入社。広告部勤務を経て、'81年「週刊宝石」創刊に参加。ニュースから連載物まで、さまざまなジャンルの記事を担当する。'97年に翻訳編集部に異動。2004年に編集長。2年の準備期間を経て'06年9月に古典新訳文庫を創刊。10年にわたり編集長を務めた。著書に『いま､息をしている言葉で。「光文社古典新訳文庫」誕生秘話』（而立書房）がある。現在、ひとり出版社「合同会社駒井組」代表。

「光文社古典新訳文庫」編集部

2006年9月創刊。文学のみならず哲学、社会科学、自然科学を含む古典作品を、現代の読者に読みやすい日本語で新訳として刊行している。

文学《ぶんがく》こそ最高《さいこう》の教養《きょうよう》である

2020年7月30日初版1刷発行
2021年10月20日　2刷発行

編著者 —— 駒井稔＋「光文社古典新訳文庫」編集部
発行者 —— 田邉浩司
装　幀 —— アラン・チャン
印刷所 —— 萩原印刷
製本所 —— ナショナル製本
発行所 —— 株式会社光文社
東京都文京区音羽1-16-6（〒112-8011）
https://www.kobunsha.com/
電　話 —— 編集部03（5395）8289　書籍販売部03（5395）8116
業務部03（5395）8125
メール —— sinsyo@kobunsha.com

ISBN 978-4-334-04482-4

1075

文学こそ最高の教養である

駒井稔＋「光文社古典新訳文庫」編集部　編著

社会を、人間を、広く深く知るのに最も役立つのが文学だ――。紀伊國屋書店新宿本店の人気イベントが書籍化。名翻訳者14人が初歩的な所から語りでナビゲートする古典文学入門編。

978-4-334-04482-4

1076

天文学者が解説する 宮沢賢治『銀河鉄道の夜』と宇宙の旅

谷口義明

賢治には未来が見えていた――。このユニークな童話はどのように構想され、賢治は宇宙に何を見ていたのか。これまでにないアプローチで作品の魅力に迫る。【渡部潤一氏推薦！】

978-4-334-04483-1

1077

南極で心臓の音は聞こえるか 生還の保証なし、南極観測隊

山田恭平

「南極大陸の奥に進むと、静かすぎて己の心臓の音が聞こえるという」――そんな伝説めいた話から南極を目指した著者による、1年4カ月の滞在記。南極観測隊のリアルが分かる一冊。

978-4-334-04484-8

1078

子規を「ギャ句」る 名句をひねると「ギャ句」になりました

夏井いつき

名句をもじって味わう遊びへの誘い。俳句の辛口先生が正岡子規をギャ句った作品を募集し採点。原句があるから誰でも始められ知識と技を同時習得。最小変化で最大効果を狙え！

978-4-334-04485-5

1079

小池百合子　権力に憑かれた女 ドキュメント東京都知事の１４００日

和田泰明

【緊急出版！】メディアの特性を熟知した政治家・小池百合子。築地市場移転、東京五輪、新型コロナ対策など、4年間の彼女の実績を、「週刊文春」記者が徹底取材で明らかにする。

978-4-334-04486-2